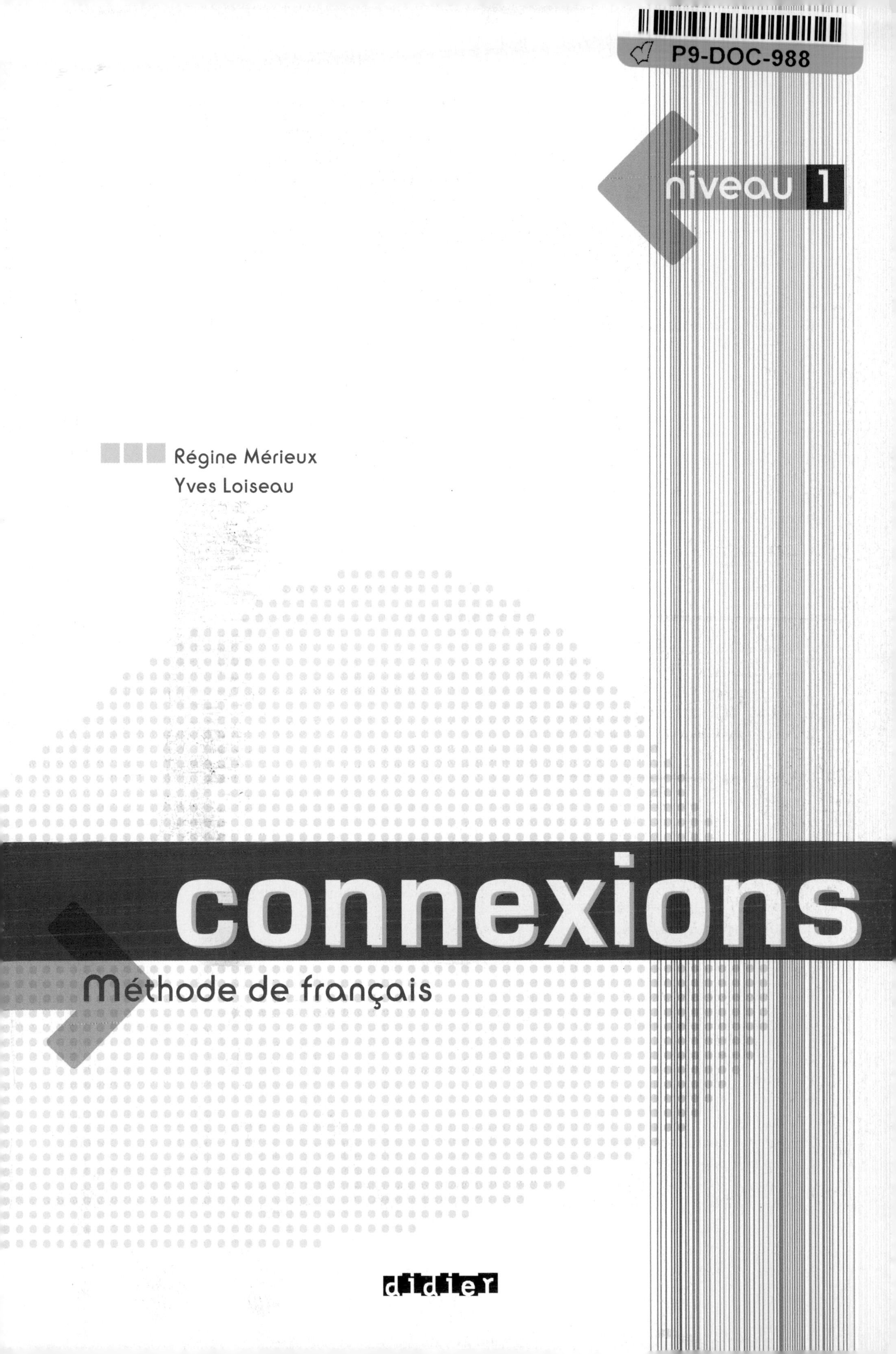

P9-DOC-988
niveau 1
Régine Mérieux
Yves Loiseau
connexions
Méthode de français
didier

Avant-propos

Public et durée d'apprentissage

Connexions est un ensemble pédagogique sur **trois niveaux** qui s'adresse à un public de **grands-adolescents** et d'**adultes**. Ce premier manuel est conçu pour les débutants. Il couvre **100 à 120 heures** d'enseignement-apprentissage.

Objectifs

Connexions cherche à rendre les apprenants capables d'**accomplir des tâches** dans les domaines variés de la vie sociale, grâce à l'acquisition de savoirs et savoir-faire communicatifs, linguistiques et culturels, ainsi que par la mise en place de réelles **stratégies d'apprentissage**.

Cadre européen commun de référence pour les langues

Les objectifs et les contenus de *Connexions* ont été définis dans le plus grand respect des buts définis dans le ***Cadre européen commun de référence pour les langues*** (Éditions Didier, 2001). L'approche retenue est également en totale adéquation avec ses préconisations : travail sur tâches, évaluation formative, autoévaluation, ouverture à la pluralité des langues et des cultures. À l'issue du niveau 1, les apprenants devraient avoir acquis les compétences du niveau A1 et partiellement du A2 du *Cadre européen commun de référence pour les langues.*

Démarche

Connexions est une méthode **facile à utiliser** et très **réaliste**, à la fois par ses contenus, sa progression et la mise en œuvre du travail proposé.
L'**organisation** est **claire** et **régulière** et les contenus parfaitement balisés.
Les processus d'apprentissage sont soigneusement respectés et chaque point de langue est appréhendé dans sa totalité. Ainsi, l'utilisateur prend en charge son apprentissage : il découvre, déduit, réemploie et systématise chaque fonctionnement.

Structure de l'ouvrage

Quatre modules de trois unités. Chaque module présente un objectif général : *parler de soi, échanger, agir dans l'espace, se situer dans le temps.* De chacun de ces objectifs découlent d'autres objectifs et **savoir-faire** répondant aux besoins de la **communication** ; par exemple, pour *parler de soi*, on aura besoin de savoir se *présenter, exprimer ses goûts*, etc. C'est donc à partir de ces objectifs généraux, puis plus spécifiques, qu'ont été définis les outils linguistiques à l'aide desquels les apprenants vont pouvoir mettre en œuvre diverses compétences, telles que *comprendre, parler, écrire*, etc.

Évaluation

Trois types d'évaluation sont proposés dans *Connexions* :
– des **tests sommatifs** pour chacune des 12 unités. Ils proposent des activités de compréhension, d'expression, de vocabulaire et de grammaire, permettant de vérifier les acquis. Le barème de notation est indiqué aux apprenants et un corrigé est proposé dans le guide pédagogique.
– des **bilans d'autoévaluation** après chaque module. Les apprenants peuvent tester immédiatement leurs connaissances par des activités courtes et très ciblées. Un résultat leur permet de se situer immédiatement et des renvois à certaines activités du livre et du cahier leur donnent la possibilité de **remédier à leurs lacunes**.
– des pages de **préparation au DELF** après chaque module. Des activités orales et écrites permettent aux apprenants de s'initier aux épreuves de l'unité A1 du DELF 1er degré.

Mémento pour l'apprenant

Un mémento de 48 pages offre à l'apprenant les transcriptions des enregistrements, les corrigés des autoévaluations, un précis de phonétique, un précis de grammaire, des tableaux de conjugaison, un lexique plurilingue et un guide des contenus. Ce mémento est **l'outil indispensable** de l'apprenant.

Ensemble du matériel

– **Un livre pour l'élève** accompagné d'**un CD** ou de **cassettes pour la classe** renfermant toutes les activités enregistrées du livre de l'élève, ainsi que les activités complémentaires sonores du guide pédagogique.
– **Un guide pédagogique** proposant des explications très détaillées sur la mise en place des activités, leur déroulement, leur corrigé, diverses informations culturelles utiles et **des activités complémentaires facultatives** (audio pour certaines) pouvant permettre de moduler la durée de l'enseignement-apprentissage selon les besoins.
– **Un cahier d'exercices avec CD** audio inclus qui suit pas à pas la progression du livre de l'élève et qui propose des activités sonores et écrites. Ce cahier peut être utilisé en autonomie ou en classe.

Tableau des contenus

24 Sept
no class

Module 1 • *Parler de soi* • pages 7 à 40

Module 2 • *Échanger* • pages 41 à 74

	Unité **4** : **Enquête** *Page 42*	Unité **5** : **Invitations** *Page 52*	Unité **6** : **À table !** *Page 62*
Communication & Savoir-faire	▸ Demander à quelqu'un de faire quelque chose ▸ Demander poliment	▸ Proposer - accepter / refuser une invitation ▸ Demander / indiquer l'heure ▸ Indiquer la date ▸ Prendre / fixer un rendez-vous	▸ Donner un avis positif / négatif ▸ Demander le prix ▸ Exprimer la quantité
Oral	▸ Demander à quelqu'un de faire quelque chose ▸ Échanger sur ses projets ▸ S'exprimer sur les fêtes traditionnelles de son pays	▸ Comprendre les dates et heures de rendez-vous ▸ Prendre / fixer rendez-vous par téléphone ▸ S'exprimer sur ses loisirs ▸ Inviter quelqu'un	▸ Comprendre des avis positifs et négatifs ▸ Faire un achat dans une librairie ▸ Prendre un repas au restaurant
Écrit	▸ Comprendre un message électronique ▸ Identifier un récit correspondant à une situation ▸ Écrire un dialogue ▸ Compléter une carte postale ▸ Écrire une lettre à un ami ▸ Comprendre et utiliser un calendrier	▸ Comprendre un message électronique ▸ Refuser une invitation ▸ Lire un agenda ▸ Remplir un agenda ▸ Lire un programme de cinéma ▸ Comprendre des statistiques	▸ Comprendre un message électronique ▸ Identifier et comprendre un article de presse ▸ Comprendre des données quantitatives ▸ Rédiger une critique ▸ Répondre à des devinettes
Grammaire & Vocabulaire	▸ Le futur proche : *aller* + verbe ▸ *Écoute ! Allez !* ▸ Les articles définis / indéfinis ▸ Les indicateurs de temps (1) ▸ Les marques du pluriel des noms ▸ *Il y a* ▸ *Nous, ils/elles* ▸ Le passé composé (1) ▸ Verbes : *pouvoir, vouloir, aller* ▸ Les mois de l'année ▸ Les expressions avec *avoir* *(avoir faim, avoir froid…)*	▸ L'interrogation avec *est-ce que* ▸ *Je pense que, j'espère que* ▸ Les pronoms après une préposition *(avec lui, chez moi)* ▸ La conjugaison complète des verbes en -er ▸ Verbes : *être, avoir, venir, savoir* et *connaître* ▸ L'heure et la date ▸ Les jours de la semaine	▸ Les pronoms compléments directs *(le, la, les, me, te…)* ▸ La négation : *ne… pas de* ▸ Les articles partitifs (2) ▸ *Un peu de, beaucoup de…* ▸ *Un litre de, un kilo de…* ▸ Le pronom *en* de quantité ▸ *Qu'est-ce que / Combien* ▸ Verbes : *prendre, boire, payer* ▸ L'alimentation
Phonétique	▸ La liaison ▸ Les sons [s] [z]	▸ Les lettres finales ▸ Les sons [ʃ] [ʒ]	▸ La cédille *(ç)* ▸ Les sons [p] [b]
Civilisation	▸ Les fêtes en France	▸ Les sorties des Français	▸ Les repas français ▸ Déjeuner au café
	▸ **Test 4**, page 169	▸ **Test 5**, page 170	▸ **Test 6**, page 171

▸ **Autoévaluation du module 2**, page 72

▸ **Préparation au DELF**, page 74

Module 3 • *Agir dans l'espace* • pages 75 à 108

	Unité 7 : Rallye *Page 76*	Unité 8 : Chez moi *Page 86*	Unité 9 : Les vacances *Page 96*
Communication & Savoir-faire	▸ Se situer dans l'espace ▸ Demander / indiquer une direction	▸ Donner un ordre / un conseil ▸ Interdire ▸ Exprimer l'obligation ▸ Exprimer la possession (2)	▸ Décrire un lieu / Situer ▸ Exprimer l'intensité *(très, peu, assez, tellement…)*
Oral	▸ Comprendre des indications pour pouvoir dessiner un plan ▸ Indiquer un itinéraire	▸ Identifier quelqu'un à partir d'une description ▸ Comprendre et donner des arguments contradictoires ▸ S'exprimer sur le recyclage des déchets et le tri sélectif	▸ Comprendre des opinions sur des lieux ▸ Comprendre un dépliant touristique ▸ Comprendre une chanson française ▸ Échanger avec un(e) ami(e) sur les vacances
Écrit	▸ Comprendre un message électronique ▸ Lire un plan ▸ Dessiner un plan à partir d'indications orales ▸ Comprendre un article sur des informations culturelles	▸ Comprendre un message électronique ▸ Comprendre des instructions ▸ Écrire des recommandations à un ami. ▸ Comprendre un dépliant d'information	▸ Comprendre un message électronique ▸ Comprendre et résoudre quelques énigmes ▸ Décrire un lieu ▸ Rédiger une histoire à partir d'informations données
Grammaire & Vocabulaire	▸ Quelques prépositions de lieu ▸ L'impératif ▸ Les articles contractés *au, du…* ▸ Verbes : *plaire, faire plaisir, offrir* ▸ La ville ▸ Les nombres ordinaux	▸ *Quelque chose / rien* *Quelqu'un / personne* ▸ *Il faut / devoir* ▸ *Qui / que / où* ▸ Les adjectifs possessifs (2) ▸ Le passé composé (2) ▸ Les pronoms compléments indirects *(me, te, lui, leur…)* ▸ Verbe : *devoir* ▸ La maison ▸ Les couleurs ▸ *C'est en bois / en verre…*	▸ Le genre des noms de pays ▸ Les prépositions et les noms de villes, de pays, de continents ▸ *Des* → *de* devant un adjectif ▸ Y, pronom complément ▸ Les adjectifs démonstratifs ▸ Les pronoms compléments avec deux verbes *(je vais y aller, je veux la voir…)* ▸ Verbe : *voir* ▸ La famille
Phonétique	▸ *Aller* ou *allez* ? ▸ Les sons [b] [v]	▸ Les prononciations du « e » ▸ Les sons [œ] [o]	▸ Accent aigu, grave ou circonflexe
Civilisation	▸ Les jeux des Français	▸ Le tri sélectif et le recyclage des déchets	▸ Chanson : *Simone à la neige* (Les Escrocs)
	▸ **Test 7**, page 172	▸ **Test 8**, page 173	▸ **Test 9**, page 174

Module 4 • *Se situer dans le temps* • pages 109 à 143

1
parler de soi

T. CHARDON

PIERRE
EMMA

1 Bonjour !

Dialogue 1

M. Leroy : Bonjour, madame.
La secrétaire : Bonjour, monsieur.
M. Leroy : Julien Leroy. Monsieur Thomas Fonteneau, s'il vous plaît.
La secrétaire : Thomas...

Dialogue 2

Antoine : Eh, salut Cora !
Coralie : Bonjour, Antoine, ça va ?
Antoine : Ça va, et toi ?
Coralie : Hum, ça va !

Dialogue 3

M. Leroy : Bonjour Monsieur Fonteneau.
M. Fonteneau : Bonjour Monsieur Leroy, vous allez bien ?
M. Leroy : Bien, merci. Et vous ?
M. Fonteneau : Bien, bien. Asseyez-vous !

Dialogue 4

Jeanne : Salut, tu vas bien ?
Béatrice : Bien, et toi ?
Jeanne : Bien, merci. Béatrice, Saïd.
Béatrice : Bonjour.
Saïd : Bonjour.

Dialogue 5

Jeanne : Bon, salut. Tu me téléphones ?
Béatrice : Oui, oui, d'accord, à bientôt.
Jeanne : Au revoir. Bonne journée !

Dialogue 6

Antoine : Bon, salut Cora.
Coralie : Tchao, à demain !
Antoine : À demain !

a

b

c

d

e

f

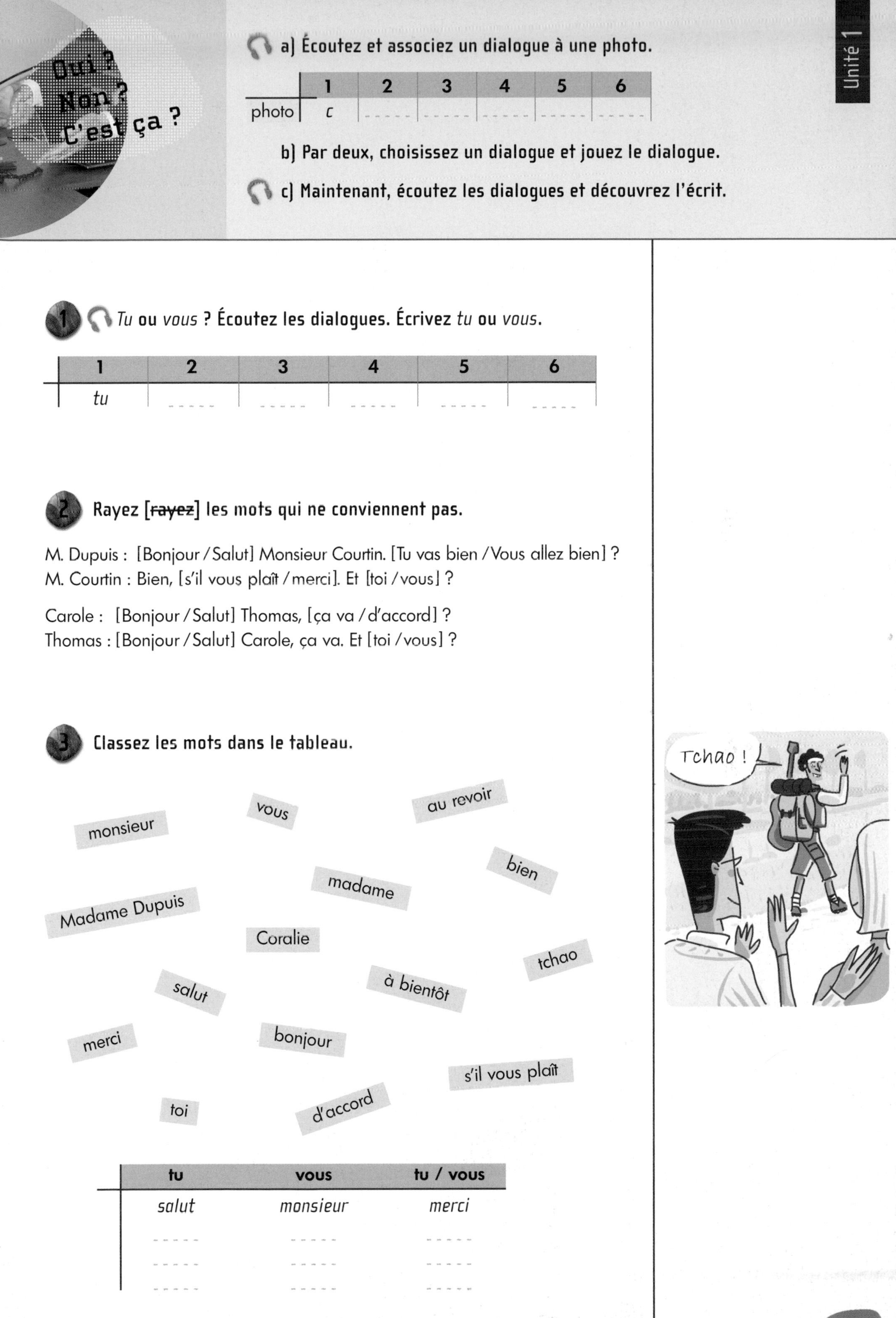

a) Écoutez et associez un dialogue à une photo.

	1	2	3	4	5	6
photo	*c*	-----	-----	-----	-----	-----

b) Par deux, choisissez un dialogue et jouez le dialogue.

c) Maintenant, écoutez les dialogues et découvrez l'écrit.

1 *Tu* ou *vous* ? Écoutez les dialogues. Écrivez *tu* ou *vous*.

1	2	3	4	5	6
tu	-----	-----	-----	-----	-----

2 Rayez [~~rayez~~] les mots qui ne conviennent pas.

M. Dupuis : [Bonjour / Salut] Monsieur Courtin. [Tu vas bien / Vous allez bien] ?
M. Courtin : Bien, [s'il vous plaît / merci]. Et [toi / vous] ?

Carole : [Bonjour / Salut] Thomas, [ça va / d'accord] ?
Thomas : [Bonjour / Salut] Carole, ça va. Et [toi / vous] ?

3 Classez les mots dans le tableau.

monsieur — vous — au revoir — bien — madame — Madame Dupuis — Coralie — tchao — salut — à bientôt — merci — bonjour — s'il vous plaît — toi — d'accord

tu	vous	tu / vous
salut	*monsieur*	*merci*
-----	-----	-----
-----	-----	-----
-----	-----	-----

Outils

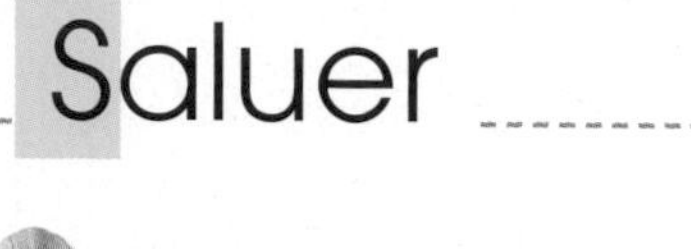

Saluer

4 **Que disent les personnes ?**

Choisissez une photo et jouez la situation devant le groupe. Puis, écrivez votre dialogue.

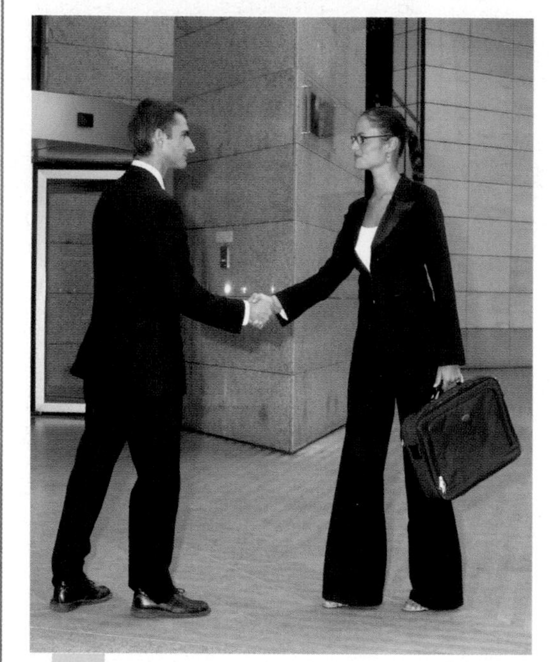

Exemple :
– Madame Poilane ?
– Oui.
– Bonjour. Yann Laridon.
– Ah, bonjour, Monsieur Laridon. Comment allez-vous ?
– Bien, et vous ?

les salutations
Bonjour.
Bonjour, Antoine.
Bonjour, monsieur/madame.
Bonjour, Monsieur Leroy.
Salut !
Salut Coralie !

L'alphabet

5 **a) Écoutez et répétez l'alphabet.**

L'alphabet

A B C D E F G H I J K L M N O P Q R S T U V W X Y Z
a b c d e f g h i j k l m n o p q r s t u v w x y z

Et en plus, pour épeler :
- l'accent aigu (é) : *téléphone* = T - E *accent aigu* - L - E *accent aigu* - P - H - O - N - E.
- l'accent grave (è-à-ù) : *mère* = M - E *accent grave* - R - E.
- l'accent circonflexe (ê, â, ô, û, î) : *fête* = F - E *accent circonflexe* - T - E.
- le tréma (ë, ü, ï) : *Saïd* = S - A - I *tréma* - D.
- la cédille (ç) : *français* = F - R - A - N - C *cédille* - A - I - S.
- l'apostrophe (') : *aujourd'hui* = A - U - J - O - U - R - D *apostrophe* - H - U - I.

b) Écoutez le dialogue et complétez le prénom et le nom de la personne.

Je m'appelle J _ _ _ _ _ W _ _ _ _ _ .

Comment on dit "dog" en français ? (How do you say)
Comment ça s'écrit ? (write)
Encore une fois { s'il vous plaît ? / s'il te plaît ? } (play again.)
Parlez lentement, svp } (speak slowly)
parle lentement, stp. }

les salutations

Au revoir.
Au revoir, monsieur/madame.
Au revoir, Madame Bey.
Salut.
Tchao !
À bientôt.
À demain.
Bonne journée.

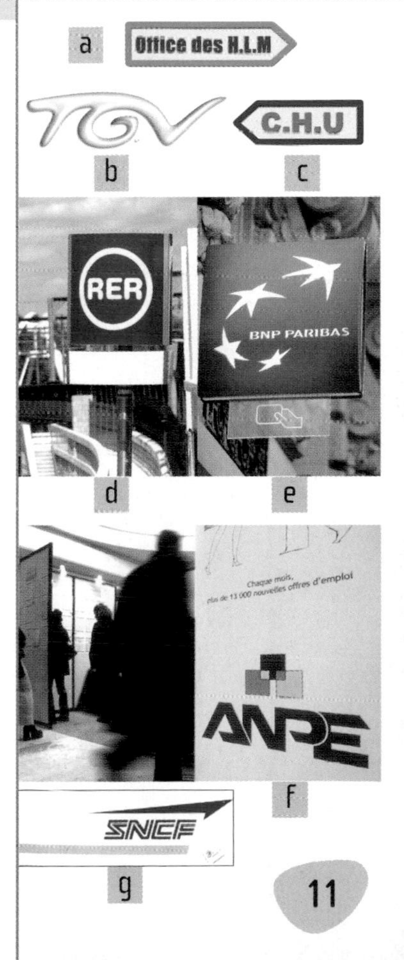

6 **Écoutez et jouez les dialogues.**

dialogue 1
- Tu t'appelles comment ?
- Sangmin.
- Ça s'écrit comment ?
- S-A-N-G-M-I-N.

dialogue 2
- Vous vous appelez comment ?
- Xavier KAUZA
- Ça s'écrit comment ?
- K-A-U-Z-A.

7 a) *Tu t'appelles comment ? Vous vous appelez comment ?*
Épelez votre prénom et votre nom.

b) **Choisissez un mot français et demandez à un autre étudiant :**
Ça s'écrit comment ?

Exemple : « Bonjour », ça s'écrit comment ?

8 **a) Lisez les sigles.**

b) Écoutez et associez chaque nom à une photo.

1. Agence nationale pour l'emploi
2. Banque nationale de Paris
3. Centre hospitalier universitaire
4. Habitation à loyer modéré (low income housing)
5. Réseau express régional
6. Société nationale des chemins de fer français (railroad)
7. Train à grande vitesse (speed)

S'excuser

9 Écoutez et jouez le dialogue.

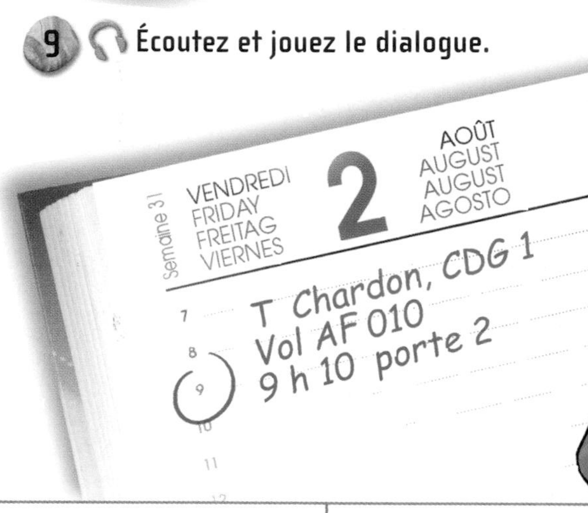

Excusez-moi !
Excuse-moi !
Pardon.
Désolé(e).
Je suis désolé(e).

10 Écoutez puis lisez le dialogue à voix haute.

Lucie : Excusez-moi, vous êtes Tristan Chardon ?
Un homme : Non, désolé.
Lucie : Pardon.

Lucie : Excusez-moi. Monsieur Chardon ?
M. Chardon : Oui.
Lucie : Ah, bonjour. Lucie Quermalec. Je suis la directrice de la société Repro-Copie.
M. Chardon : Ah, bonjour Madame Quermalec. Enchanté.
Lucie : Vous avez fait bon voyage ?
M. Chardon : Oui, merci.

11 Vous êtes dans un aéroport dans votre pays. Vous accueillez un(e) Français(e). Imaginez puis jouez la scène.

Les nombres de 0 à 10

Zéro plus zéro égal la tête à Toto !

+ plus
- moins
= égal

12 Écoutez, puis répétez.

0 : zéro	3 : trois	6 : six	9 : neuf
1 : un	4 : quatre	7 : sept	10 : dix
2 : deux	5 : cinq	8 : huit	

13 Complétez.

un + un = *deux*

quatre + deux = ...
deux + cinq = ...
sept – trois = ...

six + deux = ...
neuf – deux = ...
trois + trois = ...

Les premiers gestes

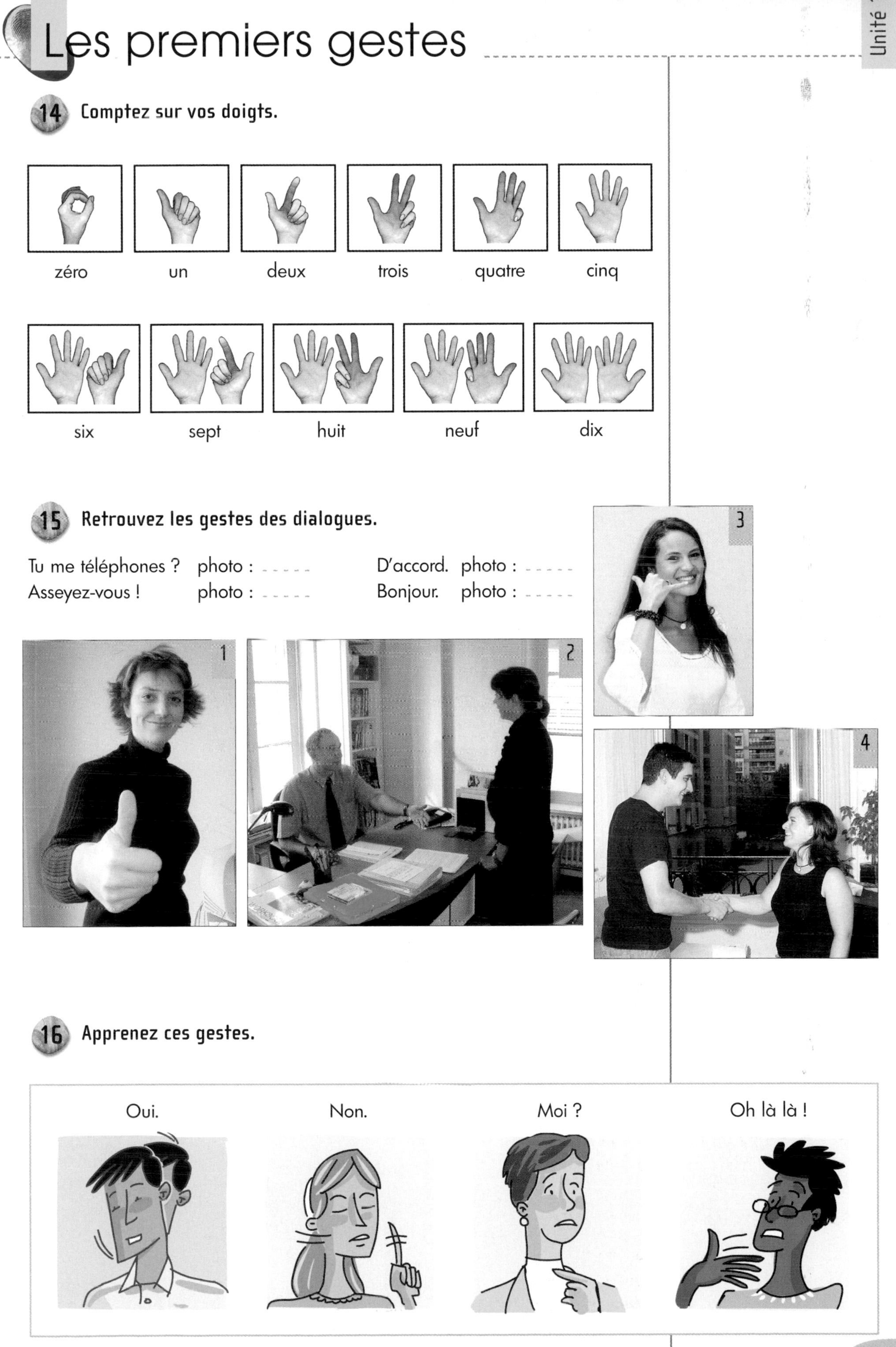

14 Comptez sur vos doigts.

zéro un deux trois quatre cinq

six sept huit neuf dix

15 Retrouvez les gestes des dialogues.

Tu me téléphones ? photo : .....
Asseyez-vous ! photo : .....
D'accord. photo : .....
Bonjour. photo : .....

1 2 3 4

16 Apprenez ces gestes.

Oui. Non. Moi ? Oh là là !

Vous avez 1 nouveau message

Mes messages | Écrire | Répertoire | Options

<< messages précédents / messages suivants >

Chat

Salon : Entrer | Pseudo

‹Floty› Marco ? Espagnol ? Italien ?
‹Marco› Oui, italien.
‹Floty› Moi, c'est Flora.
‹Marco› Hum, Flora. Vous êtes française ?
‹Floty› Tu. Eh ! oui.
‹Marco› Tu ?
‹Floty› Oui, tu, pas vous.
‹Marco› Ah, d'accord. Merci.
‹Floty› Je t'en prie.
‹Marco› Et Floty ?
‹Floty› Ah, ah ! Flora Tylon. :-)

– Merci
– Je t'en prie. / Je vous en prie.

17 Lisez le dialogue puis cochez (X) les cases dans le tableau.

	homme	femme	France	Italie
Marco				
Flora				

Qui ?

18 Classez les prénoms dans le tableau.

Un garçon !	Une fille !

Les prénoms à la mode pour les enfants de 2004

Emma
Théo
Thomas
Antoine
Camille
Chloé
Hugo
Léa
Lucas
Maxime
Alexandre
Charlotte
Clément
Juliette
Lucie
Manon
Marie
Mathilde
Nicolas

Retrouvez 12 prénoms. Entourez les prénoms.

E	C	A	M	I	L	L	E	O	D	E	H	I	T	E	A
C	H	L	O	N	U	T	T	H	O	N	A	S	H	O	M
I	L	E	A	E	C	H	A	R	L	O	T	T	E	S	U
T	O	U	N	L	A	L	E	T	H	C	H	L	O	M	A
M	E	S	T	A	S	I	R	H	U	G	O	D	I	E	T
L	E	T	O	M	A	L	E	E	X	O	M	A	X	M	O
M	A	X	I	L	C	D	H	U	G	M	A	X	I	M	E
A	N	I	N	U	R	L	O	T	T	U	S	A	R	A	N
S	A	L	E	X	A	N	D	R	E	M	M	S	U	T	I

il est surpris

elle sourit

Regardez et associez chaque symbole à une photo.

:-)	:-(
n° 5	n° .....
:'-)	8-)
n°	n° .....
:-D	:-o
n°	n° .....

Elle pleure

il rit

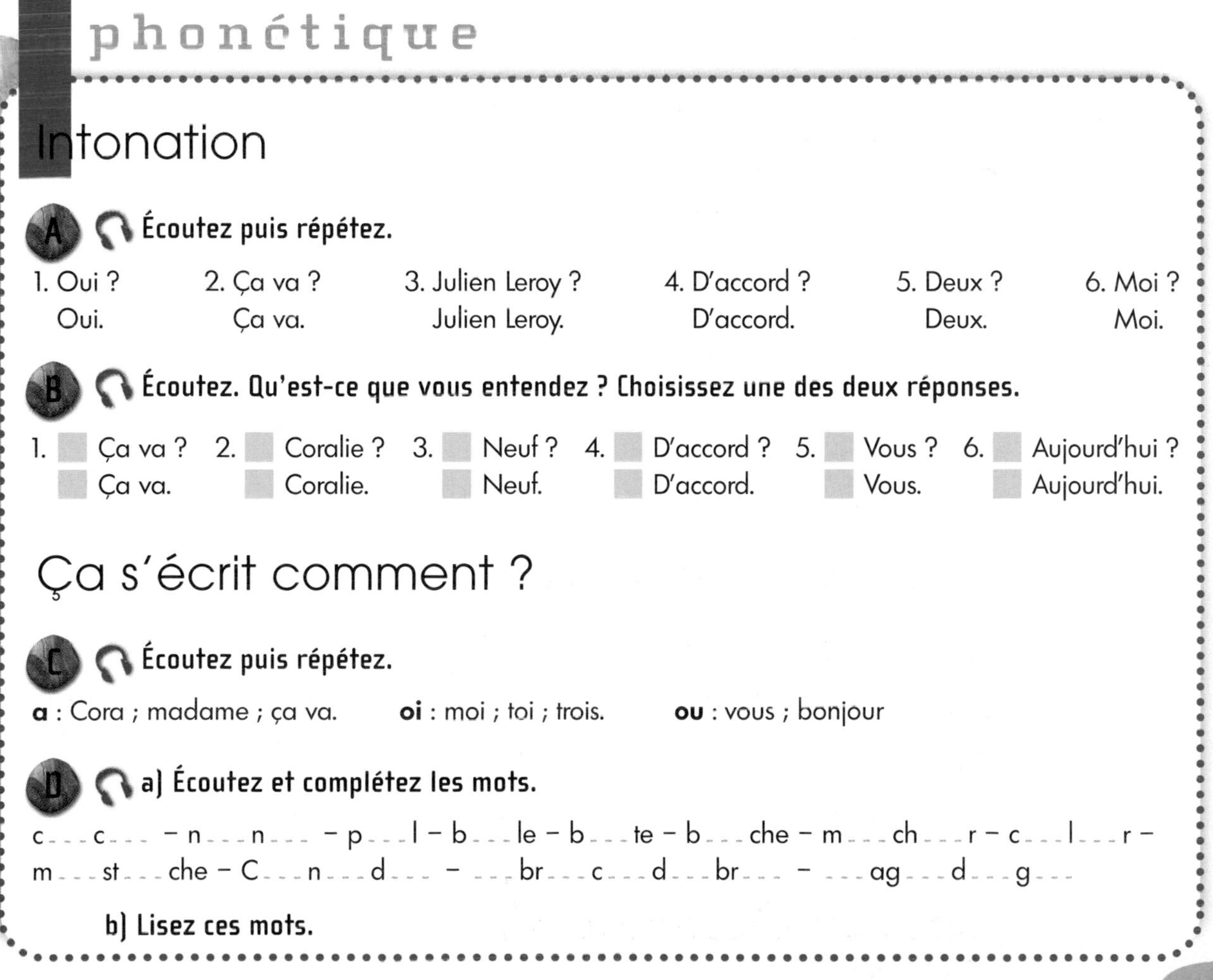

phonétique

Intonation

A **Écoutez puis répétez.**

1. Oui ? Oui.
2. Ça va ? Ça va.
3. Julien Leroy ? Julien Leroy.
4. D'accord ? D'accord.
5. Deux ? Deux.
6. Moi ? Moi.

B **Écoutez. Qu'est-ce que vous entendez ? Choisissez une des deux réponses.**

1. ☐ Ça va ? ☐ Ça va.
2. ☐ Coralie ? ☐ Coralie.
3. ☐ Neuf ? ☐ Neuf.
4. ☐ D'accord ? ☐ D'accord.
5. ☐ Vous ? ☐ Vous.
6. ☐ Aujourd'hui ? ☐ Aujourd'hui.

Ça s'écrit comment ?

C **Écoutez puis répétez.**

a : Cora ; madame ; ça va. **oi** : moi ; toi ; trois. **ou** : vous ; bonjour

D **a) Écoutez et complétez les mots.**

c... c... – n... n... – p... l – b... le – b... te – b... che – m... ch... r – c... l... r – m... st... che – C... n... d... – ... br... c... d... br... – ... ag... d... g...

b) Lisez ces mots.

La géographie de la France

21 Montrez les pays voisins de la France métropolitaine :
l'Allemagne, la Belgique, l'Espagne, la Grande-Bretagne, l'Italie, le Luxembourg, les Pays-Bas, la Suisse.

22 Avec votre professeur, placez les villes et les sites sur la carte.

Les villes :
Paris
Lyon
Marseille
Lille
Brest
Strasbourg
Bordeaux

Les sites :
a. Le pont d'Avignon
b. La tour Eiffel
c. Le Mont-Saint-Michel
d. Le château de Chambord
e. Le Mont-Blanc

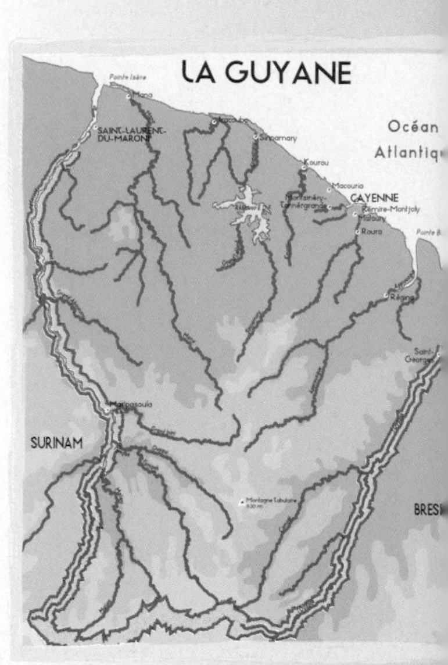

La Grande-Bretagne
Bruxelles
Les Pays-Bas
La Belgique
L'Allemagne
Le Luxembourg
LA MANCHE
LA FRANCE
Berne
La Suisse
L'OCÉAN ATLANTIQUE
L'Italie
Bastia
Ajaccio
La Corse
L'Espagne
ANDORRE
LA MER MÉDITERRANÉE
Océan Atlantique
Canal de la Guadeloupe
Océan Atlantique
Grand Cul-de-Sac Marin
LA DÉSIRADE
GRANDE-TERRE
POINTE-À-PITRE
Petit Cul-de-Sac Marin
Mer des Caraïbes
BASSE-TERRE
MARIE-GALANTE
Canal de Marie-Galante
Canal des Saintes
LES SAINTES
Canal de la Dominique
LA GUADELOUPE
SAINT-DENIS
SAINT-PAUL
SAINT-BENOÎT
Baie de Saint-Paul
CÔTE AU VENT
Cirque de Mafate
Cirque de Salazie
Cirque de Cilaos
PLAINE DES CAFRES
DIMITILE
CÔTE SOUS LE VENT
SAINT-PIERRE
Grand Brûlé
Océan Indien
LA RÉUNION

2 Rencontres

Vendredi 2 mai 2004
École de langues Odéon

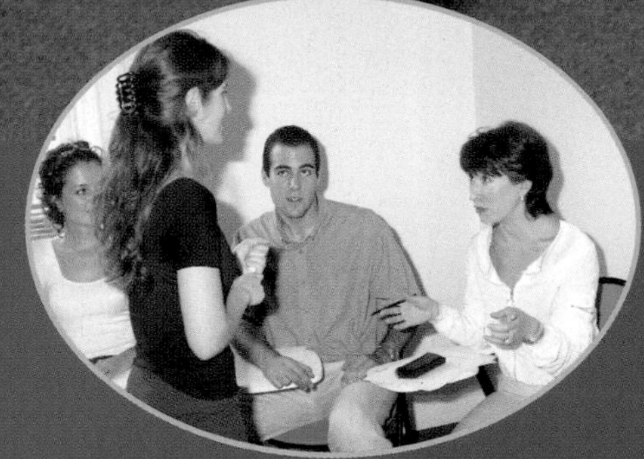

a)

Professeur : Et vous, vous vous appelez comment ?

Norma : Norma. Je suis mexicaine. J'habite à Toluca.

Professeur : Vous avez quel âge, Norma ?

Norma : J'ai 30 ans aujourd'hui.

Professeur : Aujourd'hui ? Oh !...

b)

Marek : Moi, c'est Marek. J'habite et je travaille à Berlin mais je suis polonais.

Hiromi : Tu as quel âge ?

Marek : Ah !... quel âge ? J'ai 36 ans. Je suis né le 3 mai 1968 à Cracovie.

c)

Bonjour. Moi, je suis italienne, je suis de Milan. Je m'appelle Paola Salini, j'ai 17 ans. J'apprends le français au lycée. J'aime la France !

d)

Saïd : Répète, s'il te plaît. Tu t'appelles Helke ?

Heike : Euh... Non, je m'appelle Heike Fischer. Je suis allemande, j'habite à Heidelberg.

Saïd : Tu as... 20 ans ?

Heike : 29 ans. J'ai 29 ans. Et toi ?

Saïd : Moi, je m'appelle Saïd et j'habite à Rabat.

Heike : Tu as quel âge ?

Saïd : J'ai 28 ans.

apprendre

j'apprends
tu apprends
il/elle apprend
vous apprenez

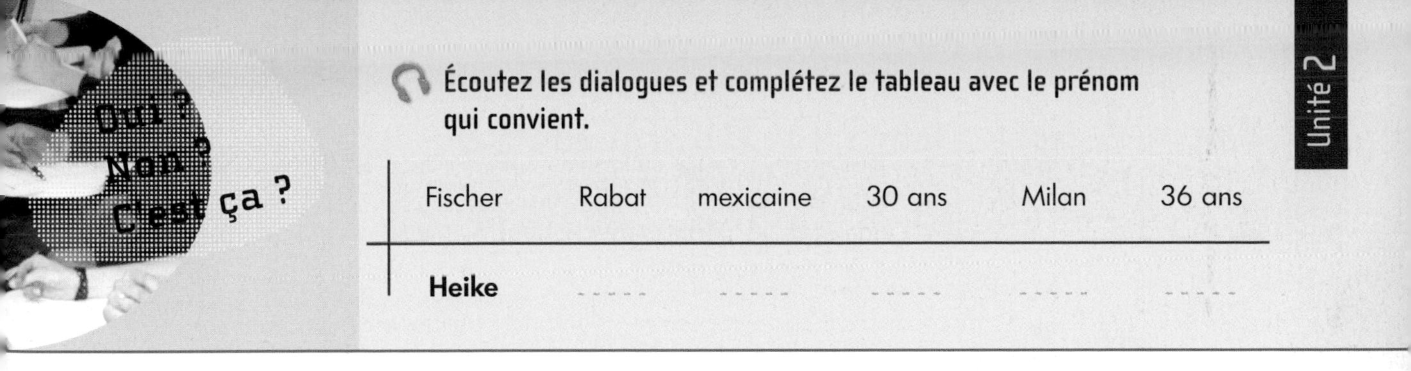

Écoutez les dialogues et complétez le tableau avec le prénom qui convient.

Fischer	Rabat	mexicaine	30 ans	Milan	36 ans
Heike	.....	.....	.....	.....	.....

1 Regardez rapidement les textes page 18, écoutez, puis retrouvez l'ordre des dialogues.

d ... ...

2 Écoutez encore les quatre dialogues et complétez la liste.

ÉCOLE DE LANGUES
ODÉON PARIS

1	BARROS Elisa	(espagnole)	21/02/1972
2	FERREIRA Jorge	(portugais)	30/06/1960
3	FISCHER Heike	(..................)	15/01/1975
4	KASAÏ Hiromi	(japonaise)	08/02/1979
5	MACKENZIE Adam	(américain)	01/04/1980
6	MICHELLI Tracy	(australienne)	06/12/1949
7	MORELOS Norma	(..................)	21/05/1974
8	MORLUPI Franco	(italien)	26/03/1963
9	SADAWI	(marocain)	10/04/1976
10	SALINI	(..................)	13/11/1987
11	WÓCZYK	(polonais)	..../05/1968
12	ZANELLI Laura	(italienne)	25/04/1981

3 Complétez le tableau sans relire les dialogues.

Il/elle s'appelle comment ?	Il/elle a quel âge ?	Quelle est sa nationalité ?	Il/elle habite où ?
Elle s'appelle Heike.	....	....	Elle habite à Heidelberg.
....	Il a 28 ans.	Il est marocain.	....
....	....	Elle est mexicaine.	....
....	....	....	Elle habite à Milan.
....	....	....	....

Outils

Les nationalités

4 **Complétez les phrases avec le mot qui convient, puis relisez les dialogues page 18.**

marocaine - italien - mexicain - allemand - espagnole - américaine - polonaise - mexicaine - polonais - italienne - allemande - marocain - américain - espagnol

1. Heike Fischer a 29 ans et elle est ....
2. Saïd est .... Il habite à Rabat.
3. Elisa a 32 ans. Elle est .... Elle habite à Madrid.
4. Adam Mackenzie a 24 ans. Il est ....
5. Il s'appelle Marek. Il habite à Berlin mais il est ....
6. Elle est .... Elle s'appelle Paola et elle aime la France !
7. Norma est de Toluca. Elle est ....
8. Hiromi Kasaï est ....

5 **Écoutez et complétez les phrases.**

Il est français.

Elle est française.

	Il est français.	Elle est française.
1.	Celsio est portugais.	Alcina est ....
2.	Jimmy est	Jessie est australienne.
3.	Il est marocain.	Elle est ....
4.	Thilo est	Monika est allemande.
5.	Pablo est espagnol.	Mercedes est ....
6.	Edmund est	Renata est ....

Les nombres de 11 à 69

7 **a) Écoutez et répétez.**

11 : onze	12 : douze	13 : treize	14 : quatorze	15 : quinze
16 : seize	17 : dix-sept	18 : dix-huit	19 : dix-neuf	20 : vingt

b) Écoutez et écrivez le nombre que vous entendez dans chaque phrase.

1. dix-huit	2.	3. ...... /	4. ......
5.	6.	7.	8. ......

les nombres de 11 à 20

11 : onze
12 : douze
13 : treize
14 : quatorze
15 : quinze
16 : seize
17 : dix-sept
18 : dix-huit
19 : dix-neuf
20 : vingt

6 a) Regardez chaque photo, choisissez l'adjectif de nationalité qui convient et faites une phrase.

américain / américaine ; belge / belge ; sénégalais / sénégalaise ; brésilien / brésilienne ; chinois / chinoise ; espagnol / espagnole ; français / française ; italien / italienne ; libanais / libanaise ; mexicain / mexicaine

1. *Audrey Tautou est française.*
2. ....
3. ....
4. ....
5. ....
6. ....
7. ....

1 Audrey Tautou

2 Hergé

3 Marion Jones

4 Carla Bruni

5 Pedro Almodovar

6 Youssoun N'Dour

7 Gong Li

b) Présentez deux ou trois personnages célèbres que vous aimez bien.

....

les nationalités

masculin		féminin
allemand portugais marocain	+ e	allemand**e** portugais**e** marocain**e**
italien australien	+ ne	italien**ne** australien**ne**
belge	=	belge
grec	≠	grecque

8 Complétez.

21 : vingt et un
22 : vingt-deux
.. : vingt-quatre
27 : .....
30 : trente
32 : .....
.. : trente-neuf
40 : quarante
41 : .....
.. : cinquante
55 : .....
60 : .....
.. : soixante et un
63 : .....
68 : .....

les nombres de 21 à 69

21 : vingt et un
22 : vingt-deux
29 : vingt-neuf
33 : trente-trois
41 : quarante et un
48 : quarante-huit
50 : cinquante
63 : soixante-trois
69 : soixante-neuf

Se présenter / présenter quelqu'un

9 **Écoutez, lisez et retrouvez la présentation de Laura.**

a) Elle s'appelle Laura Zanelli. Elle est italienne mais elle habite en France, à Paris. Elle a 23 ans et elle apprend le français à Paris.

b) Laura Zanelli est née à Bordeaux, en France. Elle a 23 ans. Elle habite en Italie, à Rome. Elle apprend le français.

c) C'est Laura Zanelli. Elle est australienne et elle apprend le français à Rome, en Italie. Elle a 33 ans.

être

Je suis français.
Tu es espagnole ?
Il/elle est belge.
Vous êtes italien ?

avoir

J'ai 30 ans.
Tu as 28 ans ?
Il a 57 ans.
Vous avez quel âge ?

habiter et les verbes en -er

J'habite à Lyon.
Tu habites à Paris ?
Il/elle habite à Nice.
Vous habitez où ?

s'appeler

Je m'appelle Louis.
Tu t'appelles Paul ?
Elle s'appelle Lisa.
Vous vous appelez comment ?

10 **Par groupes de deux, changez les mots soulignés puis jouez les dialogues.**

Exemple : – Tu habites 8 rue Voltaire à Lyon, c'est ça ?
– Ah ! non. J'habite 10 rue Diderot.
– Mais… Toi, tu es portugais ?
– Mais non ! Je suis français !

– Tu habites 24 rue Voltaire à Nice, c'est ça ?
– Ah ! non. J'habite 34 rue Diderot.
– Mais… Toi, tu es allemand ?
– Mais non, je suis suisse !

1.
– Salut ! Tu t'appelles comment ?
– Louis. Je m'appelle Louis Dalle.
– Tu es français ?
– Non, je suis suisse.

2.
– Vous avez quel âge ?
– J'ai 30 ans. Et vous ?
– Moi, j'ai 28 ans et je travaille à Nice.
– Ah ! Moi, j'habite à Nice mais j'apprends le français à Cannes.

11 a) Choisissez un personnage et présentez-vous oralement.

Exemple : photo b → Je m'appelle Michelle. Je suis australienne. J'ai 32 ans. J'habite et je travaille à Sydney.

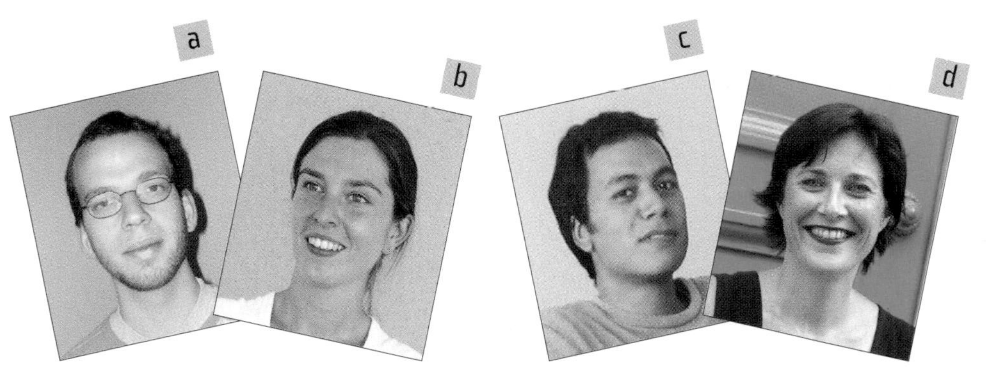

b) Choisissez une autre photo et présentez la personne par écrit.

Exemple : photo c → C'est Carlo. Il est italien et il habite à Rome. Il a 26 ans.

---

se présenter / présenter quelqu'un

Je m'appelle Maria. J'ai 25 ans et je suis espagnole.

Il s'appelle Ben, il est tunisien et il habite en France. Il travaille à Paris.

12 Votre amie française vous invite à Paris. Aidez-la à compléter la fiche.

ATTESTATION D'ACCUEIL

Je, soussigné(e)

nom :
Daumont
prénom(s) :
Angèle
né(e) le / à :
12 / 08 / 1968 à Paris
nationalité :
française
adresse complète :
22, rue Meslay, 75003 PARIS

Atteste pouvoir accueillir :

nom :

prénom(s) :

né(e) le / à :

nationalité :

passeport n° :

adresse :

avec son conjoint :

avec ses enfants :

_ _ jours, entre le _ _ et le _ _ mai 200_

le, la, les

	masculin	féminin
singulier	**le, l'**	**la, l'**
	le tableau	la fiche
	le nom	la nationalité
	l'**â**ge	l'**a**dresse
pluriel	**les**	
	les tableaux, les âges, les fiches, les adresses.	

Vous avez 1 nouveau message

Mes messages | Écrire | Répertoire | ⋆Options⋆

<< messages précédents / messages suivants >>

De : Marco Mangelli ‹ mangelli@infonie.fr ›
A : ‹ floty@laposte.net ›
Date : mercredi 22 septembre 2004
Objet : Bonjour !

Salut !
› .... ?
Marco.
› .... ?
Je suis italien.
› .... ?
26 ans.
› Et, ... ?
J'habite à Rome mais j'apprends le français à Angers.
› .... ?
Euh… c'est le 02 41 25 30 02.
› Tu as aussi une adresse électronique à l'université ?
Oui, c'est mangelli@etud.uco.fr
À bientôt !
Marco

Ça se dit comment ?
« @ » = (une) arobase
« . » = un point
floty@laposte.net = floty-arobase-laposte-point-net

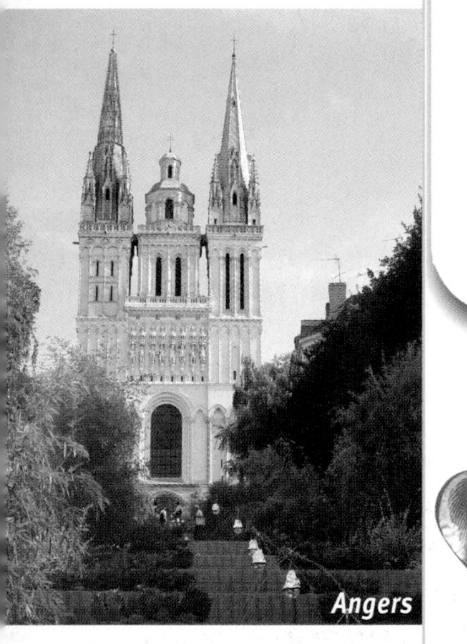
Angers

Demander à quelqu'un de se présenter

13 **Complétez le message avec les éléments qui conviennent.**

Quel est ton numéro de téléphone ?
Et quelle est ta nationalité ?
Tu t'appelles comment ?
Tu habites où ?
Tu as quel âge ?

14 **a) Écoutez l'interview. Retrouvez puis recopiez trois questions que le journaliste pose à la dame.**

Quel est votre nom ? Vous habitez où ? Quel est votre numéro de téléphone ? Vous vous appelez comment ? Quelle est votre adresse électronique ? Vous avez quel âge ? Quelle est votre adresse ?

....
....
....

b) Cochez la réponse qui convient.

1. La dame s'appelle :
- ☐ Gisèle Letourneur.
- ☐ Guilaine Letourneur.
- ☐ Germaine Letonnerre.

2. Elle a :
- ☐ 59 ans.
- ☐ 69 ans.
- ☐ 79 ans.

3. Elle habite :
- ☐ à Passy.
- ☐ à Paris.
- ☐ à Neuilly.

demander à quelqu'un de se présenter

Tu

Tu t'appelles comment ?
Quel est ton nom ?
Tu as quel âge ?
Quelle est ta nationalité ?
Tu habites où ?
Quelle est ton adresse (électronique) ?
Quel est ton numéro de téléphone ?

Vous

Vous vous appelez comment ?
Quel est votre nom ?
Vous avez quel âge ?
Quelle est votre nationalité ?
Vous habitez où ?
Quelle est votre adresse (électronique) ?
Quel est votre numéro de téléphone ?

phonétique

Le rythme

A **Écoutez puis répétez ces mots. Attention au rythme.**

Groupes de deux : prén**om** ; comm**ent** ; Par**is** ; la Fr**ance** ; Mil**an** ; rép**ète** ; j'hab**ite** ; quel **â**ge ?
Deux groupes de deux : Elle **ai**me - la Fr**ance**. ; Il **est** - franç**ais**. ; Bonj**our** - Jean-L**ouis**.

Groupes de trois : aujourd'h**ui** ; c'est Mar**ek** ; je trav**aille** ; j'ai 20 **ans** ; tu appr**end**s ; s'il te pl**aît** ; un dial**o**gue ; ton adr**e**sse
Deux groupes de trois : T'habites **où** - Hirom**i** ? ; Je trav**aille** - à Par**is**. ; Ton prén**om** - s'il te pl**aît** ?

B **a) Entraînez-vous à lire ces mots et groupes de mots.**

1. Ça va ? - Bonjour ! - Madame - Et toi ? - trente ans - allemand
2. portugais - Il est belge. - cinquante-trois - J'ai quinze ans. - Tu apprends.

b) Contrôlez avec l'enregistrement et répétez chaque mot et groupe de mots.

C **Lisez ces mots et ces phrases puis contrôlez avec l'enregistrement.**

J'aime. - J'aime la France. ; Âge ? - Quel âge ? - Tu as quel âge ? ; Elle ? - Elle habite où ? - Elle habite à Bordeaux. ; Elle apprend. - Elle apprend le français. - Elle apprend le français à Rome.

D **Écoutez et cochez la case qui convient.**

	1	2	3	4	5	6	7	8
[i] (*italien*)								
[y] (*rue*)								

La France en Europe

15 **Regardez la carte de l'Europe, écoutez l'enregistrement et faites une croix dans la case si le pays cité est en Europe.**

	1	2	3	4	5	6	7	8	9	10	11	12
En Europe	✘											

16 **a) Regardez la carte de l'Europe puis associez un élément de chaque colonne pour construire des phrases. Écrivez puis lisez vos phrases.**

Maria, Hannika, Ika, Helena, Helke, Ritt, Monika, Carmen Paul, Hans, Milan, Ernst, Todor, Boris, Nikos, Juan	habite à	Sofia Ankara Helsinki Madrid Budapest Vienne Bucarest Athènes Copenhague	Il est Elle est	finlandais(e) autrichien(ne) hongrois(e) bulgare turc (turque) roumain(e) danois(e) grec (grecque) espagnol(e)

b) Sur le même modèle, créez maintenant quelques phrases.

	habite à		Il est Elle est	

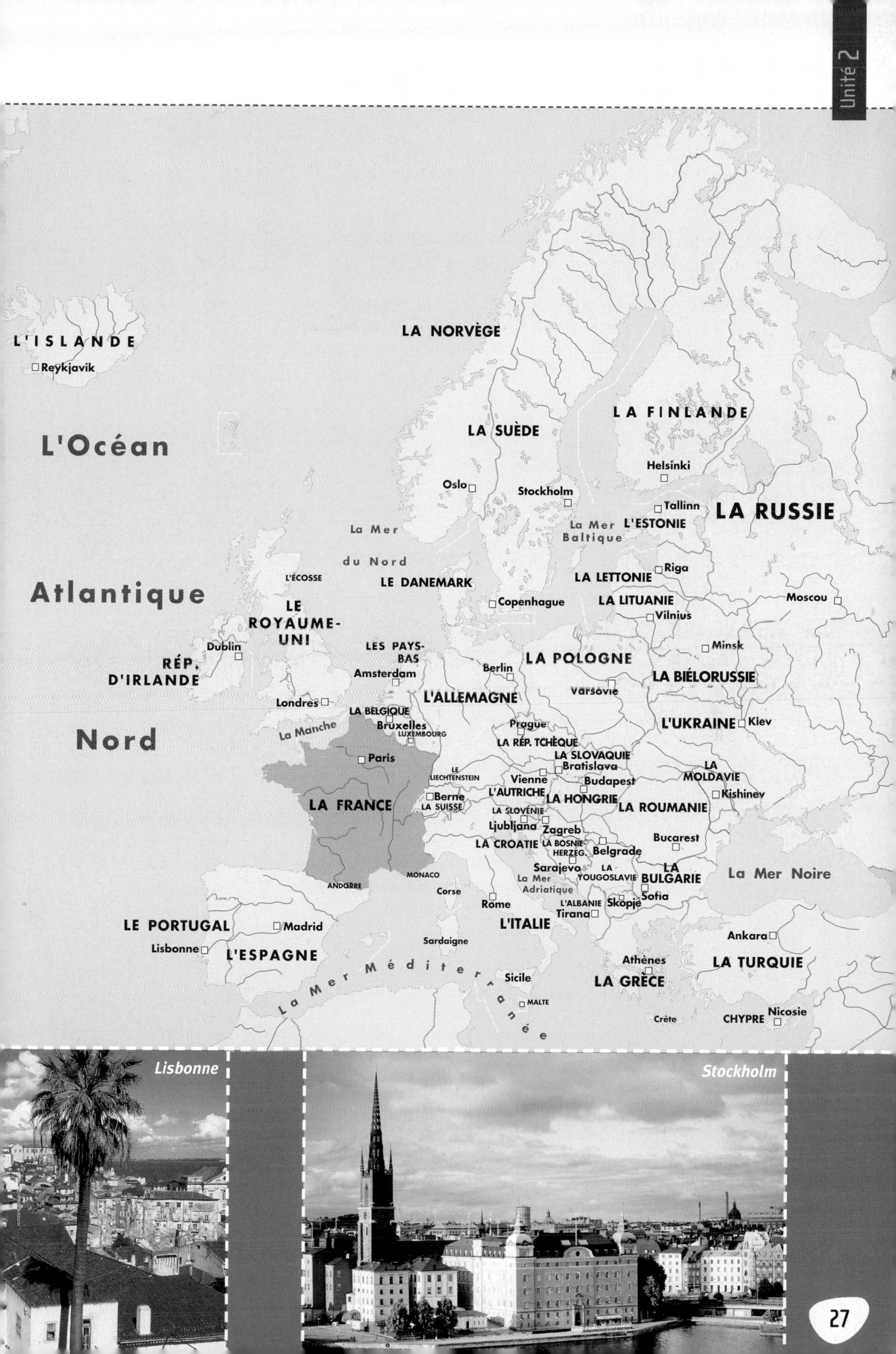
L'ISLANDE
Reykjavik
L'Océan
Atlantique
Nord
LA NORVÈGE
LA SUÈDE
LA FINLANDE
Helsinki
Oslo
Stockholm
Tallinn
LA RUSSIE
La Mer
du Nord
La Mer
Baltique
L'ESTONIE
Riga
L'ÉCOSSE
LE DANEMARK
LA LETTONIE
LA LITUANIE
Moscou
Copenhague
Vilnius
LE
ROYAUME-
UNI
Dublin
RÉP.
D'IRLANDE
LES PAYS-
BAS
Amsterdam
Berlin
LA POLOGNE
Minsk
LA BIÉLORUSSIE
Varsovie
Londres
L'ALLEMAGNE
LA BELGIQUE
Bruxelles
LUXEMBOURG
La Manche
Prague
L'UKRAINE
Kiev
LA RÉP. TCHÈQUE
LA SLOVAQUIE
Bratislava
Paris
LE
LIECHTENSTEIN
Vienne
Budapest
LA
MOLDAVIE
Kishinev
Berne
L'AUTRICHE
LA HONGRIE
LA FRANCE
LA SUISSE
LA SLOVÉNIE
LA ROUMANIE
Ljubljana
Zagreb
LA CROATIE
LA BOSNIE-
HERZÉG.
Belgrade
Bucarest
Sarajevo
LA
YOUGOSLAVIE
LA
BULGARIE
La Mer Noire
MONACO
La Mer
Adriatique
ANDORRE
Corse
Rome
L'ALBANIE
Skopje
Sofia
Tirana
LE PORTUGAL
Madrid
L'ITALIE
Ankara
Lisbonne
L'ESPAGNE
Sardaigne
Athènes
LA TURQUIE
La Mer Méditerranée
Sicile
LA GRÈCE
MALTE
Crète
CHYPRE
Nicosie
Lisbonne
Stockholm

3
100 % questions

PIERRE
EMMA
VINCENT
LUIGI

Animateur : Bonsoir ! Comme chaque soir à 19 h 40, je suis heureux de vous retrouver sur France 3 pour : *Questions en pagaille*.

Emma

Luigi

Animateur : Aujourd'hui, Vincent rencontre trois nouveaux candidats : Emma, Luigi et Pierre. Alors Emma, qui êtes-vous ?
Emma : Emma, j'ai 36 ans et je suis de Strasbourg. Je suis mariée, j'ai trois enfants et je suis professeur de français.
Animateur : Vos passions, Emma ?
Emma : Je fais du théâtre. J'aime beaucoup lire, j'adore le cinéma… et ma famille !

Animateur : Luigi ?
Luigi : Luigi, de Paris. Je suis italien mais j'habite et je travaille à Paris. Je suis informaticien. J'ai 26 ans, je suis célibataire. Je fais du sport : de la natation et du tennis. Je n'aime pas le sport à la télévision.

Animateur : Et vous Pierre ?
Pierre : Moi, j'habite à Tours, j'ai 61 ans et je suis journaliste. Je suis marié. J'aime beaucoup les voyages.
Animateur : Vous n'aimez pas le sport ?
Pierre : Si ! J'aime beaucoup l'athlétisme. J'aime aussi le cinéma, la littérature et mon chien, Vagabond.

Animateur : Vincent, toujours passionné par le jazz ?
Vincent : Oui, j'aime beaucoup le jazz. J'ai 350 CD ! Je suis de Lyon, j'ai 39 ans et j'ai 3 enfants. J'aime le soleil et les vacances ! Je déteste la pluie ! Ah ! et je suis musicien. Je suis pianiste.

Pierre

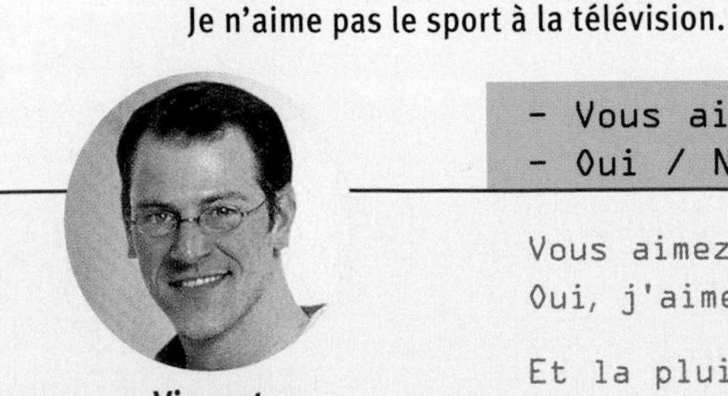
Vincent

- Vous aimez ? / Vous n'aimez pas ?
- Oui / Non / Si

Vous aimez le jazz ?
Oui, j'aime beaucoup le jazz. ☺

Et la pluie, vous aimez ?
Non, je **n'**aime **pas** la pluie. ☹

Vous **n'**aimez **pas** le sport ?
Si, j'aime le sport. Je fais du tennis. ☺

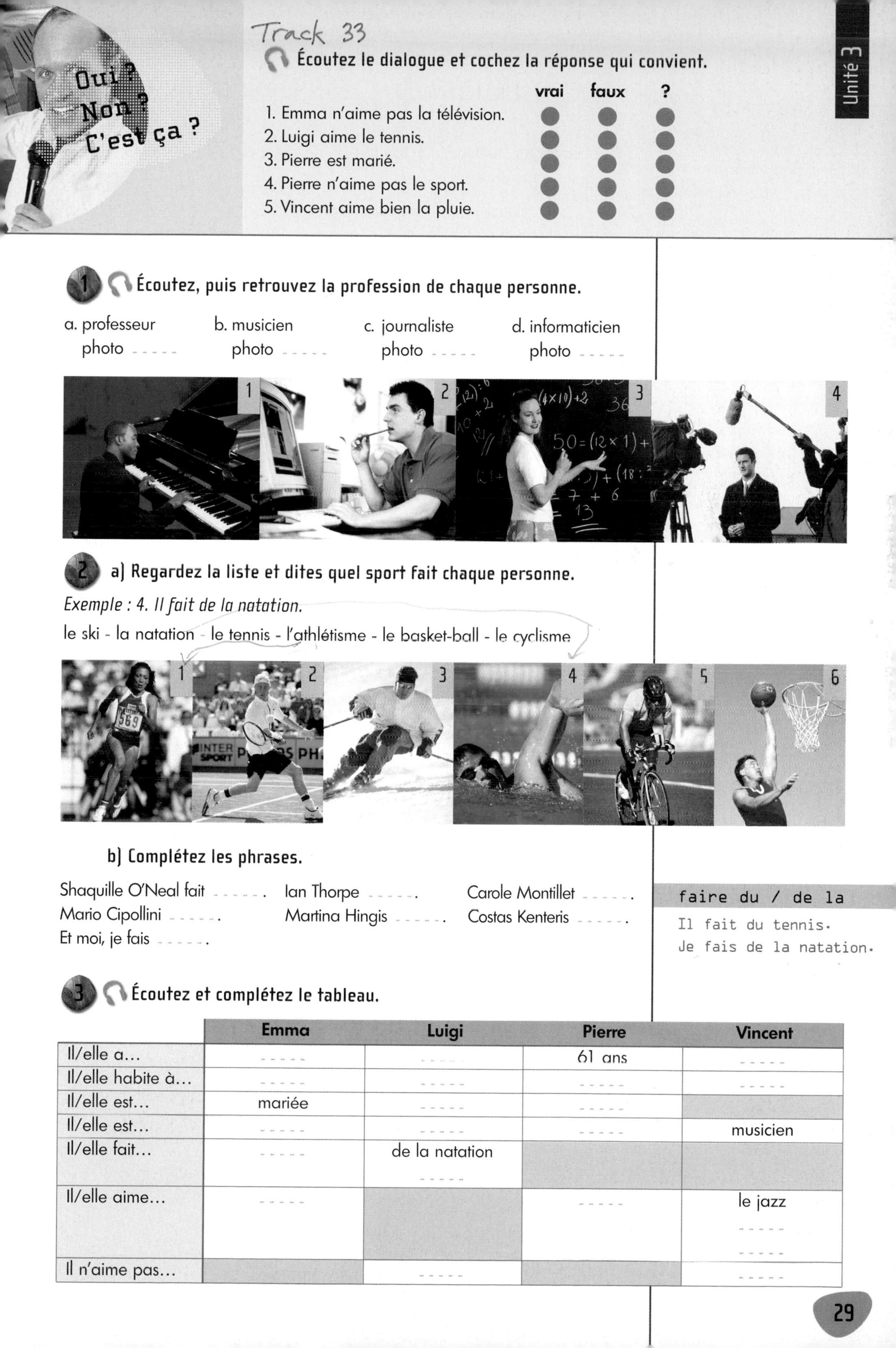

Oui ? Non ? C'est ça ?

Track 33

Écoutez le dialogue et cochez la réponse qui convient.

	vrai	faux	?
1. Emma n'aime pas la télévision.	●	●	●
2. Luigi aime le tennis.	●	●	●
3. Pierre est marié.	●	●	●
4. Pierre n'aime pas le sport.	●	●	●
5. Vincent aime bien la pluie.	●	●	●

1 Écoutez, puis retrouvez la profession de chaque personne.

a. professeur photo -----
b. musicien photo -----
c. journaliste photo -----
d. informaticien photo -----

2 a) Regardez la liste et dites quel sport fait chaque personne.

Exemple : 4. Il fait de la natation.

le ski - la natation - le tennis - l'athlétisme - le basket-ball - le cyclisme

b) Complétez les phrases.

Shaquille O'Neal fait ------.
Ian Thorpe ------.
Carole Montillet ------.
Mario Cipollini ------.
Martina Hingis ------.
Costas Kenteris ------.
Et moi, je fais ------.

faire du / de la

Il fait du tennis.
Je fais de la natation.

3 Écoutez et complétez le tableau.

	Emma	Luigi	Pierre	Vincent
Il/elle a…	-----	-----	61 ans	-----
Il/elle habite à…	-----	-----	-----	-----
Il/elle est…	mariée	-----	-----	
Il/elle est…	-----	-----	-----	musicien
Il/elle fait…	-----	de la natation -----		
Il/elle aime…	-----		-----	le jazz ----- -----
Il n'aime pas…		-----		-----

Outils

Exprimer la possession

4 Complétez. Relisez la présentation de chaque candidat page 28 pour vous aider.

J'aime ..... chien, ... famille et **mes** amis.
Tu aimes **ton** chien, **ta** famille et ..... amis ?
Il/elle aime ..... chien, ... famille et **ses** amis.
Et vous, vous aimez **votre** chien, **votre** famille et ..... amis ?

5 Écoutez les phrases et soulignez le mot qui convient.

1. Oui Madame, (ton / votre) nom et (votre / vos) adresse, s'il vous plaît.
2. C'est un cadeau pour (mes / ses) enfants.
3. (Mon / ma) âge ? J'ai 25 ans !
4. – C'est (ton / ta) amie ?
   – Oui, c'est (ma / mon) amie Marie. Je l'aime beaucoup.
5. Paul, quelle est (ton / ta) nationalité ?
6. Il s'appelle comment (votre / mon) chien ?

Qui est-ce ?

C'est Paul. Il est français.
C'est un garçon très sympa. Il est étudiant.
C'est mon amie. Elle est très jolie.
C'est le père de Flora. Il est journaliste.

Les nombres

7 Cochez vrai ou faux et corrigez les phrases fausses.

	vrai	faux
1. *Questions en pagaille* est à 19 h 50 sur France 2.		
2. Emma a 46 ans.		
3. Pierre a 61 ans.		
4. Vincent a deux enfants.		
5. Il a 340 CD.		

8 a) Lisez et remettez les nombres dans l'ordre croissant.

1. Quatre-vingts - soixante et onze - soixante-dix-huit - quatre-vingt-un - quatre-vingt-dix - soixante-dix - quatre-vingt-dix-neuf - quatre-vingt-cinq - quatre-vingt-quatorze

Soixante-dix < ....

2. cent onze - cent quarante-deux - deux cents - mille - cent un - deux cent trente-six - cent - cent mille - dix mille

Cent < ....

b) Écrivez ces nombres en chiffres.

c) Complétez.

73 : .....
... : soixante-seize
88 : .....
... : quatre-vingt-onze
97 : .....
108 : .....
... : cent quatre-vingt-deux
311 : .....
671 : .....
... : sept cent quatre-vingt-douze
1001 : .....

les nombres de 70 à 1 000 000

70 : soixante-dix
71 : soixante et onze
80 : quatre-vingts
81 : quatre-vingt-un
90 : quatre-vingt-dix
91 : quatre-vingt-onze
99 : quatre-vingt-dix-neuf
100 : cent
101 : cent un
300 : trois cents
312 : trois cent douze
1000 : mille
1004 : mille quatre
1991 : mille neuf cent quatre-vingt-onze
1 000 000 : un million

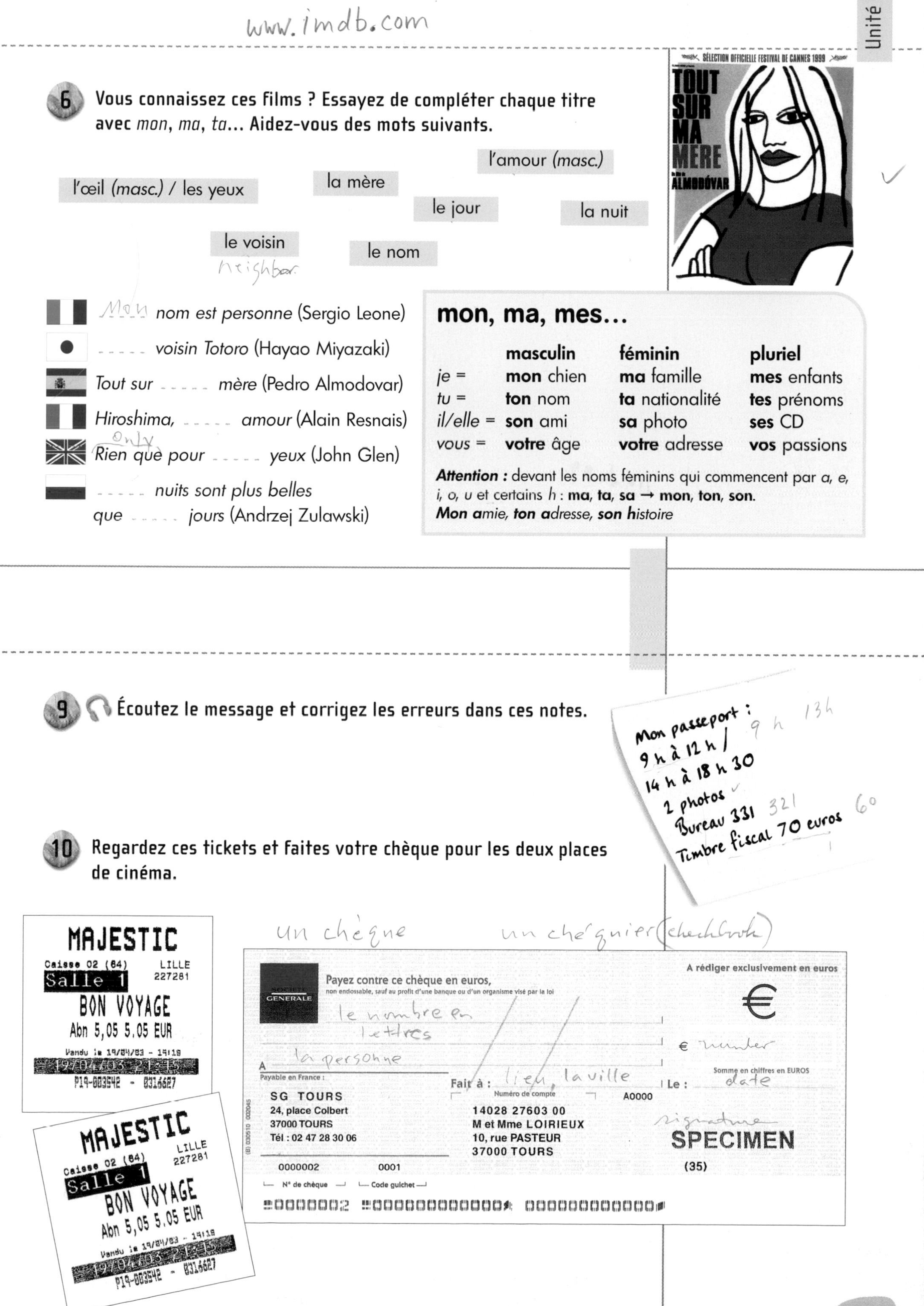

6 Vous connaissez ces films ? Essayez de compléter chaque titre avec *mon*, *ma*, *ta*... Aidez-vous des mots suivants.

l'amour *(masc.)* — l'œil *(masc.)* / les yeux — la mère — le jour — la nuit — le voisin — le nom

- ..... *nom est personne* (Sergio Leone)
- ..... *voisin Totoro* (Hayao Miyazaki)
- *Tout sur* ..... *mère* (Pedro Almodovar)
- *Hiroshima,* ..... *amour* (Alain Resnais)
- *Rien que pour* ..... *yeux* (John Glen)
- ..... *nuits sont plus belles que* ..... *jours* (Andrzej Zulawski)

mon, ma, mes...

	masculin	féminin	pluriel
je =	**mon** chien	**ma** famille	**mes** enfants
tu =	**ton** nom	**ta** nationalité	**tes** prénoms
il/elle =	**son** ami	**sa** photo	**ses** CD
vous =	**votre** âge	**votre** adresse	**vos** passions

Attention : devant les noms féminins qui commencent par *a, e, i, o, u* et certains *h* : **ma, ta, sa → mon, ton, son.**
***Mon a**mie, **ton a**dresse, **son h**istoire*

9 Écoutez le message et corrigez les erreurs dans ces notes.

10 Regardez ces tickets et faites votre chèque pour les deux places de cinéma.

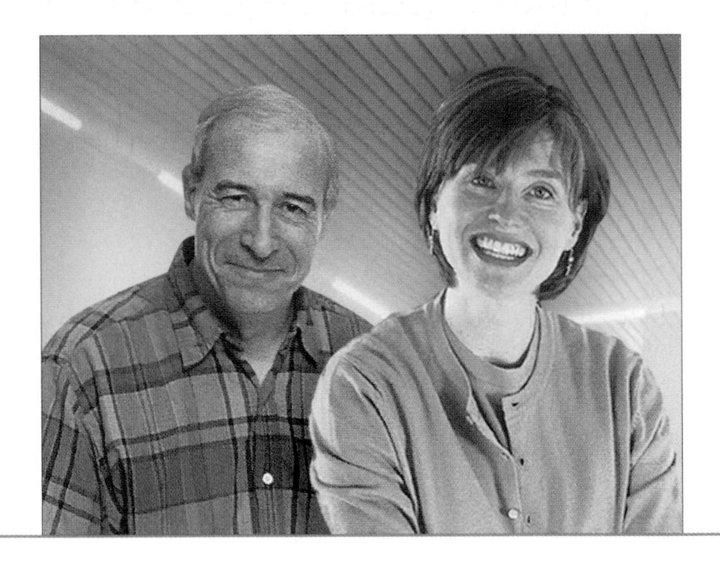

11 Écoutez l'enregistrement et complétez le tableau.
☺ = aime ; ☹ = n'aime pas

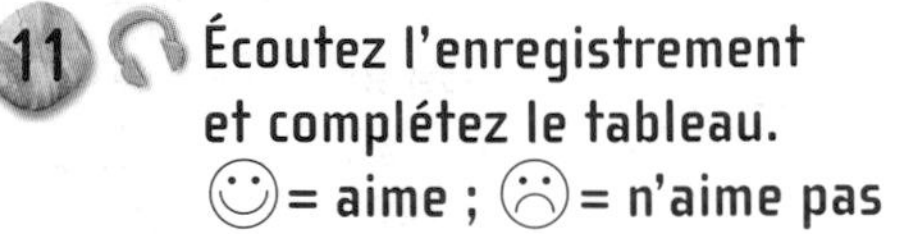

	la télévision	les voyages
Emma	☹	☹
Pierre		☺

Track 39

12 Écoutez et classez ces expressions de la plus négative (-) à la plus positive (+).

J'aime beaucoup - je déteste - j'aime bien - j'ai horreur de - j'adore - je n'aime pas du tout

J'ai horreur de < ....

13 Quentin, Léa, Axelle, Fanny et Léo fêtent leur anniversaire. Lisez bien les informations et choisissez (X) le cadeau de chacun.

- Fanny aime le soleil et les vacances. Elle déteste le sport. Léa déteste cette musique mais Fanny l'adore.
- Léa fait du sport et adore Pete Sampras et Gustavo Kuerten. Elle déteste le rap.
- Quentin aime beaucoup la musique. Il écoute des CD des Rolling Stones et de Jimmy Hendrix. Il fait du tennis.
- Axelle fait de la danse et du théâtre. Elle aime le rock et elle a horreur de la pluie !
- Léo est informaticien. Il n'aime pas travailler. Il aime bien la danse et il adore le cinéma.

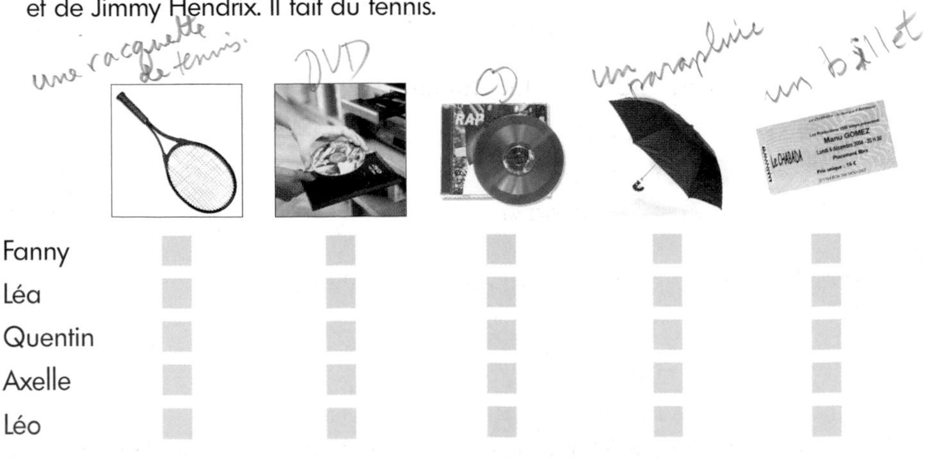

	une racquette de tennis	DVD	CD	un parapluie	un billet
Fanny					
Léa					
Quentin					
Axelle					
Léo					

14 Interrogez votre voisin, complétez sa fiche, puis écrivez un petit texte.

	✗♥✗♥✗♥	✗♥✗♥	✗♥	♥	♥♥	♥♥♥
Exemple : Mario	*Le rock*	*La pluie*		*Le cinéma*		*La natation*
Votre voisin :	-----	-----	-----	-----	-----	-----

Mario adore la natation et il aime (bien) le cinéma. Il déteste la pluie et il a horreur du rock !

exprimer ses goûts

J'ai horreur de la pluie.
Il déteste le sport.
Vous n'aimez pas du tout lire ?
Tu aimes bien les chiens ?
Elle aime beaucoup le jazz.
Ils adorent les voyages.

phonétique

le → l', me → m'...

A Observez ces phrases et complétez le tableau.

Je m'**a**ppelle Laurie.
J'**h**abite à Pau.
Mais, il s'**a**ppelle comment ?
J'**a**ime le soleil !
Il n'**a**ime pas le jazz.
C'**e**st toi ?
Elle **a** une **a**dresse électronique.
Yves ? Il est à l'**u**niversité.
Quel est l'**â**ge de Pierre ?
La rue d'**A**nvers, s'il vous plaît ?
Quelle **a**dresse ?
Tu t'**a**ppelles bien Andrea ?

l', j', s'...

Devant une voyelle (*a, e, i, o, u , y*) ou certains *h* :

me → ..	ne → ..	le → ..
je → ..	ce → ..	de → ..
se → ..	la → ..	te → ..

Mais, *elle* → -----
une → -----
----- → -----

B Récrivez les phrases. Modifiez les mots si nécessaire.

Exemple : je / ai / horreur / de / le / art moderne. → J'ai horreur de l'art moderne.

1. Elle / aime / les / chiens ?
2. Non, / il / ne / se / appelle / pas / Hector !
3. Vous / avez / quel / âge, / Marie-Jeanne ?
4. Ce / est / le / ami / de / Ana.
5. Il / va / à / la / université ?
6. Moi, / je / ne / aime / pas du tout / ça !
7. Tu / habites / à / quelle / adresse ?
8. Elle / ne / a / pas / de / enfant.

C a) Écoutez et dites si les phrases sont affirmatives ou négatives. Cochez.

	1	2	3	4	5	6
négative						
affirmative						

b) Lisez, écoutez puis complétez avec *ne*, *n'* ou ø.

1. On ----- aime pas du tout le ski.
2. On ----- a horreur de ça !
3. On ----- travaille pas, on lit.
4. On ----- est pas chinois mais japonais !
5. On ----- apprend l'anglais à l'université.
6. On ----- habite à Cannes, pas à Nice !

D Écoutez et cochez la case qui convient.

	1	2	3	4	5	6	7	8
[y] (*r**u**e*)								
[u] (*bonj**ou**r*)								

Vous avez 1 nouveau message

Mes messages | Écrire | Répertoire | *Options*

<< messages précédents / messages suivants >>

De : Marco Mangelli ‹ mangelli@etud.uco.fr ›
A : ‹ floty@laposte.net ›
Date : lundi 18 octobre 2004
Objet : à Angers

Bonjour Flora !
Merci pour ton message. Ça va bien à Nice ? À Angers, ça va.
Je travaille beaucoup et j'ai des amis français. On va au cinéma, on mange des plats italiens ou français tous ensemble ; c'est sympa.
J'adore Angers, le château, les cafés… J'aime beaucoup ma vie ici, mais… je déteste la pluie et le froid (15° aujourd'hui…) !
Écris-moi et raconte-moi comment tu vas !
Bises,
Ton ami Marco.

le château d'Angers

15 **Lisez le message et cochez la réponse qui convient.**

1. Qui habite à Nice ?
   - Flora.
   - Marco.
2. Marco aime aller :
   - au théâtre.
   - au cinéma.
   - à l'université.
3. Marco aime :
   - le froid.
   - la pluie.
   - les cafés.

16 **Lisez le message de Marco et cochez la réponse qui convient.**

On = ☐ mes amis ☐ je + mes amis ☐ je

Le pronom on - les verbes en -er

les verbes en -er

j'habite
tu manges
il/elle/on aime
vous détestez

17 **Complétez les phrases avec *je*, *tu*, *il*, *elle*, *on* ou *vous*.**

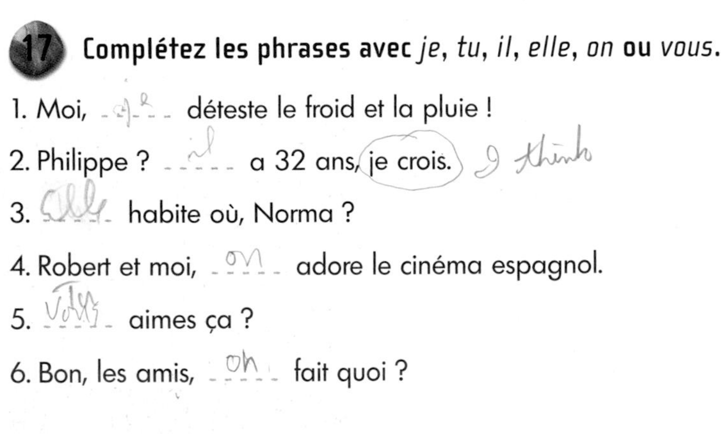

1. Moi, ... déteste le froid et la pluie !
2. Philippe ? ...... a 32 ans, je crois.
3. ...... habite où, Norma ?
4. Robert et moi, ... adore le cinéma espagnol.
5. ...... aimes ça ?
6. Bon, les amis, ... fait quoi ?

18 Complétez les phrases avec les verbes proposés.

ai - aime - habites - mange - ai - déteste - aime - aimez - as - travaille - aimes.

1. – Tu ..... à Annecy ?
   – Oui, et j' ..... beaucoup Annecy. Tu connais ?
2. – On ..... ensemble aujourd'hui ?
   – D'accord ! C'est une bonne idée. Une pizza ?
3. – Vous ..... votre travail ?
   – Bof... J' ..... bien mon travail mais je ..... me lever le matin !
   – Moi, j' ..... horreur de mon travail !
4. – Tu ..... quel âge, Clémence ?
   – J' ..... 18 ans. Et toi ?
5. – Tu ..... bien le français, Marco ?
   – Oui, et je ..... beaucoup.

19 Complétez avec les verbes à la forme qui convient.

1. On (détester) ..... la télévision !
2. Moi, j' (aimer) ..... bien le thé.
3. Et toi, tu (aimer) ..... aussi le thé ?
4. Vous (travailler) ..... où, Monsieur Messier ?
5. Quelle (être) ..... ton adresse, s'il te plaît ?
6. Tu (être) ..... français, Martin ?
7. Maria (avoir) ..... 25 ans et elle (avoir) ..... trois enfants !

20 Flora est en vacances et elle envoie une carte postale à son ami Marco. Comme Marco, elle dit ce qu'elle aime et ce qu'elle n'aime pas.

on

on = je + il(s)/elle(s)

Avec mes amis, on va au cinéma.

Luc et moi, on déteste le froid.

La télévision

21 Écoutez ces personnes et complétez le tableau.

	1	2	3	4
Heure	-----	-----	-----	-----
Chaîne	-----	-----	-----	-----
Type d'émission	-----	-----	-----	-----
Aime / N'aime pas…	-----	-----	-----	-----

22 a) Associez une photo à son commentaire et choisissez le titre et le type d'émission.

Napoléon
Téléfilm historique

Thalassa
Magazine de la mer

Envoyé spécial
Magazine de reportages

Chanson n° 1
Émission de variétés

1 Ce soir, les plus belles chansons des années 80. Douze succès et vous votez en direct pour choisir votre « numéro 1 ». Avec Daniel Lévi, Céline Dion, Lara Fabian...

2 Avec deux millions de passagers, le port de Bastia en Corse est maintenant le 2e port de France après Calais.

3 La colocation est la réponse miracle à la crise de l'immobilier. À Paris, c'est maintenant un style de vie : appartement plus grand, prix plus bas et on n'est plus seul !

4 Après la bataille d'Eylau, l'Empereur invite le tsar Alexandre à signer la paix à Tilsit. De retour en France, Bonaparte ne rêve pas longtemps : les Anglais envahissent Lisbonne...

à la télévision...

une émission culturelle
une émission de variétés
un jeu télévisé
un documentaire
un film
le journal
etc.

a
Colocation.fr
Vous, moi, toit
France - Belgique - Suisse - Etats-Unis - Canada
Edito
Foire aux Questions
Guide de survie
Infos juridiques
Le Guide de la Colocation
Nos partenaires
BACCHUS PROJECT
Choisissez un pays
France
Choisissez une ville
Région parisienne
Ecrire une annonce
Offres de colocation
Demandes de colocation
44347 annonces de colocation dont 58 en cours de validation
Dernière mise à jour le 13 Août 2003 à 10:55
Dernière minute : Prochain Jeudi de la Colocation, à Lyon (7e édition) et à Paris (25e édition), ce 4 septembre !
Flash info
Modifier votre annonce
Le Jeudi de la Colocation
Lettre d'info
Espace Presse
Revue de presse
Le Monde
b
SNCM FERRYTERRANEE
c
d
TF1
CANAL+
arte
ON/OFF
OK
AV
TV

Autoévaluation • 1

Je peux m'adresser à quelqu'un

Comptez 1 point par bonne réponse.
Vous avez...
– 5 points : félicitations !
– moins de 5 points, revoyez les pages 8, 9, 10, 11, 12 de votre livre et les exercices de votre cahier.

1 Complétez.

1. – Un café, ... !
   – Un café, voilà Monsieur !
2. – Salut, Jean, ça va ?
   – Ça va bien, ... ?
   – Ça va.
3. – Bonjour, Monsieur Dumas, ... ?
   – Oui, très bien, merci.
4. – Vous êtes Madame Alonso ?
   – Ah ! non, ...
   – Oh ! ....., madame.

Je peux me présenter et présenter quelqu'un

Comptez 1 point par bonne réponse.
Vous avez...
– 4 points : félicitations !
– moins de 4 points, revoyez les pages 18, 19, 20, 21, 22, 23 de votre livre et les exercices de votre cahier.

2 Retrouvez quatre phrases utilisées pour se présenter ou présenter quelqu'un.

1. Oh ! excusez-moi.
2. Il s'appelle Paul et il est allemand.
3. Quelle est ta nationalité ?
4. J'ai 32 ans.
5. Elle est étudiante.
6. Je suis française et j'habite à Lyon.
7. Asseyez-vous, Monsieur Trivol.
8. Elle habite où ?

Je peux demander à quelqu'un de se présenter

Comptez 1 point par bonne réponse.
Vous avez...
– 6 points : félicitations !
– moins de 6 points, revoyez les pages 24, 25 de votre livre et les exercices de votre cahier.

3 Retrouvez la question correspondant à chaque réponse.

1. – ....
   – Marie Bansade, et toi ?
2. – ....
   – C'est mabansade@yahoo.fr
3. – ....
   – J'ai 23 ans.
4. – ....
   – À Paris.
5. – ....
   – Je suis suisse.
6. – ....
   – 01 44 41 41 11.

Je peux exprimer mes goûts

Comptez 1 point par bonne réponse.
Vous avez...
– 3 points : félicitations !
– moins de 3 points, revoyez les pages 28, 32, 33 de votre livre et les exercices de votre cahier.

4 Complétez la liste.

J'ai horreur de ‹ .... ‹ je n'aime pas du tout ‹ .... ‹ j'aime beaucoup ‹ ....

Je peux compter

5 Complétez les listes.

zéro, cinq, dix, ..., ...
soixante-dix, ..., cinquante, ..., trente.
soixante-neuf, ..., soixante-treize, soixante-quinze.

Comptez 1 point par bonne réponse.
Vous avez...
– 5 points : félicitations !
– moins de 4 points, revoyez les pages 12, 20, 30, 31 de votre livre et les exercices de votre cahier.

Je peux exprimer la possession

6 Rayez (~~Rayez~~) les éléments qui ne conviennent pas.

C'est (ta / ton / vos) chien ?
J'adore (mon / ma / ta) amie Karine.
Quelle est (ta / vos / votre) adresse, s'il vous plaît ?
Il s'appelle Claude et (ses / vos / son) enfants s'appellent Thomas et Léo.

Comptez 1 point par bonne réponse.
Vous avez...
– 4 points : félicitations !
– moins de 3 points, revoyez les pages 30, 31 de votre livre et les exercices de votre cahier.

Je peux conjuguer quelques verbes

7 a) Complétez avec *je (j'), tu, il* **ou** *vous*.

1. ..... as 15 ans ?
2. ..... apprend le français à Paris.
3. ..... es espagnole ?
4. ..... habitez où ?
5. ..... ai 22 ans.

b) Complétez avec *être, avoir, habiter, apprendre, s'appeler* **à la forme qui convient.**

Elle ..... Cristina et elle est panaméenne. Elle ..... 30 ans et elle ..... le français à Lyon. Elle ..... mariée avec un professeur de français. Ils ..... à Valence.

Comptez 1 point par bonne réponse.
Vous avez...
– 10 points : félicitations !
– moins de 10 points, revoyez les pages 18, 22 de votre livre et les exercices de votre cahier.

Je peux parler des nationalités

8 Rayez (~~Rayez~~) l'élément qui ne convient pas.

Linda est (australien - belge - italienne).
Maria est (espagnole - grec - mexicaine).
Monsieur Tubs est (allemand - suisse - grecque).

Comptez 1 point par bon mot rayé
Vous avez...
– 3 points : bravo !
– moins de 3 points, revoyez les pages 20, 21 de votre livre et les exercices de votre cahier.

→ **RÉSULTATS : .... points sur 40 points = ... %**

Préparation au DELF A1

Oral

1 **Écoutez, puis dites ce que les personnes font. Complétez le tableau.**

	1	2	3	4	5
La personne salue.					
La personne se présente.					
La personne présente quelqu'un.					
La personne exprime ses goûts.					
La personne demande à quelqu'un de se présenter.					

2 **Que dites-vous ?**

Vous demandez à votre voisin : son nom - son âge - sa nationalité
Vous demandez à un ami : son numéro de téléphone - son adresse électronique

Écrit

3 **Trouvez les questions.**

1. – ....
   – Marie-Anne. Et toi ?
2. – ....
   – Je suis belge, pas française.
3. – ....
   – À Bruxelles.
4. – ....
   – J'aime bien le sport et la nature. Et toi ?
5. – ....
   – C'est 25, rue du Château à Paris.
6. – ....
   – J'ai 37 ans.

4 **Remettez le dialogue dans le bon ordre.**

a) Quelles sont vos passions ?
b) Je m'appelle Pierre-Louis et je viens de Marseille.
c) Bonjour ! Votre nom, s'il vous plaît.
d) Ah ! J'aime bien Marseille. Et vous n'êtes pas marié ?
e) J'adore le cinéma et j'aime bien lire.
f) Euh… Si et j'ai deux enfants.

1	2	3	4	5	6

5 **a) Remplissez votre carte de bibliothèque.**

Nom : ....
Prénom : ....
Âge : ....
Adresse : ....
Ville : ....
Pays : ....
Téléphone : ....

b) Écrivez votre texte de présentation.

Je m'appelle ....
....
....
....
....
....
....

2
échanger

5e Arrt
BOULEVARD
SAINT MICHEL

4 Enquête

les mois de l'année

janvier	avril	juillet	octobre
février	mai	août	novembre
mars	juin	septembre	décembre

Je suis né en février. / au mois de février.
Je vais à Antibes en mai. / au mois de mai.

Écoutez, lisez, puis trouvez le texte correspondant à la situation.

1. L'inspecteur Labille écoute un message sur son répondeur. La personne veut l'aider à trouver son coupable. Il va poser une question à trois personnes et il faut aller place Saint-Michel. Là, il va rencontrer la personne du message.
2. L'inspecteur Labille écoute un message sur son répondeur. L'inspecteur va trouver trois coupables. Il va poser des questions et il va aller place Saint-Michel. Là, il va rencontrer la personne du message.
3. L'inspecteur Labille écoute un message sur son répondeur. La personne veut l'aider. Il va poser trois questions à trois personnes et il va aller place Saint-Sulpice. Là, il va rencontrer le coupable.

1 Écoutez l'enregistrement et associez le pronom au(x) nom(s) qu'il remplace.

1. Ils
2. Nous
3. Elles

a. Pierre et Anna
b. Paul et Philippe
c. Je + mes amis
d. Laura et Paola

2 Lisez les conjugaisons et complétez les phrases avec *pouvoir* ou *vouloir* à la forme qui convient.

1. Maman, on ..... regarder la télé, s'il te plaît ?
2. Désolé, je ne ..... pas téléphoner à Kamel, je n'ai pas son numéro !
3. Non, ils ne ..... pas aller au concert de Bowie ; ils n'aiment pas le rock !
4. On regarde la télévision ou tu ..... lire ?
5. Ah ! non ! On ne ..... pas travailler ! On n'aime pas ça !
6. Votre nom ? Vous ..... épeler, s'il vous plaît ?

aller
je vais
tu vas
il/elle/on va
nous allons
vous allez
ils/elles vont

pouvoir
je peux
tu peux
il/elle/on peut
nous pouvons
vous pouvez
ils/elles peuvent

vouloir
je veux
tu veux
il/elle/on veut
nous voulons
vous voulez
ils/elles veulent

Outils

Demander à quelqu'un de faire quelque chose

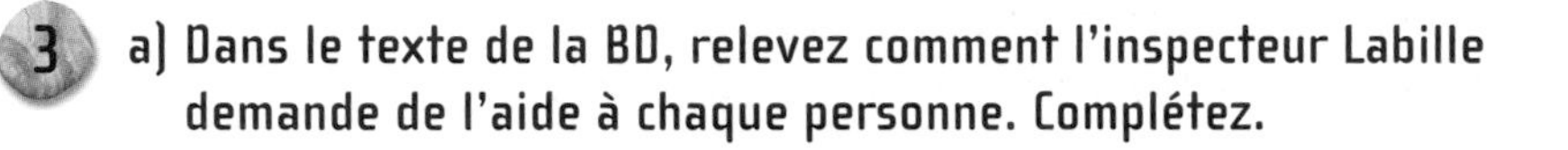

3 **a) Dans le texte de la BD, relevez comment l'inspecteur Labille demande de l'aide à chaque personne. Complétez.**

« .... »

« Je voudrais vous poser une question. »

« Vous pourriez répondre à une petite question, s'il vous plaît ? »

« .... »

b) Lisez les deux phrases puis cochez la réponse qui convient.

« Écoutez bien et faites exactement cela. Vous allez poser une seule question à trois personnes. »

Dans ces deux phrases, la personne :

- ☐ demande poliment quelque chose à quelqu'un.
- ☐ propose quelque chose à quelqu'un.
- ☐ demande à quelqu'un de faire quelque chose.

4 **Écoutez et complétez la grille.**

	1	2	3	4	5	6	7	8
demande poliment quelque chose à quelqu'un.								
demande à quelqu'un d'exprimer ses goûts.								
demande à quelqu'un de faire quelque chose.								
propose quelque chose à quelqu'un.								

Le futur proche

6 **Lisez les phrases puis complétez.**

Vous **allez poser** une seule question.
Je **vais inviter** des amis samedi soir.
On **va manger** tous ensemble ce soir ?

Salut ! Je **vais voir** Louise en juillet à Cannes.
Oh ! Il est 8 heures ! On **va arriver** trop tard !
Attention ! Tu **vas tombe**r !

Le futur proche = verbe ..... au ..... + verbe à l'infinitif.

7 **Répondez.**

Les verbes de l'activité 6 sont au futur proche. Les actions au futur proche :

- ☐ se réalisent maintenant.
- ☐ sont réalisées.
- ☐ vont se réaliser bientôt.

5 Par groupes de deux, jouez ces situations.

Vous rencontrez un(e) étudiant(e) étranger(ère).
Vous saluez l'étudiant(e) et vous lui demandez son prénom.
Il/elle répond.
Vous comprenez mal et vous demandez à l'étudiant(e) d'épeler son prénom.
Il/elle épelle son prénom.
Vous remerciez l'étudiant(e).

Vous allez chez un(e) ami(e). Vous le (la) saluez.
Il/elle répond.
Vous demandez à votre ami(e) de vous aider : votre exercice de français est très difficile.
Il/elle n'est pas d'accord et vous dit de travailler.
Vous répondez.

demander poliment
Vous voulez bien m'aider, s'il vous plaît ?
Vous pourriez répondre, s'il vous plaît ?
Je voudrais...
J'aimerais...

demander à quelqu'un de faire quelque chose
1. *Écoute ! Écoutez !*
   Va ! Allez !
   Écoutez bien ! Allez place Saint-Michel.

Attention : il n'y a pas de pronom *(je, vous)* et pas de **-s** à la 2e personne du singulier pour les verbes en **-er** :
Tu écoutes ? Écoute !

2. *Vous allez poser une question.*
   Vous allez écouter...

8 Complétez.

1. L'année prochaine, je vais étud- - - - - le français à Antibes.
2. Tu - - - - - aller au cinéma avec Claude, samedi ?
3 Nous all- - - - - visiter Paris en juillet.
4. Laura et Luc - - - - - aim- - - - - mon cadeau ?
5. C'est bien. On va pouv- - - - - écouter le dialogue.
6. Pour mon anniversaire, je vais av- - - - - du bon vin australien.
7. Il - - - - - décoller à quelle heure, l'avion ?
8. Ah ! Le téléphone sonne. Qui va répond... ?
9. Ils - - - - - aller à l'université la semaine prochaine ?

9 Dialoguez par groupes de deux. Demandez à un camarade ce qu'il va faire ce soir, demain, samedi, etc.

quand ?
la semaine prochaine
l'année prochaine
demain
ce soir
samedi
vendredi prochain
en juillet

le futur proche
***aller* + infinitif**
Je **vais visiter** Londres vendredi prochain.
Demain, on **va manger** au restaurant.
Ils ne **vont** pas **aller** à Paris en mai.

Vocabulaire

10 **a) Dans le texte des bulles, relevez deux expressions avec *avoir*.**

---

b) Écoutez l'enregistrement et retrouvez ci-dessous l'expression contenue dans chaque phrase. Puis, associez chaque expression au dessin qui convient.

1. avoir froid. → phrase : .....
2. avoir faim. → phrase : .....
3. avoir sommeil. → phrase : .....
4. avoir soif. → phrase : .....
5. avoir chaud. → phrase : .....
6. avoir de la chance. → phrase : .....
7. avoir besoin de. → phrase : .....
8. avoir envie de. → phrase : .....

1 ..f.. 2 ..... 3 ..... 4 ..... 5 ..... 6 ..... 7 ..... 8 .....

11 **Complétez les mots.**

1. b _ _ l _ _ _ è r _
2. _ o _ r _ a _ x
3. p _ a c _
4. _ l a _ u e
5. _ _ r _ e _ s _
6. i _ s _ _ c _ _ _ r
7. _ u e
8. _ _ f _

12 **Complétez les phrases avec des mots de cette liste.**

(une) carte postale - (un) message - sommeil - chaud - faim
soif - de la chance - faire envie - froid - horreur - journaux

1. – On va manger un hamburger ?
   – Ah, non ! Pas un hamburger ! J'ai ...... des hamburgers ! Ce n'est pas bon !
2. – Où est-ce que je peux acheter *le Monde* ?
   – *Au bon bouquin*, rue Leclerc, il y a des livres et aussi des ....
3. – Tu vas en Espagne ? Tu peux m'envoyer une ...... de Madrid ?
4. – Tu veux un gâteau ?
   – Non, merci, je n'ai pas ....
5. – Regarde ! J'ai tous les numéros du loto : 3-12-27-36-45-47. J'ai gagné 100 000 euros !
   – 100 000 euros ! Tu as ....

Le Monde

DE L'ÉTÉ

Chirac face au casse-tête de ses promesses fiscales

Orages meurtriers dans l'Ouest

Armes irakiennes, mensonges et manipulations

Don Quichotte de la Manche le maudit

La culture est aussi une industrie

Le sel de Salzbourg

BORIS CYRULNIK

Le Murmure des fantômes

Un événement

phonétique

La liaison

A **Écoutez et répétez.**

1. Ils‿ont trois‿enfants.
2. Nous‿allons chez‿elle.
3. Quelle heure est‿il ?
4. Il est neuf‿heures.
5. C'est‿une grande famille.
6. Elle peut quand‿elle veut.

B **Écoutez et marquez les liaisons.**

Exemple : Il a trois‿enfants.

1. Ils adorent le café.
2. Les étudiants travaillent.
3. Il est deux heures.
4. Un petit enfant.
5. C'est très intéressant !
6. Tu vas chez elle ?
7. Paul est un grand ami.
8. Elles arrivent bientôt ?
9. C'est mon université.
10. Bon anniversaire !

C **Lisez les phrases, marquez les liaisons puis contrôlez avec l'enregistrement.**

1. Ils ont des amis belges ?
2. Pierre est très amoureux…
3. Vous avez un chien ?
4. C'est un grand homme.
5. Il est né en avril ou en mai ?
6. Elle adore son amie Fanny.

la liaison

Il faut faire la liaison :

– Entre *ils, nous, vous* et le verbe :
ils‿aiment / ils vous‿aiment

– Entre *un, les, des, mes, tes…* et le nom
les‿amis / mes‿enfants

– Entre *petit, grand, gros, vieux, bon…* et le nom
un petit‿homme / un grand‿amour

– Entre *très, trop…* et l'adjectif
très‿important

– Entre *chez* et le pronom
chez‿eux

– Entre *quand* et *il, elle, on, ils, elles*
quand‿il veut [kɑ̃tilvø]

D **Écoutez et cochez la case qui convient.**

	1	2	3	4	5	6	7	8
[s] (*son*)								
[z] (*poser*)								

Vous avez 1 nouveau message

Mes messages | Écrire | Répertoire | *Options*

<< messages précédents / messages suivants >

De : Flora Tylon ‹ floty@laposte.net ›
A : ‹ mangelli@infonie.fr ›
Date : samedi 23 novembre 2004
Objet : Paris

Cher Marco,
Oh ! J'aimerais bien visiter Paris avec toi ; tu as de la chance !
Qu'est-ce que tu vas faire ?... La tour Eiffel, les Champs-Élysées (comme tous les touristes...) ? Va voir les cafés, les restaurants, les librairies de Saint-Germain des Prés. C'est un beau quartier ! Tu vas peut-être visiter les grands magasins : la Samaritaine, le Printemps, le Bon Marché...
Moi, j'aime beaucoup le quartier du Marais ; il y a des boutiques, des musées, un marché d'antiquités... Ah ! Et les bateaux-mouches sur la Seine ! Moi, j'adore ! Marco, tu vas m'envoyer un message (il y a des cybercafés...) ou une carte postale... ? Je vais penser à toi, c'est sûr !
Bon séjour à Paris !
Bises
Ton amie Flora

il y a

Il y a des cybercafés.

Dans le Marais, il y a un marché d'antiquités.

Il y a dix-neuf étudiants dans ma classe.

13 **Lisez le message puis répondez oralement.**

1. Qui va visiter Paris ?
2. Où on trouve des librairies ?
3. Relevez le nom d'un grand magasin.
4. Qu'est-ce qu'il y a dans le Marais ?
5. Qu'est-ce que Flora aime à Paris ?

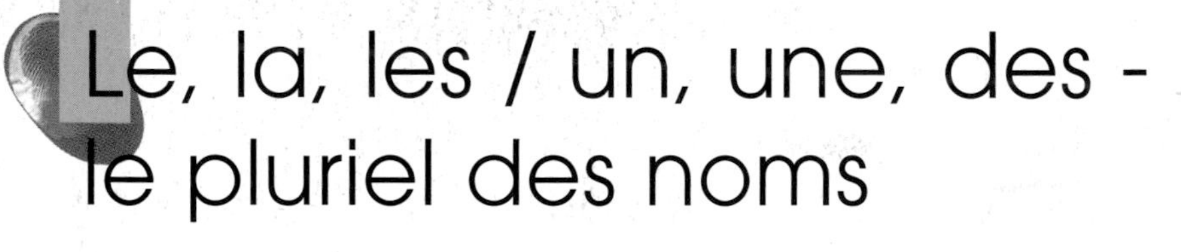

Le, la, les / un, une, des - le pluriel des noms

14 **Relisez le message de Flora et complétez le tableau.**

	singulier		pluriel	
masculin	**le** Printemps	**un** beau quartier	**les** Champs-Élysées	**des** musées
	- - - - -	- - - - -	- - - - -	- - - - -
	le quartier du Marais	- - - - -	- - - - - cafés	
			- - - - -	
			les grands magasins	
			- - - - -	
féminin	**la** tour Eiffel	**une** - - - - -	**les** librairies	**des** boutiques
	la Samaritaine			
	- - - - -			

le pluriel des noms

le café
les cafés

une boutique
des boutiques

un journal
des journaux

15 Complétez.

avec *le, la, l', les*		avec *un, une, des*	
... école *(f)*	... anniversaire *(m)*	... bijoux *(m)*	... inspecteur *(m)*
... magasin *(m)*	... quartiers *(m)*	... quartier *(m)*	... boutique *(f)*
... coupable *(m/f)*	... boulangère *(f)*	... question *(f)*	... librairies *(f)*
... serveuse *(f)*	... date *(f)*	... messages *(m)*	... musées *(m)*
... télévision *(f)*	... cinéma *(m)*	... café *(m)*	... nuit *(f)*

le, la, l', les / un une, des

– C'est quoi « Le Marais ? »
– C'est **un** beau quartier de Paris.

– Ça s'appelle comment, ici ?
– C'est **le** quartier du Marais.

– On envoie **une** carte à Flora ?
– Oui, choisis **une** belle carte.

– Où est **la** carte postale ?
– **La** carte de Marco, elle est là !

– Il y a **des** magasins, boulevard Saint-Germain ?
– Oui, et il y a aussi **des** cafés très sympas.

– Tu aimes quels cafés ?
– J'aime **les** cafés de Saint-Germain.

16 Complétez la carte postale de Delphine avec *le, la, l', les* ou *un, une, des*.

Nice
Vue touristique

Cher Emmanuel,
On est à Nice et c'est super !
On a trouvé ... hôtel très agréable à deux minutes de ... mer ! Hier, on a visité ... vieux Nice et ... quartiers intéressants.
Il y a ... magasins très sympas et ... maisons très colorées : rouges, jaunes... ... température est de 26°, c'est génial ! ... jardins sont grands et magnifiques. Bien sûr, on a aussi trouvé ... café très branché. Il s'appelle " Le Clown " !
Ah ! On adore ... vacances !
Gros bisous,
Delphine et Jean-Marc

Imprimé en CEE

parler d'une action finie

J'ai visité la tour Eiffel.
Il a rencontré des amis.
Tu as mangé avec Paul ?

17 En vous aidant de la liste d'actions proposée, complétez la lettre que Marco envoie à Flora.

écouter un concert - aller au cinéma - aller au théâtre - dîner chez des amis - penser à quelqu'un - voir les cafés - faire une promenade en bateau-mouche - visiter les musées...

Mercredi 1er décembre 2004

Ma chère Flora,
Et voilà ! Je suis à Paris et c'est vrai : c'est génial ! Ce matin, j'ai visité le quartier du Marais, l'île Saint-Louis et les grands magasins ! J'ai rencontré des Parisiens sympas et très drôles. Maintenant, je vais ....
Ce soir, ... J'aime beaucoup ...... mais je déteste ....
Bien sûr, je .... Comment vas-tu ?
J'attends de tes nouvelles.
Bises
Marco

Les fêtes en France

Regardez le calendrier et associez une date à chaque fête française.

1. Pâques	a. 25 décembre
2. Noël	b. 1er mai
3. le jour de l'An	c. en février ou en mars
4. la Fête nationale	d. en mars ou en avril
5. la Fête du travail	e. 1er novembre
6. Mardi Gras	f. début janvier
7. la Toussaint	g. 14 juillet
8. l'Épiphanie	h. 1er janvier

Associez une photo à chaque fête de l'activité 18 et faites une phrase.

Exemple : photo c → Le 1er mai, on achète du muguet.

Écoutez et dites à quelle fête peut correspondre chaque enregistrement.

1 : ----- 2 : ----- 3 : ----- 4 : ----- 5 : ----- 6 : -----

21 Et vous, qu'est-ce que vous fêtez dans votre pays ? Qu'est-ce que vous faites ?

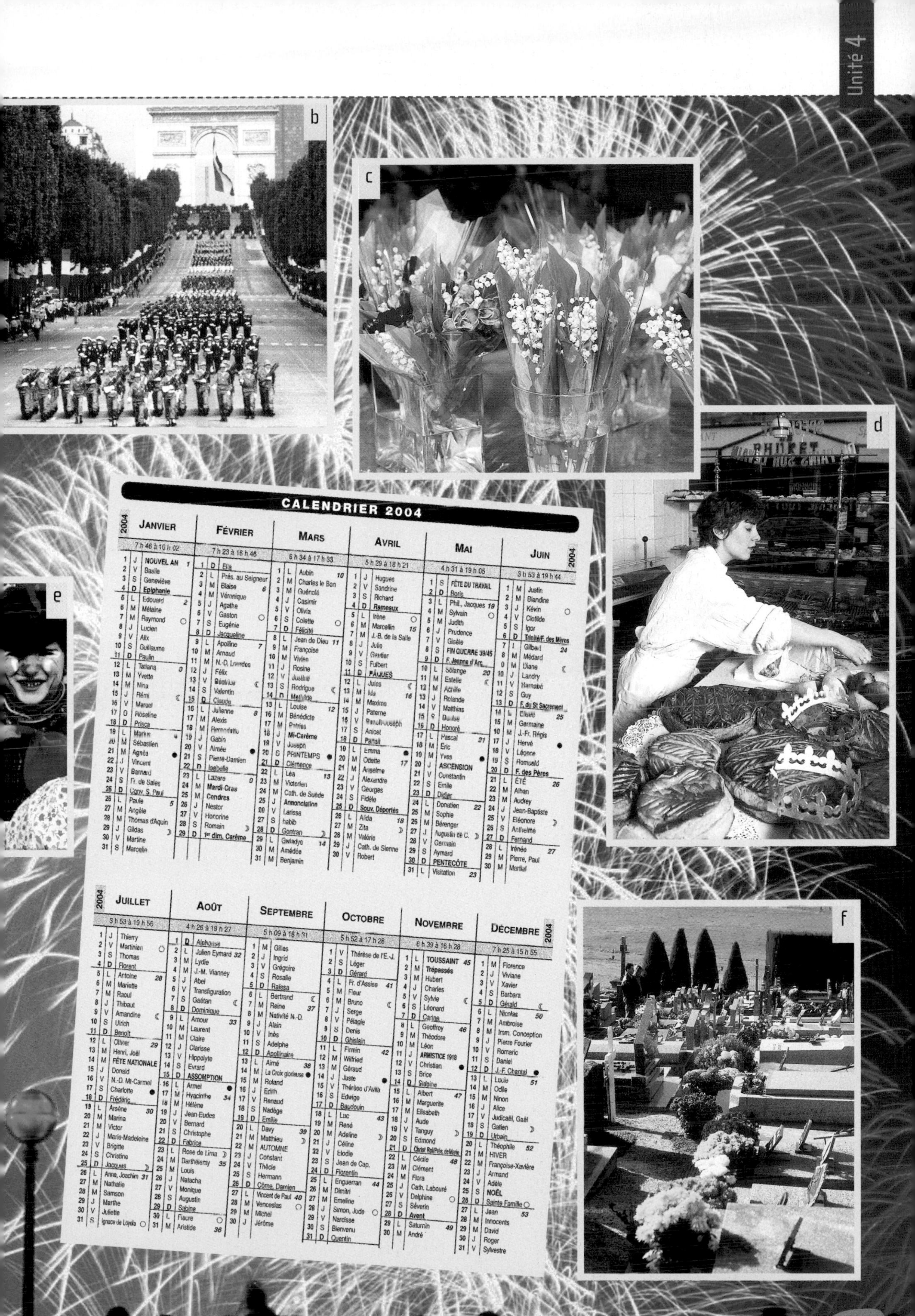

CALENDRIER 2004

	2004 Janvier	Février	Mars	Avril	Mai	Juin 2004
	7 h 46 à 16 h 02	7 h 23 à 16 h 46	6 h 34 à 17 h 33	5 h 29 à 18 h 21	4 h 31 à 19 h 05	3 h 53 à 19 h 44
1	J NOUVEL AN 1	D Ella	L Aubin 10	J Hugues	S FÊTE DU TRAVAIL	M Justin
2	V Basile	L Prés. au Seigneur 6	M Charles le Bon	V Sandrine	D Boris	M Blandine
3	S Geneviève	M Blaise	M Guénolé	S Richard	L Phil., Jacques 19	J Kévin
4	D Epiphanie	M Véronique	J Casimir	D Rameaux	M Sylvain	V Clotilde
5	L Edouard 2	J Agathe	V Olivia	L Irène 15	M Judith	S Igor
6	M Mélaine	V Gaston	S Colette	M Marcellin	J Prudence	D Trinité/F. des Mères
7	M Raymond	S Eugénie	D Félicité	M J.-B. de la Salle	V Gisèle	L Gilbert 24
8	J Lucien	D Jacqueline	L Jean de Dieu 11	J Julie	S FIN GUERRE 39/45	M Médard
9	V Alix	L Apolline 7	M Françoise	V Gautier	D F. Jeanne d'Arc	M Diane
10	S Guillaume	M Arnaud	M Vivien	S Fulbert	L Solange 20	J Landry
11	D Paulin	M N.-D. Lourdes	J Rosine	D PÂQUES	M Estelle	V Barnabé
12	L Tatiana 3	J Félix	V Justine	L Jules 16	M Achille	S Guy
13	M Yvette	V Béatrice	S Rodrigue	M Ida	J Rolande	D F. du St Sacrement
14	M Nina	S Valentin	D Mathilde	M Maxime	V Matthias	L Elisée 25
15	J Rémi	D Claude	L Louise 12	J Paterne	S Denise	M Germaine
16	V Marcel	L Julienne 8	M Bénédicte	V Benoît-Joseph	D Honoré	M J.-Fr. Régis
17	S Roseline	M Alexis	M Patrice	S Anicet	L Pascal 21	J Hervé
18	D Prisca	M Bernadette	J Mi-Carême	D Parfait	M Eric	V Léonce
19	L Marius 4	J Gabin	V Joseph	L Emma 17	M Yves	S Romuald
20	M Sébastien	V Aimée	S PRINTEMPS	M Odette	J ASCENSION	D F. des Pères
21	M Agnès	S Pierre-Damien	D Clémence	M Anselme	V Constantin	L ÉTÉ 26
22	J Vincent	D Isabelle	L Léa 13	J Alexandre	S Emile	M Alban
23	V Barnard	L Lazare 9	M Victorien	V Georges	D Didier	M Audrey
24	S Fr. de Sales	M Mardi Gras	M Cath. de Suède	S Fidèle	L Donatien 22	J Jean-Baptiste
25	D Conv. S. Paul	M Cendres	J Annonciation	D Souv. Déportés	M Sophie	V Eléonore
26	L Paule 5	J Nestor	V Larissa	L Alida 18	M Bérenger	S Anthelme
27	M Angèle	V Honorine	S habib	M Zita	J Augustin de C.	D Fernand
28	M Thomas d'Aquin	S Romain	D Gontran	M Valérie	V Germain	L Irénée 27
29	J Gildas	D 1er dim. Carême	L Gwladys 14	J Cath. de Sienne	S Aymard	M Pierre, Paul
30	V Martine		M Amédée	V Robert	D PENTECÔTE	M Martial
31	S Marcelin		M Benjamin		L Visitation 23	

	2004 Juillet	Août	Septembre	Octobre	Novembre	Décembre 2004
	3 h 53 à 19 h 56	4 h 26 à 19 h 27	5 h 09 à 18 h 31	5 h 52 à 17 h 28	6 h 39 à 16 h 28	7 h 25 à 15 h 55
1	J Thierry	D Alphonse	M Gilles	V Thérèse de l'E.-J.	L TOUSSAINT 45	M Florence
2	V Martinien	L Julien Eymard 32	J Ingrid	S Léger	M Trépassés	J Viviane
3	S Thomas	M Lydie	V Grégoire	D Gérard	M Hubert	V Xavier
4	D Florent	M J.-M. Vianney	S Rosalie	L Fr. d'Assise 41	J Charles	S Barbara
5	L Antoine 28	J Abel	D Raïssa	M Fleur	V Sylvie	D Gérald
6	M Mariette	V Transfiguration	L Bertrand 37	M Bruno	S Léonard	L Nicolas 50
7	M Raoul	S Gaétan	M Reine	J Serge	D Carine	M Ambroise
8	J Thibaut	D Dominique	M Nativité N.-D.	V Pélagie	L Geoffroy 46	M Imm. Conception
9	V Amandine	L Amour 33	J Alain	S Denis	M Théodore	J Pierre Fourier
10	S Ulrich	M Laurent	V Inès	D Ghislain	M Léon	V Romaric
11	D Benoît	M Claire	S Adelphe	L Firmin 42	J ARMISTICE 1918	S Daniel
12	L Olivier 29	J Clarisse	D Apollinaire	M Wilfried	V Christian	D J.-F. Chantal
13	M Henri, Joël	V Hippolyte	L Aimé 38	M Géraud	S Brice	L Lucie 51
14	M FÊTE NATIONALE	S Evrard	M La Croix glorieuse	J Juste	D Sidoine	M Odile
15	J Donald	D ASSOMPTION	M Roland	V Thérèse d'Avila	L Albert 47	M Ninon
16	V N.-D. Mt-Carmel	L Armel 34	J Edith	S Edwige	M Marguerite	J Alice
17	S Charlotte	M Hyacinthe	V Renaud	D Baudouin	M Elisabeth	V Judicaël, Gaël
18	D Frédéric	M Hélène	S Nadège	L Luc 43	J Aude	S Gatien
19	L Arsène 30	J Jean-Eudes	D Emilie	M René	V Tanguy	D Urbain
20	M Marina	V Bernard	L Davy 39	M Adeline	S Edmond	L Théophile 52
21	M Victor	S Christophe	M Matthieu	J Céline	D Christ Roi/Prés. de Marie	M HIVER
22	J Marie-Madeleine	D Fabrice	M AUTOMNE	V Elodie	L Cécile 48	M Françoise-Xavière
23	V Brigitte	L Rose de Lima 35	J Constant	S Jean de Cap.	M Clément	J Armand
24	S Christine	M Barthélemy	V Thècle	D Florentin	M Flora	V Adèle
25	D Jacques	M Louis	S Hermann	L Enguerran 44	J Cath. Labouré	S NOËL
26	L Anne, Joachim 31	J Natacha	D Côme, Damien	M Dimitri	V Delphine	D Sainte Famille
27	M Nathalie	V Monique	L Vincent de Paul 40	M Emeline	S Séverin	L Jean 53
28	M Samson	S Augustin	M Venceslas	J Simon, Jude	D Avent	M Innocents
29	J Marthe	D Sabine	M Michel	V Narcisse	L Saturnin 49	M David
30	V Juliette	L Fiacre 36	J Jérôme	S Bienvenu	M André	J Roger
31	S Ignace de Loyola	M Aristide		D Quentin		V Sylvestre

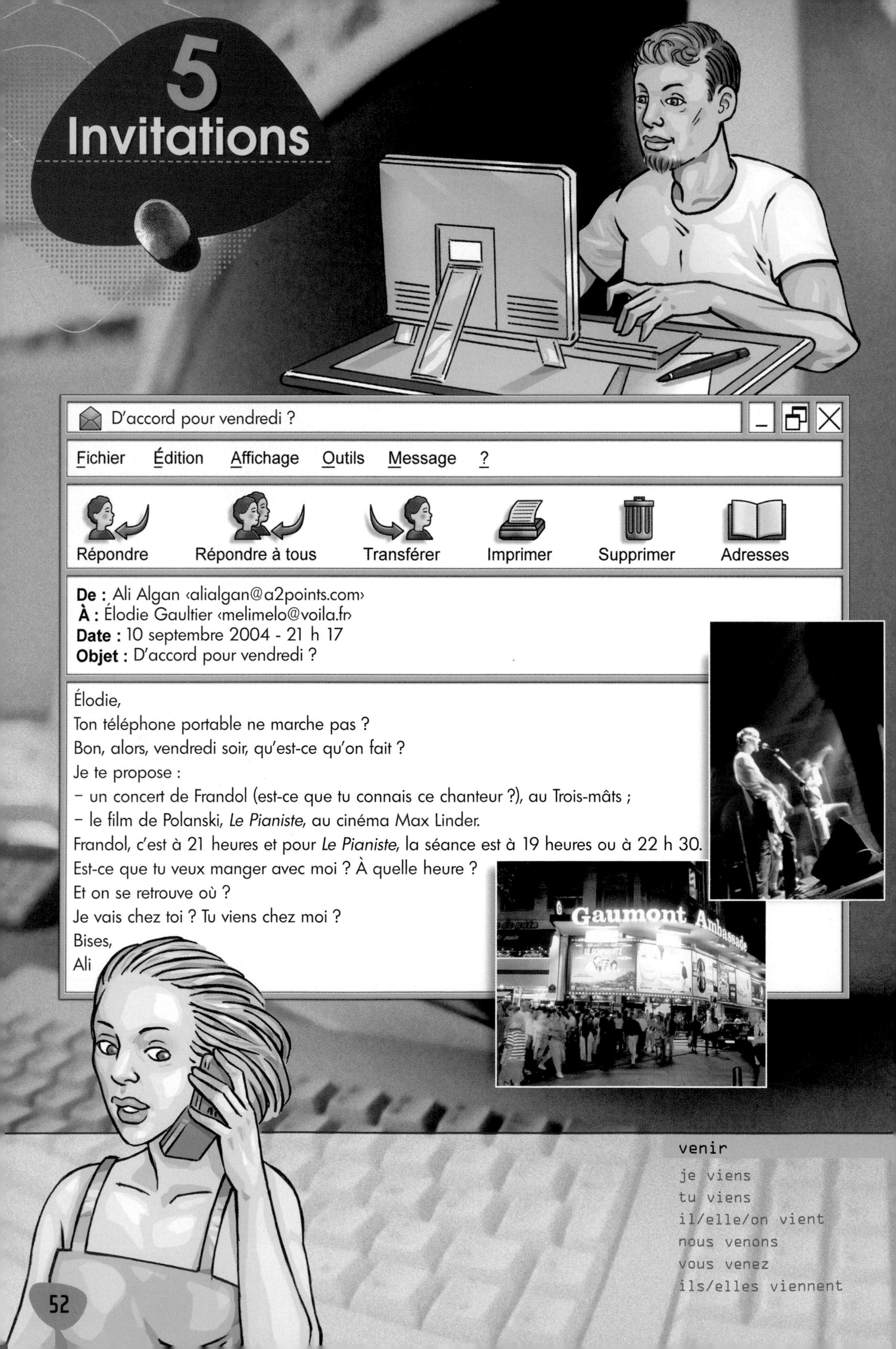

5 Invitations

D'accord pour vendredi ?

Fichier Édition Affichage Outils Message ?

Répondre Répondre à tous Transférer Imprimer Supprimer Adresses

De : Ali Algan ‹alialgan@a2points.com›
À : Élodie Gaultier ‹melimelo@voila.fr›
Date : 10 septembre 2004 - 21 h 17
Objet : D'accord pour vendredi ?

Élodie,
Ton téléphone portable ne marche pas ?
Bon, alors, vendredi soir, qu'est-ce qu'on fait ?
Je te propose :
– un concert de Frandol (est-ce que tu connais ce chanteur ?), au Trois-mâts ;
– le film de Polanski, *Le Pianiste*, au cinéma Max Linder.
Frandol, c'est à 21 heures et pour *Le Pianiste*, la séance est à 19 heures ou à 22 h 30.
Est-ce que tu veux manger avec moi ? À quelle heure ?
Et on se retrouve où ?
Je vais chez toi ? Tu viens chez moi ?
Bises,
Ali

venir

je viens
tu viens
il/elle/on vient
nous venons
vous venez
ils/elles viennent

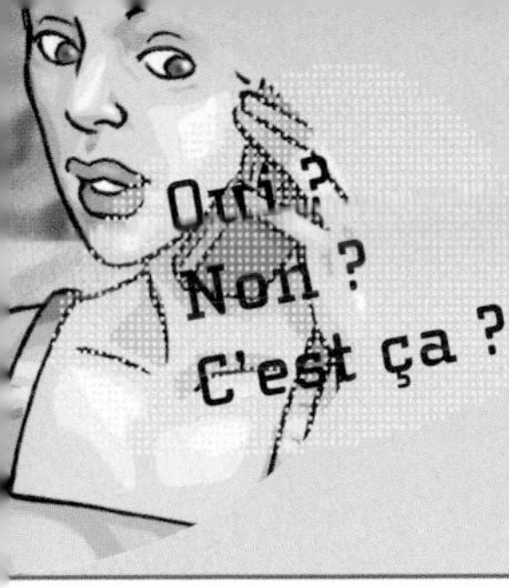

Lisez le message et choisissez la ou les bonnes réponses.

1. Ali écrit :
- pour sortir avec Élodie vendredi soir.
- pour téléphoner à Élodie vendredi soir.
- pour aller au restaurant avec Élodie vendredi soir.
- pour aller chez Élodie vendredi soir.

2. Qu'est-ce qu'il y a :
- à 19 heures ? ....
- à 21 heures ? ....
- à 22 h 30 ? ....

1 Écoutez la réponse d'Élodie et répondez aux questions.

1. Ali demande « on se retrouve où ? ». Qu'est-ce qu'Élodie répond ?
2. Quel est le problème avec la salle de spectacle le Trois-mâts ?
3. Élodie veut aller au restaurant avant ou après le cinéma ?
4. Élodie veut retrouver Ali :
   - à 7 heures. ☐ à 8 heures.
   - à 9 heures. ☐ à 10 h 30.
5. Où est le restaurant *La Taverne* ?

2 Complétez les phrases avec *être* et *avoir* à la forme qui convient.

1. France Inter, il .... 7 heures.
2. Nous .... de la chance.
3. Elles ne .... pas françaises.
4. Vous .... un euro, s'il vous plait ?
5. Nous .... le 6 ou le 7 juin ?
6. Et Thomas, il .... quel âge ?
7. Vous .... étudiante ?
8. Elles .... envie de dormir.

être	avoir
je suis	j'ai
tu es	tu as
il/elle/on est	il/elle/on a
nous sommes	nous avons
vous êtes	vous avez
ils/elles sont	ils/elles ont

3 Complétez les phrases avec *chez* ou *avec*.

1. – Tu vas où ?
   – .... Thomas. On va faire des exos de maths.
2. – Tu vas en Tunisie ! Toute seule ?
   – Non, ... d'autres étudiants.
3. – Charlotte attend tout le monde à huit heures.
   – Moi je ne vais pas pouvoir arriver .... elle avant neuf heures.
4. – Je peux prendre ton disque de Frandol ?
   – Euh, il est .... Anne-Marie.
5. – Je vais aller cinq jours à Tahiti pour mon travail.
   – Oh ! Je peux aller .... toi à Tahiti ?

4 a) Observez le tableau et complétez les dialogues.

je	Il vient **chez moi** ce soir.
tu	Sophie mange **avec toi** ?
il	Vous allez **chez lui** à midi.
elle	Tu habites **avec elle** ?
nous	Vous pouvez venir **chez nous**.
vous	Je voudrais aller **avec vous**.
ils	Elle va dormir **chez eux**.
elles	Non, tu ne vas pas **avec elles**.

1 – Tu fais quoi au mois de juillet ?
– Je vais à Bora-Bora. Tu veux venir avec .... ?
– Euh, si tu veux. Mais, tu ne vas pas en Normandie avec Sophie ?
– Non, je suis fâché avec ....

2. – Le film est à 8 heures. Si tu veux, je vais chez .... à 7 h 30 et on va ensemble au ciné.
– Euh, non, viens chez .... à 7 heures. Laura est là, tu vas manger avec .... et après, on va aller au ciné tous les trois.

b) Remplacez les mots soulignés par *lui*, *elle*, *eux* ou *elles*.

1. – On retrouve Coralie au cinéma ?
   – Non, on va chez <u>Coralie</u> avant d'aller au cinéma.
2. – Eh, tu sais ? Le directeur va aller une semaine à Bora Bora !
   – Oui, je sais : je vais avec <u>le directeur</u> !
3. – Audrey va chez Claire et Jean-Michel samedi.
   – Est-ce qu'elle va dormir chez <u>Claire et Jean-Michel</u> ?
4. – Euh, tu sais, Marie et Léa vont aller à Paris pendant les vacances.
   – Ah, bon ! Et, euh... tu voudrais aller avec <u>Marie et Léa</u> ?

Outils

L'heure et la date

5 Lisez le tableau puis écoutez. Soulignez les heures que vous entendez.

de 1 h 00 à 12 h 00		de 12 h 00 à 0 h 00	
8 h 40 :	huit heures quarante	14 h 15 :	quatorze heures quinze
ou	neuf heures moins vingt	ou	deux heures et quart
10 h 15 :	dix heures quinze	15 h 30 :	quinze heures trente
ou	dix heures et quart	ou	trois heures et demie
10 h 30 :	dix heures trente	16 h 40 :	seize heures quarante
ou	dix heures et demie	ou	cinq heures moins vingt
11 h 45 :	onze heures quarante-cinq	20 h 45 :	vingt heures quarante-cinq
ou	midi moins le quart	ou	neuf heures moins le quart
12 h 00 :	douze heures	0 h 00 :	zéro heure
ou	midi	ou	minuit
12 h 15 :	douze heures quinze	0 h 30 :	zéro heure trente
ou	midi et quart	ou	minuit et demie

le matin
midi
l'après-midi
18 h 00
le soir
22 h 00
la nuit

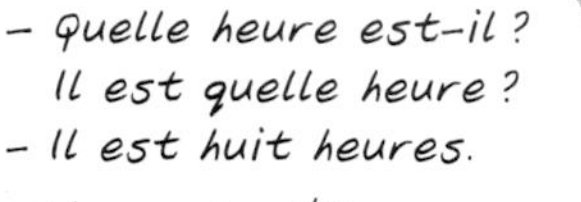

6 Il est quelle heure ? Écrivez.

Exemple : 12 h 15 = douze heures quinze ou midi et quart

10 h 15 = ... ou .... 20 h 40 = ... ou ....
12 h 30 = ... ou .... 23 h 45 = ... ou ....

Prendre/fixer un rendez-vous

les jours

lundi
mardi
mercredi
jeudi
vendredi
samedi
dimanche

10 Écoutez le dialogue et complétez l'agenda de Camille.

semaine 10	
mardi 3 Saint Guénolé	12 h 00 ....
	13 h 00 ....
	14 h 00 ....
	15 h 00 ....
7 h 00	16 h 00 ....
8 h 00	17 h 00 ....
9 h 00	18 h 00 ....
10 h 00	19 h 00 ....
11 h 00	20 h 00 ....

11 Écoutez le dialogue et complétez le texte.

Simon a mal à une dent. Il téléphone au dentiste.

L'assistante : Cabinet du Docteur Ticolli. Bonjour.
Simon : Bonjour, Simon Legrand. ..... un rendez-vous, ...
L'assistante : Oui, quel jour ?
Simon : Lundi ou ..... .
L'assistante : Lundi, ... ?
Simon : Ah, non, lundi, ... 18 heures.
L'assistante : Est-ce que ....., ça va ?
Simon : Euh... ....., oui, ça va, c'est bien.
L'assistante : Voilà, c'est noté Monsieur Legrand.
Simon : Merci. Au revoir.
L'assistante : ....., Monsieur Legrand.

7 Écoutez et écrivez l'heure (en lettres).

1. ......
2. ......
3. ......
4. ......
5. ......
6. ......
7. ......
8. ......

8 Écoutez et complétez les dialogues.

1. – La boulangerie ferme à quelle heure ?
   – Elle est ouverte ....
2. – Tu vas à l'école mercredi ?
   – Oui, ...
3. – Excusez-moi, ..., s'il vous plaît ?
   – Oui : il est midi moins le quart.
4. – La bibliothèque est ouverte le lundi ?
   – Oui, ...
5. – Excusez-moi, je voudrais un renseignement.
   – Oui, ..., s'il vous plaît.
6. – Bon, alors, tu es prête ?
   – Oui, ..., j'arrive.

9 Observez le tableau *la date* puis transformez les phrases.

Exemple : [14 juin] Je vais à Lille. → Je vais à Lille le 14 juin.

1. [lundi] J'ai une réunion.
2. [15 septembre] Vous avez un rendez-vous.
3. [samedi 5 août] Tu peux venir ?
4. [2006] Elle va partir au Cameroun.
5. [juillet] Le restaurant est fermé.
6. [avril] Je vais en Chine.
7. [13 mai 1987] Il est né à Strasbourg.

la date

Je ne travaille pas lundi.
Je ne travaille pas le lundi.
Je ne travaille pas le (lundi) 5 juin (2005).
Je ne travaille pas en juin.
Je ne travaille pas au mois de juin.
Je ne travaille pas en 2005.

Le train arrive à 9 h 30.
Le bureau est ouvert de 8 heures à 18 heures.
Je travaille jusqu'à sept heures.

12 Aurélie Lesage veut prendre rendez-vous avec Sandrine Monet, la directrice de la Briocherie de Vendrennes. Regardez l'agenda de Sandrine Monet et continuez le dialogue.

La secrétaire : Briocherie de Vendrennes. Bonjour.
Aurélie Lesage : Bonjour, madame. Aurélie Lesage.
La secrétaire : Ah, bonjour Madame Lesage.
Aurélie Lesage : Je voudrais un rendez-vous avec Madame Monet, le 28 ou le 29.
La secrétaire : Alors, le 28, euh…

lundi 28 mai
8 h – 19 h : visite aux Cerqueux

mardi 29 mai
8 h – 10 h : Conseil général
12 h – 19 h : St Marc en Breuil

mercredi 30 mai
8 h – 12 h : René Duval
12 h – 14 h : déjeuner Duval au Duguesclin
14 h – 16 h : MAROLLEAU projet chaussons

jeudi 31 mai
9 h – 12 h : MAROLLEAU + Directeurs
14 h – 16 h : Conseil H & S

prendre/fixer un rendez-vous

– *Je voudrais un rendez-vous avec M. Marchand.*
– *Quel jour ? / À quelle heure ?*

– *Mercredi, à 14 heures, ça va ?*
– *Oui, ça va. / D'accord.*

– *Vous êtes libre à 18 heures ?*
– *Je ne suis pas libre. / Je ne peux pas, je travaille jusqu'à 18 h 30.*

Poser une question

 **Relisez le message d'Ali et recherchez les différents types de questions : complétez le tableau.**

Réponses : oui/non	Autres réponses
Exemple : Il est français ? Oui.	*Exemple : Tu habites où ? À Rouen.*
....	....
....	....
....	....
....	....
....	....

De : Ali Algan ‹alialgan@a2points.com›
À : Élodie Gaultier ‹melimelo@voila.fr›
Date : 10 septembre 2004 - 21 h 17
Objet : D'accord pour vendredi ?

Élodie,
Ton téléphone portable ne marche pas ?
Bon, alors, vendredi soir, qu'est-ce qu'on fait ?
Je te propose :
– un concert de Frandol (est-ce que tu connais ce chanteur ?), au Trois-mâts ;
– le film de Polanski, *Le Pianiste*, au cinéma Max Linder.
Frandol, c'est à 21 heures et pour *Le Pianiste*, la séance est à 19 heures ou à 22 h 30.
Est-ce que tu veux manger avec moi ? À quelle heure ?
Et on se retrouve où ?
Je vais chez toi ? Tu viens chez moi ?
Bises,
Ali

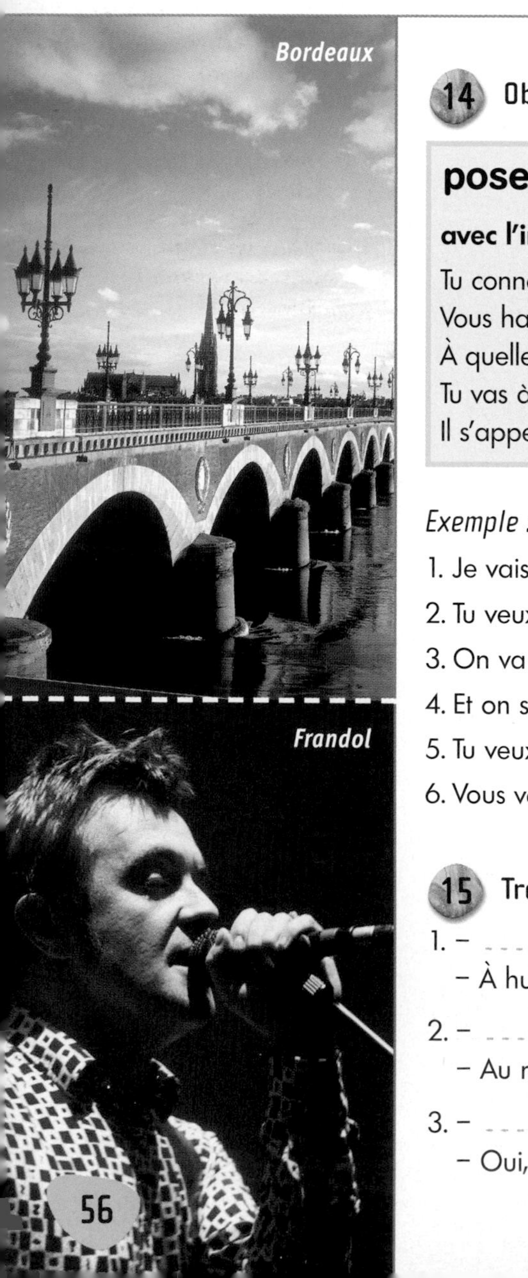
Bordeaux
Frandol

14 Observez le tableau puis transformez les phrases avec *est-ce que*.

poser une question

avec l'intonation	avec *est-ce que*
Tu connais ce chanteur ?	Est-ce que tu connais ce chanteur ?
Vous habitez où ?	Où est-ce que vous habitez ?
À quelle heure tu veux manger ?	À quelle heure est-ce que tu veux manger ?
Tu vas à Paris quand ?	Quand est-ce que tu vas à Paris ?
Il s'appelle comment ?	Comment est-ce qu'il s'appelle ?

Exemple : Tu habites à Bordeaux ? → Est-ce que tu habites à Bordeaux ?

1. Je vais chez toi ? → ....
2. Tu veux aller au cinéma ? → ....
3. On va au cinéma à quelle heure ? → ....
4. Et on se retrouve où ? → ....
5. Tu veux manger avec moi ? → ....
6. Vous venez quand ? → ....

15 Trouvez les questions.

1. – .... ?
   – À huit heures et demie.
2. – .... ?
   – Au restaurant, La Taverne.
3. – .... ?
   – Oui, j'ai 20 euros.
4. – .... ?
   – Oui.
5. – .... ?
   – Je vais au concert de Frandol.
6. – .... ?
   – Je ne sais pas.

Inviter : proposer - accepter/refuser

16 Dans son message, Ali invite Élodie. Classez ce qu'ils disent dans le tableau.

1. Je te propose un concert de Frandol.
2. Est-ce que tu veux manger avec moi ?
3. Je n'aime pas beaucoup le Trois-mâts.
4. C'est insupportable !
5. D'accord pour le film de Polanski.
6. On peut aller à La Taverne. Ça te dirait ?
7. On mange et on va au cinéma à 22 h 30. Ça marche ?

proposer	accepter	refuser
1. Je te propose un concert de Frandol.	....	....
....	....	....

17 Un ami vous propose de faire une promenade en forêt avec lui. Qu'est-ce que vous pouvez dire pour refuser ? Écrivez une phrase avec chaque verbe.

1. pouvoir ..... 2. avoir envie de ..... 3. vouloir ..... 4. devoir .....

18 Regardez le programme des cinémas. Vous voulez inviter un ami au cinéma. Vous téléphonez à votre ami. Par deux, imaginez un dialogue et jouez le dialogue.

Max Linder *12, rue Poincaré* 08.36.69.00.56	Gaumont multisalles *1, avenue François Mitterrand* 0.892.696.696	Le studio 17 *17, allée Victor Gaudron* 08.36.68.36.68
■ **Le pianiste** (R. Polanski, F/GB/All./P) - V.O. *Séances à :* 16 h 00 - 19 h 00 - 22 h 30 ■ **Être et avoir** (N. Phillibert, F.) *Séances à :* 15 h 45 - 19 h 25 ■ **Choses secrètes** (J-C. Brisseau, F.) *Séances à :* 13 h 45 - 16 h 10 - 19 h 15	*Séances :* 14 h 00 - 16 h 45 - 19 h 30 - 22 h 15. *Séance à* 11 h 00 *le samedi et le dimanche* ■ **Ma femme s'appelle Maurice** (J-M. Poiré, F.) ■ **Signes** (M. N. Shyamalan, É-U.) ■ **L'auberge espagnole** (C. Klapish, F.) ■ **Spy Kids n° 2** (R. Rodriguez, É-U.)	■ **Ma femme s'appelle Maurice** (J-M. Poiré, F.) *Séances à :* 17 h 30 - 19 h 45 - 22 h 15 ■ **Bon voyage** (J-P. Rappeneau, F.) *Séances à :* 15 h 35 - 20 h 00 - 22 h 30 ■ **Dancers upstairs** (J. Malkovich, É-U.) *Séances à :* 19 h 30 - 22 h 15

inviter

j'invite
tu invites
il/elle/on invite
nous invitons
vous invitez
ils/elles invitent

proposer
Je te propose un dîner dans un restaurant chinois.
Je te propose d'aller d'abord au cinéma.
Est-ce que tu veux visiter le musée ?
Un restaurant chinois, ça te dirait ? (ça te dit ?)
Ça te dirait (ça te dit) d'aller à la piscine ?
Je t'invite !

accepter
D'accord. C'est d'accord.
Ça marche. (fam.)
Avec plaisir.
Ça ne te dérange pas ?
Merci de ton/votre invitation.
Nous te/vous remercions de ton/votre invitation.

refuser
Je suis désolé, je dois travailler.
Ça ne me dit rien.
Lundi, ce n'est pas possible.
Je n'ai pas envie de sortir.
Je ne peux pas aujourd'hui.
Je ne suis pas libre.

Vous avez 1 nouveau message

Mes messages | Écrire | Répertoire | *Options*

<< messages précédents / messages suivants >

De : Flora Tylon ‹ floty@laposte.net ›
A : ‹ mangelli@infonie.fr ›
Date : samedi 13 novembre 2004 – 23 h 43
Objet : fête à Nice

Marco,

Oh là là, c'est déjà le 13 novembre ! Et tard, en plus !
Tu fais quoi le jeudi 25 ?
Bon, voilà : Violaine, l'amie de Guillaume, a 25 ans cette année. Et bien sûr, le 25, c'est la Sainte Catherine. Tu connais la Sainte-Catherine ?
Guillaume et moi, on organise une petite fête surprise pour Violaine.
Violaine va venir chez moi vers 10 h 30. Elle pense qu'on va aller en boîte ensemble, toutes les deux (l'école d'électronique fait une fête dans une boîte près de Nice), mais la petite fête surprise est chez un ami.
Est-ce que tu peux venir ? J'espère que tu es libre. Je sais que c'est loin, mais un petit week-end à Nice, c'est sympa, non ?
C'est une soirée déguisée. Le thème, c'est « l'Europe ». Pour toi, c'est facile : viens avec ta gondole ! (ah, ah, ah !). Moi, je voudrais me déguiser en Espagnole, mais je ne sais pas où je vais pouvoir trouver une robe espagnole et des castagnettes.
Bises.
Flora

19 **Lisez le message puis répondez oralement.**

1. Flora veut organiser une fête. Quel jour ? À quelle heure ?
2. Pour qui est la fête ?
3. Où est-ce que Flora va organiser la fête ?
4. « C'est une soirée déguisée » : qu'est-ce que ça veut dire ?

C'est une soirée déguisée.
Je cherche un déguisement.
On va se déguiser en policier.
J'ai un costume de clown.

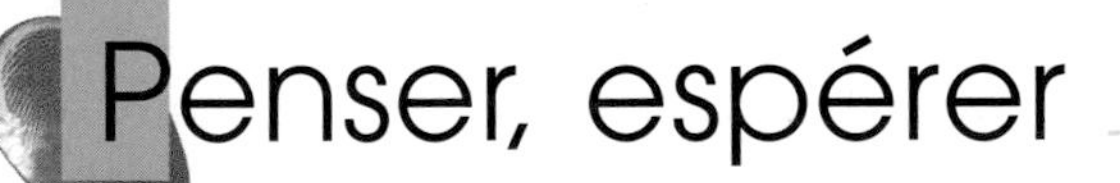

Penser, espérer

20 **Dans le message de Flora, observez les verbes *je pense que* et *j'espère que*, puis imaginez une suite aux dialogues.**

1. – Tiens, Coralie n'est pas là.
   – Ah, oui, tiens ! J'espère que…
2. – Où est-ce que tu vas aller en vacances cette année ?
   – Je pense que…
3. – Bon anniversaire ! Et voilà, un cadeau pour toi !
   – Un cadeau ! Merci !
   – J'espère que…
4. – Alors, Paris, c'est bien ?
   – Euh… je pense que…
5. – Flora fait une fête le 25.
   – Le 25 ? J'espère que…
6. – Bon, quel film on va voir ce soir ?
   – Euh… je pense que…

Savoir / connaître

21 **a) Observez les phrases et répondez aux deux questions.**

connaître
1. Tu connais la Sainte-Catherine ?
2. Il ne connaît pas Violaine.
3. Il connaît son adresse.

savoir
1. Je sais que c'est loin.
2. Elle ne sait pas quand il arrive.
3. Vous savez faire une pizza ?

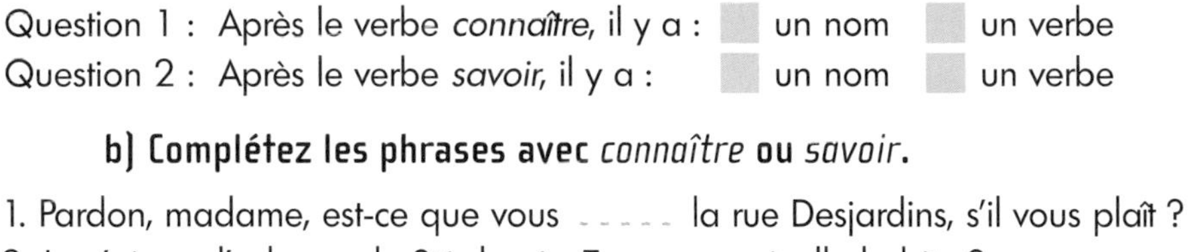

Question 1 : Après le verbe *connaître*, il y a : ☐ un nom ☐ un verbe
Question 2 : Après le verbe *savoir*, il y a : ☐ un nom ☐ un verbe

b) Complétez les phrases avec *connaître* ou *savoir*.

1. Pardon, madame, est-ce que vous ..... la rue Desjardins, s'il vous plaît ?
2. Je n'ai pas l'adresse de Stéphanie. Tu ..... où elle habite ?
3. Je parle chinois assez bien mais je ne ..... pas écrire en chinois.
4. Je ..... bien la Bulgarie. Ma grand-mère est bulgare.
5. Euh, excuse-moi, tu ..... le verbe « espérer » ?

22 **Transformez les phrases comme dans les exemples.**

Exemples : [Elle habite où ?] Je ne sais pas...
Je ne sais pas où elle habite.
[Lucie est malade.] Tu sais... ?
Tu sais que Lucie est malade ?

1. [À quelle heure il arrive ?] Est-ce que tu sais ..... ?
2. [Julien veut aller où ?] Vous savez ..... ?
3. [Il y a un problème.] Oui, nous savons ..... .
4. [Qui a téléphoné ?] Je voudrais savoir ..... .
5. [Le nouveau directeur s'appelle comment ?] Tu sais ..... ?

connaître
je connais
tu connais
il/elle/on connaît
nous connaissons
vous connaissez
ils/elles connaissent

savoir
je sais
tu sais
il/elle/on sait
nous savons
vous savez
ils/elles savent

phonétique

Les lettres finales

A **Écoutez les phrases et rayez les lettres finales qu'on ne prononce pas.**

Exemple : Rayez les lettre~~s~~ finale~~s~~ qu'on ne prononc~~e~~ pa~~s~~.

1. Ils vont au restaurant avant ou après le concert ?
2. J'espère qu'elles viennent avec nous.
3. Bon, alors, d'accord pour le film de Polanski ?

B **Rayez les lettres finales que vous ne prononcez pas.**

1. On va venir vers minuit moins le quart.
2. Est-ce que tu veux manger avec moi ? À quelle heure ?
3. Samedi soir, il va dans un petit restaurant espagnol.

C **Écoutez et cochez la case qui convient.**

	1	2	3	4	5	6	7	8
[ʃ] (*cher*cher)								
[ʒ] (*j*ouer)								

les lettres finales
En général, on ne prononce pas le « e » final :
un~~e~~ bell~~e~~ promenad~~e~~

Attention à :
e + z : *vous écout<u>ez</u>*
e + r : *on va all<u>er</u>*
e + s : *l<u>es</u> vacances*
e + t : *<u>et</u>, le fil<u>et</u>*
...
En général, on ne prononce pas les lettres finales (t, d, s, x...)
un peti~~t~~ restauran~~t~~
d'accor~~d~~
dan~~s~~ troi~~s~~ moi~~s~~
tu peu~~x~~

Les sorties des Français

23 Regardez les documents et complétez le tableau.

	type de loisir (théâtre, musée, etc.)	date et heure	prix
document 1	-----	-----	-----
document 2	-----	-----	-----
document 3	-----	-----	-----
document 4	-----	-----	-----
document 5	-----	-----	-----
document 6	-----	-----	-----
document 7	-----	-----	-----

24 a) Regardez les documents et lisez le texte. Quels sont les loisirs préférés des Français ?

b) Et dans votre pays, quels sont les loisirs préférés ? Faites une petite enquête et demandez aux autres étudiants quels sont leurs loisirs préférés ? Combien de temps, chaque semaine, est-ce qu'ils consacrent à ces loisirs ?

1

THÉÂTRE DE L'ORME, 24 rue des Mimosas. Loc. par tél. 04.62.89.29.29. Pl. 15 € TR 10 €

Jeudi, vend., sam. à 20 h 30. Dim. à 17 h 00 :

De Patricia OUVRARD, avec Sophie ÉTAIX, Christophe MACARD et Michel DUBOIS :

CHUUUT !

Les tribulations d'un couple curieux de la vie de ses voisins de palier. Une comédie grinçante sur les petits détails de notre vie.

2

CHÂTEAU DE LA ROCHE-JOUBERT

Du début du XVe siècle. De larges douves circonscrivent la longue enceinte à quatre tours d'angle, que commande un admirable châtelet. Le logis seigneurial est richement meublé (tapisseries des XVIe et XVIIe siècles). La chapelle abrite des peintures murales du XVIe siècle. **Ouvert du 1er février au 30 octobre, de 10 h 00 à 18 h 00, sf le lundi. Groupes sur RV.**

Entrée : 5,40 € ; 3,50 €

Tél. 02.41.92.07.72

3

Grévin, 10 bd Montmartre, Mo Grands Boulevards, 01.47.70.85.05 (H) **Musée de cire présentant l'actualité, l'Histoire de France et les grandes heures du XXe siècle.** Tlj sans exception de 10 h à 19 h (fermeture caisse 1 h avant). Ent. 15 euros, TR 9 euros (6 à 14 ans). **Ouvert 1er janvier de 13 h à 18 h. Fermé du 6 au 10 janvier.**

4

Opéras

Opéra Bastille, 120 rue de Lyon (12e), Mo Bastille, Loc. 0.892.89.90.90 (0,337 euros/mn). Pl. de 10 à 109 euros. **Dim 5 janv. à 14 h 30, mer 8 janv à 19 h : « DIE FRAU OHNE SCHATTEN »,** La Femme sans ombre, opéra en 3 actes (1919), livret Hugo von Hofmannstral, dir. musicale Ulf Schirmer, mise en scène de Robert Wilson.

5

ELYSEE MONTMARTRE
72, bd Rochechouart
75018 PARIS
LINKIN PARK
DIMANCHE 07 MARS 2004 19H30
PLACE DEBOUT NON NUMEROTEE
Prix TTC : EUR 23,10 Prix unique
Frais de location inclus
(151,53FRF) 20030130/3 /B0359051751

6

PARC DES PRINCES 75016 PARIS
PSG - MONACO
Championnat Football Professionnel
DIMANCHE 22 AOUT 2004 20H45
J ROUGE PARIS
Acces: J12 Rang: 20 Place: 70
Prix TTC : EUR 40,00
(262,38FRF) 20030818/9 /B0364943076

7

THEATRE SEBASTOPOL
59800 LILLE
PLP & THIERRY FEERY PRESENTENT:
LA JALOUSIE
avec MICHEL PICCOLI
DIMANCHE 04 JANVIER 2004 16H30
ORCHESTRE 14 6
Prix TTC : EUR 38,00 FAUTEUIL
FRF 249,26 FRAIS DE LOCATION INCLUS
20020727/17 /B0350982796

Quatre personnes sur cinq pratiquent au moins une activité culturelle par an.

Depuis 25 ans, les pratiques culturelles se développent, mais de façon très inégale. Ainsi, les salles de cinéma attirent moins de spectateurs, mais les autres équipements culturels (et notamment les bibliothèques) sont de plus en plus fréquentés, les activités artistiques en amateur (musique, peinture, théâtre, sculpture…) se diffusent de plus en plus, et la lecture se généralise. En 2000 cependant, une personne de 15 ans ou plus sur cinq déclare n'avoir pratiqué aucune activité culturelle au cours des douze mois précédents. Alors que plus de la moitié des Français sont allés au moins une fois au cinéma ou ont lu au moins un livre au cours des douze derniers mois, mais ils ne sont que 29 % à avoir assisté à une pièce de théâtre ou à un concert.

Les jeunes : une vie culturelle plus intense

Les jeunes ont globalement une vie culturelle plus intense. Ce fait est particulièrement marqué pour le cinéma : 89 % des 15-24 ans y sont allés au moins une fois au cours des douze derniers mois contre seulement 23 % des 55 ans ou plus (voir le tableau). Les pratiques culturelles des hommes et des femmes sont par ailleurs aujourd'hui assez identiques, mises à part la lecture et les pratiques artistiques en amateur, activités plutôt féminines.

Les pratiques culturelles à l'âge adulte au cours des douze derniers mois en %

	Lecture de livres	Cinéma	Musée, exposition ou monument historique	Théâtre ou concert	Pratiques amateur
Ensemble	58	50	45	29	14
Âge					
15-24 ans	72	89	46	40	24
25-44 ans	59	61	49	31	16
45-64 ans	56	40	47	30	11
65-74 ans	49	21	39	24	9
75 ans et plus	48	11	28	11	5
Sexe					
Femme	66	50	45	30	16
Homme	50	51	45	26	12

D'après Chloé Tavan, « Les pratiques culturelles : le rôle des habitudes prises dans l'enfance », Insee Première, n° 883, février 2003
http://www.insee.fr

6 À table !

DU PAIN TOUS LES JOURS : une question d'âge...

15 à 34 ans	74 %
35 à 49 ans	82 %
50 ans et +	87%

QU'EST-CE QUE LES EUROPÉENS MANGENT ?

On entend toujours les mêmes choses sur les étrangers, particulièrement quand on parle d'alimentation : les Italiens mangent des pâtes et les Français des steaks frites... Qu'est-ce que les Européens mangent quand ils ne sont pas chez eux ?

Les **Espagnols** adorent les bars à tapas où on peut grignoter quelques amuse-gueules avec un bon verre de bière pour un petit prix.

Quand ils ne sont pas à la maison, les **Anglais** mangent beaucoup de *fish'n chips*, des morceaux de poisson avec des frites.

Nos amis **belges** vont souvent dans les friteries et les **Portugais** sont les plus gros mangeurs de poisson avec 43 kilos par personne et par an !

Les **Allemands** se régalent dans les kiosques de rue où on trouve des salades et des en-cas variés alors que les **Français** aiment prendre deux heures pour déjeuner au restaurant...

Les **Italiens** boivent beaucoup de café et peu de bière alors que les **Allemands** sont les plus gros buveurs de bière.

Les **Français**, eux, boivent aussi de la bière mais surtout du vin. Combien ? 63 litres par personne et par an ! Partout, on note que les **Européens** s'ouvrent aux cuisines venues d'ailleurs. On mange par exemple du couscous ou de la pastilla venus du Maghreb ou des nems et du riz cantonais venus d'Asie.

On peut lire ou entendre cela partout mais, est-ce que c'est bien vrai ? Est-ce qu'on n'a pas, de temps en temps, des surprises quand on voyage ?

Couscous

Tapas

DU SUCRE TOUS LES JOURS POUR LES GOURMANDS...

Espagnols	59 %
Français	45 %
Anglais	34 %
Allemands	30 %

LE DÉJEUNER : TOUS LES JOURS ?

Espagnols	97 %
Français	87 %
Anglais	70 %
Allemands	45 %

DES FRUITS ET DES LÉGUMES TOUS LES JOURS : peu chez les jeunes, plus chez les 50 ans et +

fruits		légumes	
Espagnols	71 %	Espagnols	32 %
Allemands	59 %	Français	25 %
Anglais	54 %	Anglais	20 %
Français	54 %	Allemands	16 %

prendre	boire
je prends	je bois
tu prends	tu bois
il/elle/on prend	il/elle/on boit
nous prenons	nous buvons
vous prenez	vous buvez
ils/elles prennent	ils/elles boivent

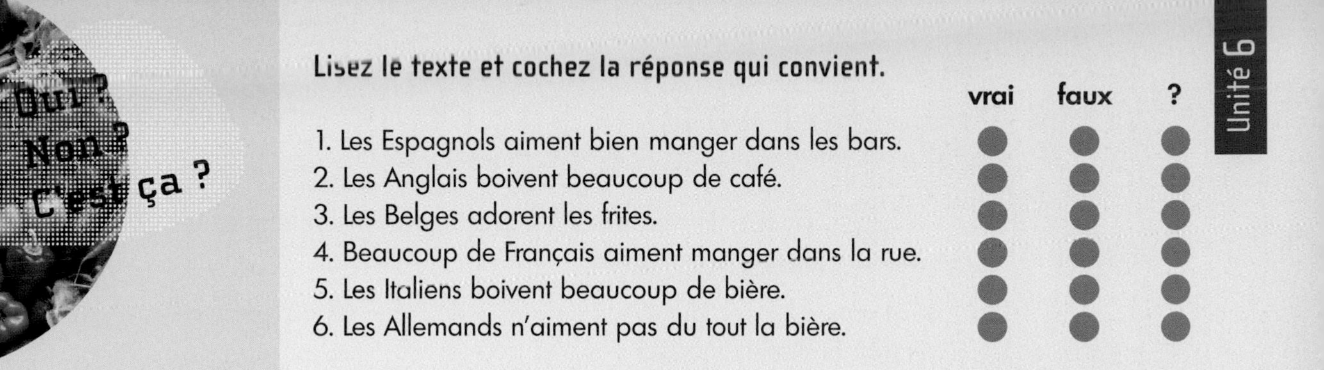

Lisez le texte et cochez la réponse qui convient.

	vrai	faux	?
1. Les Espagnols aiment bien manger dans les bars.			
2. Les Anglais boivent beaucoup de café.			
3. Les Belges adorent les frites.			
4. Beaucoup de Français aiment manger dans la rue.			
5. Les Italiens boivent beaucoup de bière.			
6. Les Allemands n'aiment pas du tout la bière.			

1 Relisez rapidement le texte, écoutez ces personnes et indiquez ci-dessous de qui elles parlent.

La personne n° 1 parle des Français.
La personne n° 2 parle des ......
La personne n° 3 parle des ......
La personne n° 4 parle des ......
La personne n° 5 parle des ......

1

2

3

4

5

2 Répondez oralement.

1. Quels Européens adorent le poisson ? les tapas ? les frites ?
2. Quels Européens passent beaucoup de temps à table pour le déjeuner ?
3. Et vous, combien de temps est-ce que vous prenez pour le déjeuner ?
4. Vous aimez les cuisines étrangères ? Quels types de cuisine ? Où est-ce que vous mangez ces plats étrangers ?

3 Cochez la réponse qui convient.

La question *Qu'est-ce que les Européens mangent ?* signifie :

- Les Européens mangent où ?
- Est-ce que les Européens mangent ?
- Les Européens mangent quoi ?
- Les Européens mangent quand ?

4 Complétez avec *est-ce que (qu')* ou *qu'est-ce que (qu')*.

1. ...... tu fais, ce soir ?
2. ...... Patricia et Ben viennent avec nous ?
3. ...... vous pourriez m'aider, s'il vous plaît ?
4. ...... tu veux un café ?
5. ...... tu veux ? Un café ?
6. ...... on invite Marc et David ?
7. ...... nous allons visiter à Paris ?
8. ...... tu as regardé la télévision hier soir ?

qu'est-ce que (qu') ?

- Qu'est-ce que tu veux ?/Tu veux quoi ?
- Euh... Un thé, s'il te plaît.

- On fait quoi ce soir ?/Qu'est-ce qu'on fait ce soir ?
- On va au ciné.

Outils

Exprimer un avis

5 Classez ces phrases dans le tableau. Puis soulignez les éléments positifs ou négatifs.

À mon avis, c'est ennuyeux de passer deux heures au restaurant.
Moi, je déteste manger dans les bars !
Ah ! Moi aussi, je trouve que le poisson est délicieux !
Je pense que ce n'est pas bon de boire beaucoup de café.
Comme c'est sympa de manger un en-cas dans la rue !

avis positif (+)	avis négatif (–)
Ah ! Moi aussi, je trouve que le poisson est délicieux !	*À mon avis, c'est ennuyeux de passer deux heures au restaurant.*
....	....

6 a) Lisez ces critiques de livres et dites quelle critique est positive.

L'histoire est intéressante et très belle mais on s'ennuie un peu. À mon avis, le roman est trop long...

Ce livre est triste et drôle à la fois. Il est intéressant. C'est un message pour la liberté et je trouve que l'écriture est magnifique.

On ne comprend pas très bien l'histoire et en plus, c'est violent. Moi, je n'ai pas du tout aimé !

Combien ?

8 Lisez les minidialogues puis posez des questions avec *combien*.

– Les Français boivent combien de litres de vin ?
– 75 litres par personne et par an.

– Vous avez combien d'amis en Grèce ?
– J'ai sept ou huit amis à Athènes.

– Tu as combien ?
– 10 euros seulement.

– Il y a combien de kilomètres pour aller à Lyon ?
– 125.

– Combien de cafés est-ce que vous voulez ?
– Deux cafés, s'il vous plaît.

1. – .....
   – Trois.
2. – .....
   – Elle a trois enfants.
3. – .....
   – 20 euros, et toi ?
4. – .....
   – 120 CD de rock. J'adore le rock !
5. – .....
   – Il y a 21 élèves.

combien ?

- Elle a combien d'enfants ?
- Deux enfants. Deux filles.

- Combien de cafés est-ce que vous voulez ?
- Trois cafés, s'il vous plaît.

- Vous avez combien ?
- Euh... 6,80 euros.

b) Classez ces adjectifs dans le tableau.

beau (belle) - intéressant(e) - triste - drôle - magnifique - violent(e)

idée positive	idée négative

c) Avec trois de ces adjectifs, écrivez une courte critique d'un livre ou d'un film que vous aimez.

7 **Lisez l'encadré. Par deux, utilisez les phrases proposées pour écrire un très court dialogue et dire ce que vous pensez de :**

la cuisine chinoise / le dernier concert de Madonna à Paris / votre voyage au Maroc / un concert de hard rock / l'émission de variétés du samedi soir à la télévision

exprimer un avis positif
J'ai beaucoup aimé... /
J'ai adoré...
Je trouve que c'est bon / drôle / intéressant...
Moi, je pense que l'histoire est très belle.
Quel roman magnifique !
Je préfère les films d'amour.

exprimer un avis négatif
Je pense que c'est mauvais.
C'est nul ! (fam.)
À mon avis, cette émission n'est pas très bonne.
Je déteste les films violents !
Selon Marie, ce n'est pas un bon roman.

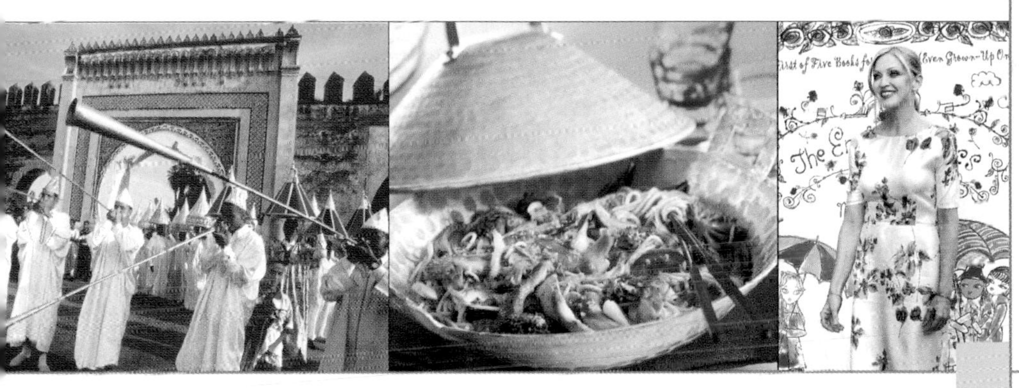

9 **Écoutez et cochez la réponse qui convient.**

Où se passent les cinq situations ?
- dans un magasin.
- dans la rue.
- dans la classe.
- à la maison.

Ça fait combien ? Elle coûte combien ? etc.
On utilise ces expressions pour :
- demander à quelqu'un de faire quelque chose.
- demander le prix.
- demander l'heure.
- inviter quelqu'un.

demander le prix
C'est combien ?
Ça fait combien ?
Ça coûte combien ?
Le prix, s'il vous plaît ?

10 **Par groupes de deux, jouez la situation suivante.**

– A entre dans une librairie. Il salue le (la) libraire.
– B, le (la) libraire, salue et demande à A ce qu'il (elle) veut.
– A dit qu'il (elle) cherche un livre sur l'Afrique.
– B propose trois livres à A.
– A demande le prix et choisit. Il (elle) paie.
– B remercie et salue A.
– A salue et quitte le magasin.

Exprimer la quantité

11 Observez ces phrases puis répondez :

le, la, désignent un élément :
- ☐ déterminé ou général
- ☐ imprécis

du, de la désignent une quantité :
- ☐ précise
- ☐ imprécise

La quantité : notion déterminée ou générale

Elle adore **le** poisson.
L'huile est sur la table.
Où est **la** farine ?

La quantité : notion/quantité imprécise

Elle mange souvent **du** poisson.
Tu as **de l'**huile ?
Mets **de la** farine !

12 Complétez les dialogues.

1. – Tu aimes ..... café ? Tu veux ..... café ou ..... thé ?
   – ..... thé avec ..... lait, s'il te plaît.
   – ..... lait ou ..... citron ?
   – ..... lait. Je n'aime pas beaucoup ..... citron.
2. – Et ta copine, elle aime ..... sport ?
   – Oui, beaucoup. Elle fait ..... natation et ..... ski.

Beaucoup de café, un verre d'eau...

13 a) Observez ces expressions et récrivez les expressions dans la colonne qui convient.

un verre **d'eau**
des morceaux **de** poisson
beaucoup **de** café
peu **de** lait

quantité précise	quantité imprécise
....	....
....	....
....	....

b) Classez ces expressions dans le tableau ci-dessus.

un peu d'amour - une bouteille d'eau - une boîte d'allumettes - un sachet de thé - trop de personnes - assez d'exercices - un kilo de pommes - pas assez d'argent - une tasse de café - un morceau de fromage - une canette de jus de fruits.

Exprimer la quantité

Une quantité précise :
- un kilo de pommes
- un litre d'eau
- un verre de jus d'orange
- ...

Une quantité imprécise :
- peu d'amis
- un peu d'argent
- assez de café
- trop d'étudiants
- ...

14 Complétez avec ***peu de, un peu de, assez de, beaucoup de*** **ou** ***trop de.***

1. – Ça va, Sophie ?
   – Non, j'ai ..... travail !
2. – C'est bon ?
   – Non, il y a ..... sel !
3. – Vous avez ..... enfants ?
   – Oui, j'ai huit enfants !
4. – Tu déjeunes au restaurant à midi ?
   – Non, je n'ai pas ..... argent. Je vais manger un sandwich dans un café.
5. – Je trouve que ce café n'est pas bon...
   – Ajoute ..... sucre !

Pas de - en

15 Observez ces minidialogues puis complétez la règle.

- Tu veux un café ?
- Non merci, je ne bois pas de café.

- Vous aimez le vin rouge ?
- Non, je n'aime pas le vin.

- Tu as une voiture ?
- Je n'ai pas de voiture. J'ai un vélo.

- Tu veux du coca ?
- Non, pas de coca. De l'eau.

- Mets de la farine.
- Mais, je n'ai pas de farine !

- De l'eau ou du jus de fruits ?
- Euh… Je ne veux pas d'eau, alors du jus de fruits !

- Vous avez des photos de la Chine ?
- Non, je ne prends pas de photos.

À la forme négative, un, …, du, …, de l', … → **pas de / pas d'**

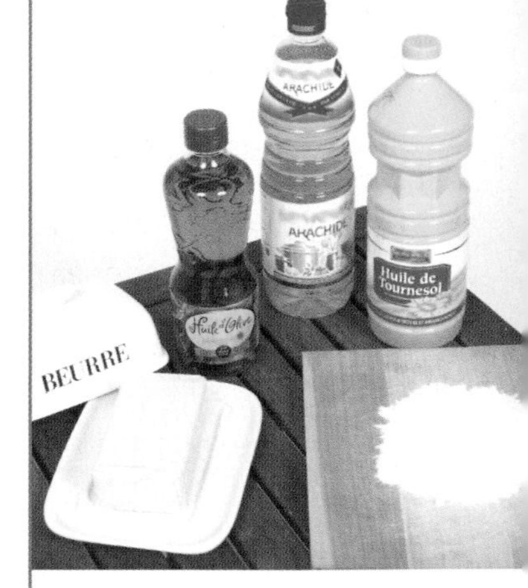

16 Associez chaque question à la réponse qui convient.

1. Vous aimez le café ?
2. Il y a des hôtels dans votre rue ?
3. Tu veux un café ?
4. Vous connaissez les hôtels de la rue Amelot ?
5. Tu mets de l'huile dans tes crêpes ?
6. Tu aimes l'huile d'olive ?

a. Des hôtels ? Non, il n'y a pas d'hôtels.
b. Non, pas le café.
c. Non, pas d'huile, du beurre.
d. Non, pas de café.
e. Ah ! Non, je ne les connais pas.
f. Non, je n'aime pas l'huile.

17 a) Lisez la phrase et répondez.

Il y a de la salade, tu **en** veux ?
Que remplace *en* dans cette phrase ? .....

b) Écoutez et dites dans quel dialogue on entend les expressions suivantes :

un euro : **phrase 2**
des enfants : phrase .....
du pain : phrase .....
des restaurants : phrase .....
pas de travail : phrase .....

18 Remplacez les mots soulignés.

Exemple : – Elle a des enfants ?
– Oui, elle a trois enfants.
→ – Oui, elle en a trois.

1. – Tu veux du lait dans ton thé ?
 – Oui, mais je ne veux pas beaucoup de lait.
2. – Tu as de l'argent ?
 – Je pense que j'ai assez d'argent. J'ai beaucoup d'argent.
3. – Vous avez du poisson, aujourd'hui ?
 – Ah ! non, je n'ai pas de poisson.
 – Bon… Et des salades ?
 – Oui, j'ai toujours des salades.
4. – Prends une crêpe, elles sont excellentes. Tu n'aimes pas ça ?
 – Si, j'adore, mais je ne mange pas beaucoup de crêpes.

la négation : ne… pas de

un, une, du, de la, de l', des → ne… pas de

- Vous avez **de la** chance ?
- Non, je **n'**ai **pas de** chance.

- Tu prends **un** thé avec moi ?
- Non, **pas de** thé, merci.

en

En remplace un nom précédé d'une **expression de quantité**.

- Vous voulez **de l'**eau ?
- Non merci, je n'**en** veux pas.

- Tu as **assez d'**argent ?
- Oui, j'**en** ai **assez**.

- Tu as **combien de** copains ?
- J'**en** ai **douze** !

- Il y a **une** bouteille d'eau sur votre table ?
- Oui, merci. Il y **en** a **une**.

- Est-ce que Flora a **des** amis à Angers ?
- Oui, elle **en** a **un** : Marco.

- Est-ce que tu as **des** enveloppes, s'il te plaît ?
- Oui, il y **en** a dans le tiroir.

Vous avez 1 nouveau message

Mes messages | **Écrire** | **Répertoire** | **Options**

<< messages précédents / messages suivants >

De : Marco Mangelli ‹ mangelli@etud.uco.fr ›
A : ‹ floty@laposte.net ›
Date : mardi 14 décembre 2004
Objet : fête du 25

Coucou Flora !
Géniale la fête du 25 ! Très content de te voir et de connaître tes amis.
Violaine et Guillaume sont vraiment sympas ; je les aime beaucoup.
J'ai bien dansé et bien ri. J'ai aussi beaucoup parlé avec Sophie.
Tu la connais bien ? C'est une amie à toi ?
Bravo aussi pour l'organisation de la fête : très bonne cuisine, bon vin…
J'ai adoré la salade aux crevettes (j'en ai mangé trois fois !) et les toasts au saumon.
Bon, quand est-ce qu'on fait une autre fête ? Il n'y a pas d'anniversaire bientôt ?
Je t'embrasse
Marco.

J'ai un message pour Sophie mais je n'ai pas son adresse électronique.
Et toi, est-ce que tu l'as ?

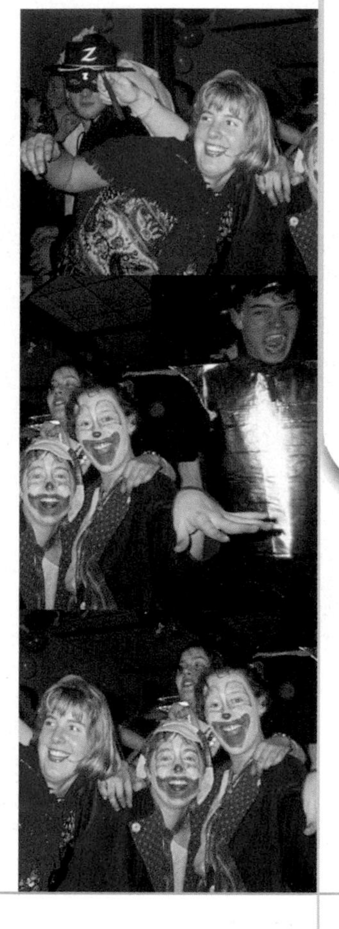

19 **Lisez le message de Marco puis cochez la case qui convient.**

	vrai	faux	?
1. Marco n'a pas beaucoup aimé la fête du 25.			
2. Il pense que Violaine et Guillaume sont sympas.			
3. Marco aime danser et rire.			
4. Flora connaît bien Sophie.			
5. Il n'y a pas eu de vin à la fête.			
6. Marco et Flora vont organiser une autre fête bientôt.			

Les pronoms compléments directs

20 **Relisez le message de Marco et indiquez ce que chaque pronom remplace.**

Je **les** aime beaucoup : *les* remplace .....
Tu **la** connais bien ? : *la* remplace .....
Tu **l'as** ? : *l'* remplace .....

21 **Complétez les phrases avec** *me (m'), te (t'), le (l'), nous, vous, le, la, les.*

1. Toi, je ne ..... comprends pas toujours très bien…
2. Quand elle a vu ce petit chien, elle ..... a aimé tout de suite !

3. Moi ? Oui, il ..... connaît, je suis une amie de sa sœur.
4. Chers amis, nous sommes très heureux de ..... voir bientôt.
5. Mon cadeau d'anniversaire ? Oui, je ..... ai ! C'est une lampe et je ..... adore !
6. Ma chérie, on ne comprend pas pourquoi tu ne ..... écoutes pas. On est tes parents !
7. Il est sympa, le prof de maths, mais il ne parle pas assez fort. On ne ..... entend pas.
8. Pourquoi tu ..... regardes comme ça ? Je suis belle ?

22 Remplacez *le*, *la*, *l'*, *les* par des noms pour trouver l'énigme.

Exemple : On le dit pour commencer l'alphabet. → Le A

1. On le met sur le « e » de étudiant. → .....
2. Dans l'unité 2 (p. 18), Paola l'aime beaucoup. → .....
3. Marco l'apprend à l'université d'Angers. → .....
4. Dans l'unité 3 (p. 28), Emma les adore ! → .....
5. Dans l'unité 3 (p. 28), Vincent la déteste. → .....
6. On la regarde quand il y a de bonnes émissions. → .....
7. L'inspecteur Labille l'écoute sur son répondeur (p. 42). → .....
8. L'inspecteur Labille ne va pas le trouver (p. 42). → .....
9. Dans l'unité 5 (p. 52), Ali l'invite. → .....

les pronoms compléments directs

Il **me** connaît. Il **nous** connaît.
Il **te** connaît. Il **vous** connaît.
Il **le**/**la** connaît. Il **les** connaît.

Le pronom se place devant le verbe :
– Je **l'**aime beaucoup.
– Je ne **l'**aime pas beaucoup.
– Je **l'**ai aimé.

phonétique

c ou ç ?

A Écoutez ces mots puis complétez.

ça va – **ca**rte – **ca**deau
cédille – pla**ce**
mer**ci** – **ci**néma
coupable – é**co**uter – le**ço**n
ex**cu**se – dé**çu** – **cu**lture
cyclisme – **cy**bercafé

c + e, i, ... = [s]
c + a, ..., u = [k]
.. + a, o, u = [s]

B Écoutez ces mots et complétez-les avec *c* ou *ç*.

gar_on
directri_e
re_u
_omment
_amarade
_ompter
le_on
Ni_e
dé_embre
fran_ais

la cédille
La cédille, sous le c, marque le son [s] devant a, o, u :
français, leçon, reçu.

C Écoutez et cochez la case qui convient.

	1	2	3	4	5	6	7	8
[p] (***p**arler*)								
[b] (***b**ar*)								

Au café...

Observez l'addition et le tableau *au restaurant*. Répondez aux questions oralement.

1. Quel est le nom du café ?
2. Combien de personnes ont mangé ?
3. Elles ont pris l'apéritif ?
4. Qu'est-ce qu'elles ont mangé comme entrée ? Et comme plat ?
5. Est-ce que les personnes ont mangé du fromage ?
6. Elles ont bu du vin ?

Regardez la carte de restaurant, écoutez le dialogue puis choisissez la réponse qui convient.

1. Antoine va déjeuner
   - ☐ avec son ami Pierre.
   - ☐ avec son amie Laurie.
   - ☐ avec ses amis Laurie et Pierre.

2. ☐ Laurie choisit l'entrée du jour.
   ☐ Elle ne prend pas d'entrée.
   ☐ Elle prend une salade de tomates.

3. ☐ Laurie ne prend pas de café mais un thé.
   ☐ Antoine prend un thé.
   ☐ Ils ne prennent pas de café.

4. ☐ Antoine a beaucoup de temps.
   ☐ Antoine n'a pas beaucoup de temps.
   ☐ Laurie a peu de temps.

5. ☐ Elle prend un dessert.
   ☐ Ils prennent un dessert.
   ☐ Il prend un dessert.

6. ☐ Antoine aime les desserts mais il n'a pas très faim.
   ☐ Antoine a faim mais ne prend pas de dessert.
   ☐ Antoine n'aime pas les desserts et il n'a pas faim.

Combien est-ce que les deux amis vont payer au total ? _____

payer

```
je paie/paye
tu paies/payes
il/elle/on paie/paye
nous payons
vous payez
ils/elles paient/payent
```

Par groupes de deux, jouez la même situation que dans l'activité 24 : vous retrouvez un(e) ami(e) pour déjeuner dans ce café et vous choisissez vos plats.

au restaurant

l'apéritif : verre d'alcool avant de manger.

l'entrée : petit plat pour commencer (petite salade, charcuterie...)

le plat principal : viande ou poisson + légumes

le fromage

le dessert : pâtisserie, crème, fruit...

LE BAR D'Ô
Snack à toute heure
7 h – 01 h

******* table 12 - couv : 2 *******
serveur : Jean-Pierre

2 kir 1,60 x 2	3,20 €
1 salade de tomates	2,20 €
1 assiette de charcuterie	2,60 €
1 jour	6,00 €
1 salade grecque	5,80 €
1 fromage	2,30 €
1 pâtisserie	2,50 €
1 glace 2 boules	2,20 €
1 eau minérale	3,00 €
2 café 1,20 x 2	2,40 €
Total	**32,20 €**

****** 04/12/2004 - 13 h 45 ******
Merci de votre visite. À bientôt !

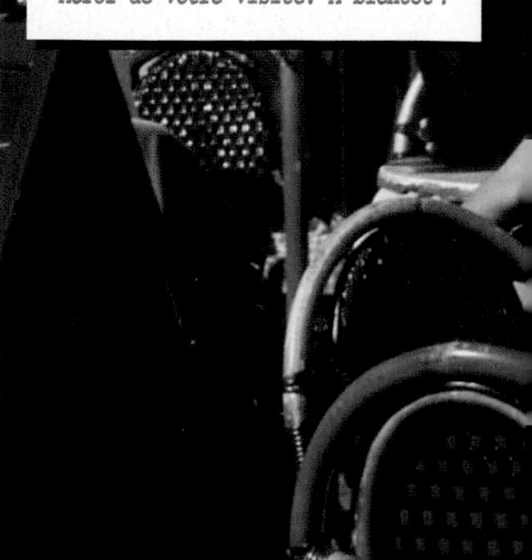

Le Bar d'Ô

Les apéritifs

Pastis
Whisky (4 cl) 2,10 €
Porto, pineau (6 cl) 5,00 €
Kir (vin blanc) 2,30 €
Kir royal (champagne) 1,60 €
4,40 €

Les bières

bières pression :
Amstel
Leffe 2,40 €
3,00 €
bières bouteilles :
Heineken, Kronenbourg, Kanter 2,40 €
Desperados, Buckler 2,50 €
Adelscott
3,00 €

Les boissons chaudes

Café
Grand café 1,20 €
Thé nature 2,40 €
Thé citron ou au lait 2,20 €
Cappuccino 2,30 €
Petit chocolat 3,00 €
Grand chocolat 1,50 €
2,60 €

Le menu complet

12 €

entrée
plat
fromage ou dessert

Le menu express

9,40 €

entrée + plat
ou
plat + dessert

Entrées

Entrée du jour
Salade mixte
Salade de tomates
Œufs mayonnaise

Plats

Plat du jour
Steack frites
Omelette jambon ou fromage + salade verte
Omelette pommes de terre + salade verte
Truite aux amandes

Desserts

Dessert du jour
Mousse au chocolat
Tarte au citron

Je peux proposer, accepter, refuser

Comptez 1 point par bonne réponse.
Vous avez...
– 3 points : bravo !
– moins de 3 points, revoyez la page 57 de votre livre et les exercices de votre cahier.

1 Complétez le minidialogue.

– (Proposer) ....
– Ah ! C'est une bonne idée. J'adore le cinéma.
– Et toi, Laura, tu viens avec nous ?
– (Accepter) ....
– Et après le ciné, on va au restaurant ?
– (Refuser) ....

Je peux prendre/fixer un rendez-vous

Comptez 1 point par bonne phrase rayée.
Vous avez...
– 4 points : félicitations !
– moins de 4 points, revoyez la page 55 de votre livre et les exercices de votre cahier.

2 Rayez (~~Rayez~~) la/les phrase(s) qui ne convient /conviennent pas.

1. – Je voudrais un rendez-vous avec le Docteur Portal, s'il vous plaît.
   – Oui, c'est noté. / – Oui, quel jour ? / – Ce n'est pas possible, je travaille le lundi.
2. – Le mardi 10 à 10 heures, ça va ?
   – Ça marche ! / – Vous voulez un rendez-vous ? / Vous êtes libre à 10 heures ?

Je peux poser des questions

Comptez 1 point par bonne réponse.
Vous avez...
– 5 points : félicitations !
– moins de 5 points, revoyez les pages 56, 63, 64, 65 de votre livre et les exercices de votre cahier.

3 Complétez.

1. – ..... tu aimes la cuisine chinoise ?
   – Oui, j'aime bien. Et toi ?
2. – C'est ..... s'il vous plaît ?
   – 120 euros, madame.
3. – ..... tu veux boire ? Un jus d'orange, de l'eau, un café ?
   – Je veux bien un jus d'orange, merci.
4. – C'est joli, mais ça ..... combien ?
   – 60 euros, je crois.
5. – ..... vous faites du sport ?
   – Non, je n'aime pas le sport. Je fais du théâtre.

Je peux exprimer la quantité

Comptez 1 point par bonne réponse.
Vous avez...
– 4 points : félicitations !
– moins de 4 points, revoyez les pages 66, 67 de votre livre et les exercices de votre cahier.

4 Rayez les éléments qui ne conviennent pas.

1. – Vous voulez (trop de / un verre de / un morceau de) jus de fruits ?
2. – Je n'ai (pas / peu / un peu) d'argent sur moi.
3. – Hum… C'est bon mais pour moi, il y a (trop / assez / un kilo) de sel.
4. – Tu peux acheter (du / de la / de l') huile, s'il te plaît ?

Je peux utiliser les articles

5 Complétez les phrases avec *le*, *la*, *l'*, *les*, *un*, *une*, *des*.

1. – On achète ..... cartes postales pour nos amis ?
   – Oui et on envoie ..... message à Flora. Il y a ..... cybercafés dans la ville.
2. – Tu aimes bien ..... librairies du boulevard Saint-Germain ?
   – Je ne connais pas ..... boulevard Saint-Germain. C'est où ?

Comptez 1 point par bonne réponse.
Vous avez...
– 5 points : félicitations !
– moins de 5 points, revoyez les pages 48, 49, 66 de votre livre et les exercices de votre cahier.

Je peux conjuguer les verbes au présent

6 Complétez les phrases avec le verbe indiqué au présent.

1. Est-ce que tu (pouvoir) ..... répéter ta question, s'il te plaît ?
2. Vous (prendre) ..... quel bus, le matin ?
3. Ils (avoir) ..... quel âge, les enfants de Sylvie ?
4. Tu (boire) ..... du café ou du thé ?
5. On va au cinéma. Vous (venir) ..... avec nous ?

Comptez 1 point par bonne réponse.
Vous avez...
– 5 points : félicitations !
– moins de 5 points, revoyez les pages 43, 53, 57, 62 de votre livre et les exercices de votre cahier.

Je peux parler de l'avenir

7 Complétez avec le verbe indiqué au futur proche.

1. – Une minute ! Je (boire) ..... un peu d'eau et j'arrive !
2. – Samedi prochain, Pierre et Marianne (prendre) ..... l'avion pour Saint-Domingue.
3. – Tu (aller) ..... chez Noura dimanche ?
4. – Nous (ne pas parler) ..... de politique ! Ça ennuie tout le monde !

Comptez 1 point par bonne réponse.
Vous avez...
– 4 points : félicitations !
– moins de 4 points, revoyez les pages 44, 45 de votre livre et les exercices de votre cahier.

Je peux utiliser les pronoms

8 Complétez les phrases avec le pronom qui convient.

1. Pierre va partir à Tahiti samedi, et il m'a proposé d'aller avec ..... !
2. L'inspecteur ne cherche plus le coupable : il ..... a trouvé.
3. Nous allons chez Lucie et Paul samedi. Ils ..... invitent pour fêter Pâques.
4. Je connais bien Bruno et Béatrice mais je ne suis jamais allé chez ..... .
5. Et la photo de Jean-Philippe, tu ..... veux ?

Comptez 1 point par bonne réponse.
Vous avez...
– 5 points : félicitations !
– moins de 5 points, revoyez les pages 53, 68, 69 de votre livre et les exercices de votre cahier.

9 Associez.

1. Je peux boire un peu d'eau ?
2. Tu vas voir Serge ce week-end ?
3. Tu viens avec nous au concert de Frandol ?
4. On fait des crêpes ?
5. Tu connais Linda Boureau ?

a. Oui, il m'a invité chez lui samedi.
b. Oui, je la vois au cours de yoga.
c. Bah ! Non, je n'ai pas de farine.
d. Bien sûr, il y en a dans le frigo.
e. Euh… Bof… Je ne l'aime pas beaucoup.

Comptez 1 point par bonne association.
Vous avez...
– 5 points : félicitations !
– moins de 5 points, revoyez les pages 67, 68, 69 de votre livre et les exercices de votre cahier.

→ **RÉSULTATS : .... points sur 40 points = ... %**

Préparation au DELF A1

Oral

1 Écoutez et indiquez l'heure et la date. Complétez le tableau.

	1	2	3	4	5	6
Heure						
Date						

2 **Vous téléphonez à un ami pour l'inviter à votre fête d'anniversaire. Votre ami est absent. Laissez un message sur son répondeur et donnez toutes les informations sur cette fête.**

3 Écoutez et dites si les critiques sont positives ou négatives.

critiques positives : n^{os} ....   critiques négatives : n^{os} ....

Écrit

4 **Lisez le texte et cochez la (les) réponse(s) qui convient (conviennent).**

La France est le pays de la cuisine. Mais la cuisine est différente d'une région à une autre.
Dans le nord-ouest du pays on adore le beurre et la crème, mais dans le sud-est, on préfère l'huile d'olive pour cuisiner.
Les habitants des régions près de la mer sont de gros mangeurs de poisson. Les personnes qui sont plus loin de la mer mangent beaucoup de viande. On fait de la bouillabaisse avec du poisson à Marseille et de la choucroute avec du porc et des saucisses à Strasbourg. La Normandie, au nord-ouest, est le pays des pommes. La Provence, au sud, le pays de la pêche et de l'abricot. On ne produit pas de vin dans toutes les régions : en Bretagne, on boit beaucoup de cidre et dans le Nord et l'Est, beaucoup de bière. Mais partout, on mange toujours beaucoup de fromage !

À Strasbourg,
- ☐ on mange beaucoup de poisson.
- ☐ il y a beaucoup d'abricots.
- ☐ on boit de la bière.

À Brest,
- ☐ il n'y a pas beaucoup de poisson.
- ☐ on aime le beurre.
- ☐ on aime beaucoup la bière.

À Bordeaux,
- ☐ on mange beaucoup de poisson.
- ☐ on ne mange pas de fromage.
- ☐ on boit du vin.

À Toulon,
- ☐ on fait la cuisine avec de l'huile d'olive.
- ☐ on mange beaucoup de viande.
- ☐ on boit beaucoup de cidre.

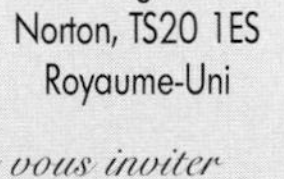

M. & Mme Motte
17, rue du Verger
15000 Aurillac
France

M. & Mme McAllister
47 Darlington Lane
Norton, TS20 1ES
Royaume-Uni

ont la joie de vous inviter
au mariage de leurs enfants
Stéphanie *et* **David**
le samedi 4 février 2005, à 11 h 00
à l'église Saint Mathieu, Salers.
Le vin d'honneur et le déjeuner
vous seront servis
au restaurant La Source du Mont,
à Saint-Martin-Valmeroux

Merci de répondre
avant le 12 décembre 2004

5 **Lisez cette invitation et répondez aux questions.**

1. Comment s'appelle la fille de M. et Mme Motte ?
2. Où habitent les parents de David ?
3. Quelle est la date du mariage ?
4. Où est l'église ?
5. Où est-ce que les invités vont aller après le mariage à l'église ?
6. Qu'est-ce que les invités doivent faire avant le 12 décembre ?

6 **Vous êtes arrivé à Bordeaux pour une visite de trois jours. Vous écrivez une carte postale à vos amis Français, Guillaume et Maude. Expliquez ce que vous allez faire à Bordeaux pendant ces trois jours.**

3 Agir dans l'espace

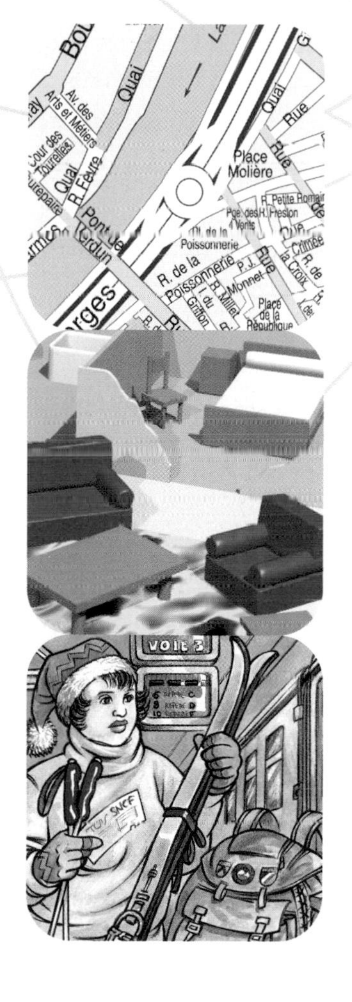

7 Rallye

Aurélie Cailleau et Nicolas Jolivet sont étudiants dans une école supérieure de commerce. Avec leurs amis, Naïma Kateb et Damien Gianini, ils participent à un jeu de piste, un rallye organisé par leur école, à Angers. Naïma et Damien ne connaissent pas la ville.

Damien : Euh… où est-ce qu'il y a des malades ?
Aurélie : Non, non : où est-ce qu'il n'y a plus de malades… Un chant merveilleux ? Ça y est, je pense que j'ai trouvé : c'est à l'ancien hôpital. Maintenant, c'est un musée. Il y a une tapisserie qui s'appelle *Le Chant du Monde*.
Nicolas : Ah, oui, je la connais, c'est sûrement ça !
Naïma : C'est quoi *Le Chant du Monde* ?
Aurélie : C'est une tapisserie moderne, des années soixante. Elle est super grande, avec plein de couleurs, vous allez aimer.
Damien : C'est loin d'ici ?
Nicolas : Non, non, ce n'est pas loin.
Naïma : Et le champagne ?
Damien : Comment on fait pour aller là-bas ?
Nicolas : Montre le plan. C'est là. Alors, on est rue Plantagenêt. On prend la rue à gauche, puis à droite, on traverse la rivière par le pont de Verdun…
Aurélie : Non, Nicolas, avec la voiture, on ne peut pas, le pont est réservé aux bus. On va tout droit, on tourne à droite par là, on va jusqu'à l'autre pont, on traverse. Là, on va passer à droite autour d'une vieille tour…
Naïma : Autour d'une tour… Heureusement qu'on n'est pas à Tours !
Aurélie : On va à gauche et puis l'hôpital est là, à droite.
Damien : Bon, allez, on y va.
Naïma : Bah, oui, mais, et le champagne ?
Nicolas : On va voir ça tout à l'heure.
Damien : Euh… Il y a des toilettes près d'ici ?
Aurélie : Il y en a au musée.

POINT 6
Il n'y a plus de malades au point n° 6 mais vous allez pouvoir découvrir un chant merveilleux.
Qu'est-ce qu'on vous offre après le champagne ?

RUE PLANTAGENÊT

Champagne de Jean Lurçat : ©Cliché Musées d'Angers/Photo Pierre David

offrir
j'offre
tu offres
il/elle/on offre
nous offrons
vous offrez
ils/elles offrent

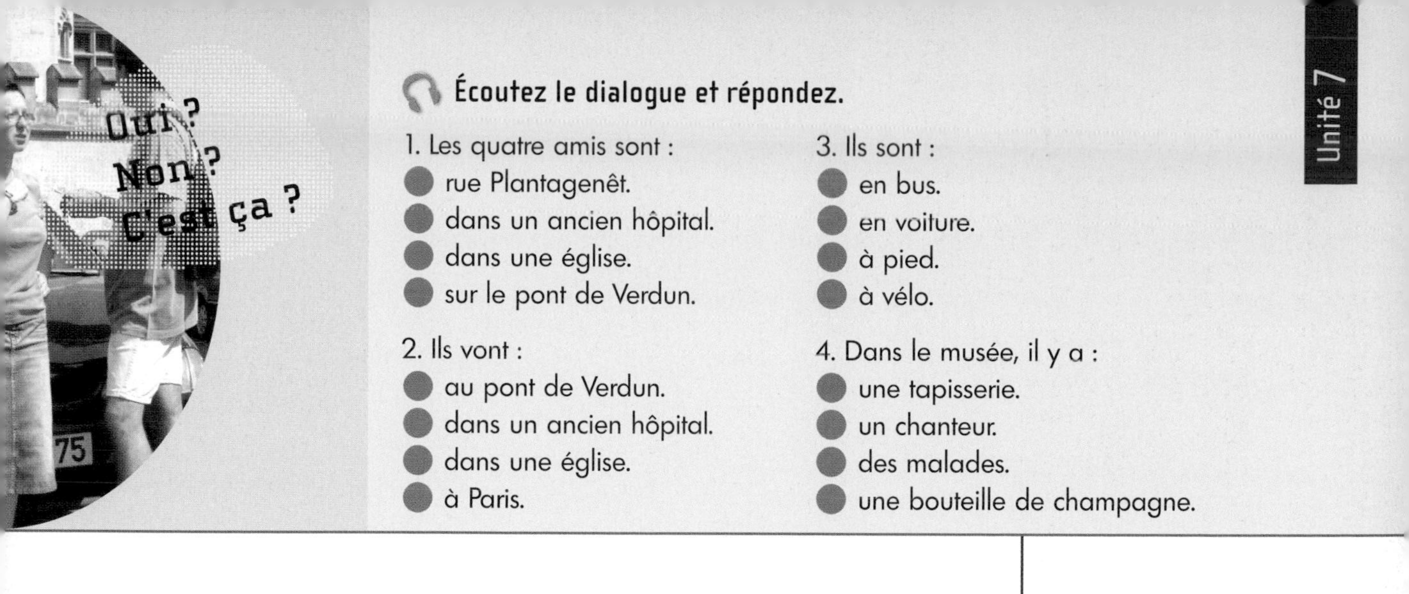

Écoutez le dialogue et répondez.

1. Les quatre amis sont :
- rue Plantagenêt.
- dans un ancien hôpital.
- dans une église.
- sur le pont de Verdun.

2. Ils vont :
- au pont de Verdun.
- dans un ancien hôpital.
- dans une église.
- à Paris.

3. Ils sont :
- en bus.
- en voiture.
- à pied.
- à vélo.

4. Dans le musée, il y a :
- une tapisserie.
- un chanteur.
- des malades.
- une bouteille de champagne.

1 Lisez le dialogue et répondez.

1. *Le pont de Verdun est réservé aux bus.* Que signifie *réservé aux bus* ?
2. *Les quatre amis vont dans un ancien hôpital.* Que signifie *ancien* ?
3. *Ils passent autour d'une vieille tour.* Que signifie *vieille* ?
4. *Ils vont voir une tapisserie moderne.* Que signifie *moderne* ?

2 a) Écoutez le dialogue et tracez sur le plan :

- en vert, le chemin de Nicolas ;
- en rouge, le chemin d'Aurélie.

Nicolas : Montre le plan. C'est là. Alors, on est rue Plantagenêt. On prend la rue à gauche, puis à droite, on traverse la rivière par le pont de Verdun...

Aurélie : Non, Nicolas, avec la voiture, on ne peut pas, le pont est réservé aux bus. On va tout droit, on tourne à droite par là, on va jusqu'à l'autre pont, on traverse. Là, on va passer à droite autour d'une vieille tour...

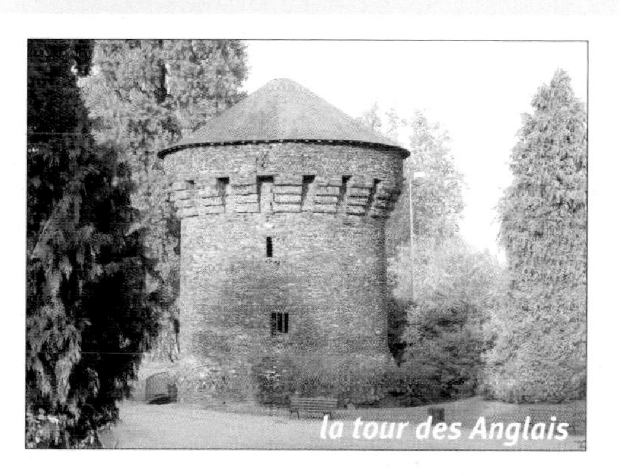
la tour des Anglais

Tour des Anglais

b) Associez les mots aux dessins.

autour = dessin n° .....
à gauche = dessin n° .....
à droite = dessin n° .....
tout droit = dessin n° .....
jusqu'à = dessin n° .....

1 2 3 4 5

Outils

La ville

3 Associez les mots de gauche aux phrases de droite.

Qu'est-ce qu'on fait dans…

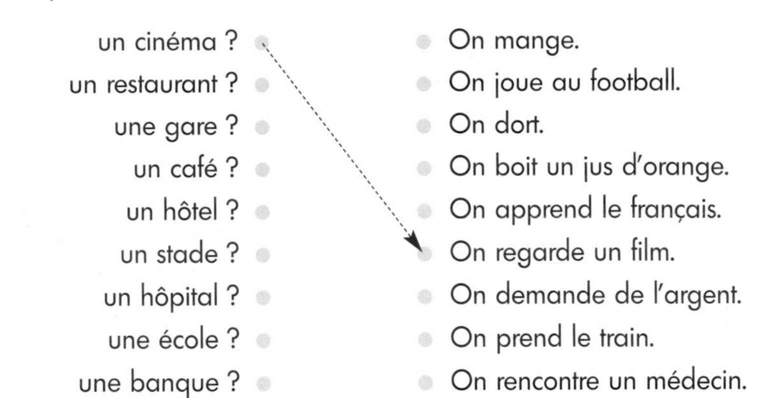

un cinéma ?	On mange.
un restaurant ?	On joue au football.
une gare ?	On dort.
un café ?	On boit un jus d'orange.
un hôtel ?	On apprend le français.
un stade ?	On regarde un film.
un hôpital ?	On demande de l'argent.
une école ?	On prend le train.
une banque ?	On rencontre un médecin.

Se situer, s'orienter

À la banque, au cinéma…

5 Observez les phrases et complétez le tableau.

1. Maria, je suis à la banque. – Maria, j'arrive de la banque.
2. On se retrouve au cinéma. – Tu sors du cinéma et tu m'attends.
3. Tu viens à l'école à quelle heure ? – À quelle heure tu rentres de l'école ?
4. Excuse-moi une minute, je vais aux toilettes. – On ne fume pas ici ! Vous sortez des toilettes immédiatement !

	à	de
la banque	(à + la) → à la banque	(de + la) → de la banque
le cinéma	(à + le) → -----	(de + le) → -----
l'école	(à + l') → à l'école	(de + l') → -----
les toilettes	(à + les) → -----	(de + les) → -----

6 Complétez les phrases avec *à la, à l', au, aux, de la, de l', du, des*.

Exemple : Je dois aller (à) ----- banque. → Je dois aller à la banque.

1. Quand est-ce qu'on va (à) ----- piscine *(f.)* ?
2. Les enfants vont revenir (de) ----- école à cinq heures et demie.
3. Il y a une boutique de souvenirs (à) ----- musée *(m.)* ?
4. Oui, oui, il va venir, il est (à) ----- toilettes.
5. Est-ce qu'il y a des livres en espagnol (à) ----- bibliothèque *(f.)* ?
6. Je viens (de) ----- hôpital : Julie va très bien.
7. Tu veux aller (à) ----- cinéma *(m.)* avec moi ?
8. Oh, regarde la fille qui sort (de) ----- café *(m.)* ! C'est Adeline !

4 Associez les mots aux photos.

Qu'est-ce qu'on achète…

	dans une poste ?	photo …..
	dans une pharmacie ?	photo …..
	dans une librairie ?	photo …..
	dans une boulangerie ?	photo …..
	dans une boucherie ?	photo …..
	dans une épicerie ?	photo …..

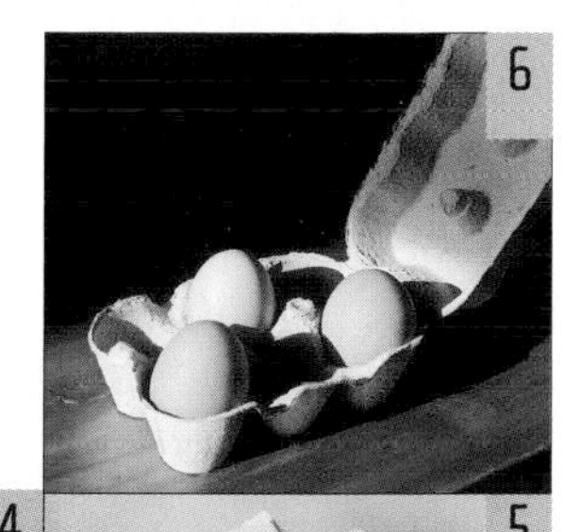

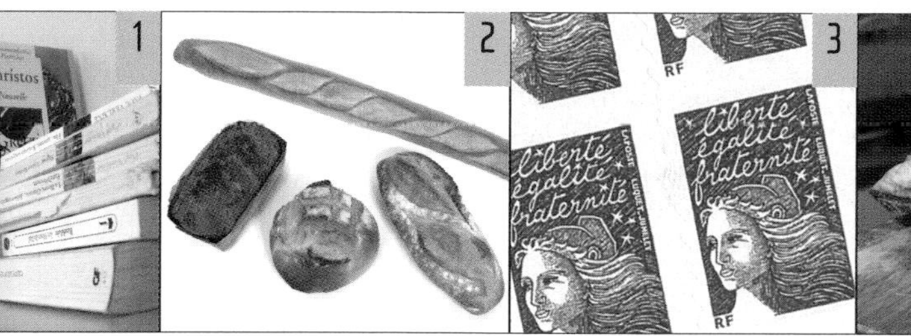

À côté, en face…

7 a) Regardez le plan et lisez les phrases.

1. Le cinéma est **entre** la banque et l'hôtel.
2. Le restaurant est **en face** de la poste.
3. La voiture est **devant** l'épicerie.
4. L'épicerie est **au coin de** la rue du Lac et de la rue du Mail.
5. Le jardin est **au bout de** la rue du Mail.
6. La poste est **à droite de** l'épicerie.
7. L'école est **à côté de** la poste.

devant ≠ derrière
à côté (de)
à droite (de) ≠ à gauche (de)
entre… et …
en face (de)
au coin (de)
au bout (de)

b) Complétez les phrases.

1. Le bus est ….. théâtre.
2. La banque est ….. la rue du Lac.
3. La boulangerie est ….. cinéma.
4. La poste est ….. l'épicerie ….. l'école.
5. L'école est ….. la rue Volney ….. la rue du Mail.
6. Le cinéma est ….. la banque.
7. Le café est ….. la boulangerie.

L'impératif

8 a) **Écoutez la suite du dialogue. Soulignez les verbes *aller* et *prendre* dans le texte. Que remarquez-vous ?**

b) **Complétez le tableau.**

	présent	impératif
aller	tu	.....
prendre	tu	.....
regarder	vous regardez	.....
tourner	tu tournes	.....
venir	vous venez	.....
oublier	nous oublions	.....

Dans la voiture.

Aurélie : Bon, tu vas tout droit. Après le feu, prends la deuxième rue à droite, là, direction Le Mans-Paris.
Naïma : Génial ! On va à Paris !
Aurélie : Non, non, tu prends à gauche. Ah ! regardez, voilà la tour. C'est la tour des Anglais.Tourne à gauche. Et là, va tout droit. L'hôpital est juste là, à droite.
Damien : C'est un hôpital, ça ?
Nicolas : Un ancien hôpital !
Damien : Ça ressemble plutôt à une église !
Aurélie : Venez, on va entrer dans le musée.
Naïma : Et n'oublions pas le champagne !
Nicolas : Ne t'en fais pas, je pense qu'on va trouver ça très vite dans le musée.
Damien : J'espère que, les toilettes aussi, on va les trouver très vite.

le musée Jean Lurçat

9 **Vous donnez des informations à une personne dans la rue. Écrivez le verbe entre parenthèses à l'impératif.**

Exemple : (tourner) ..... à droite. → Tournez à droite.

1. (continuer) ..... jusqu'au feu.
2. (prendre) ..... la première rue à gauche.
3. (aller) ..... tout droit.
4. (faire) ..... attention !

10 **Transformez les phrases à l'impératif.**

Exemple : Tu prends le bus n°7. → Prends le bus n°7.

1. Tu viens chez moi demain.
2. Tu passes vers sept heures.
3. Tu fais un gâteau.
4. Tu attends une seconde.

11 **Observez les exemples puis écrivez les verbes à la forme négative.**

Exemples : (tu / écrire) ..... sur la table ! → N'écris pas sur la table !
(tu / tourner) ..... à gauche ! → Ne tourne pas à gauche !

1. (vous / prendre) ..... un taxi, c'est très cher !
2. (tu / fumer) ....., ce n'est pas bon pour toi !
3. (vous / toucher) ..... les fruits, s'il vous plaît !
4. (tu / venir) ..... demain, je ne suis pas là.

12 a) **Observez les phrases et répondez.**

Prenez le livre !	Prenez-**le** !	Ne **le** prenez pas !
Prends trois kilos de riz !	Prends-**en** trois kilos !	N'**en** prends pas trois kilos !
Achète trois kiwis !	Achète**s-en** trois !	N'**en** achète pas !
	Rappelle-**moi** demain !	Ne **me** rappelle pas demain !

1. Où est le pronom *(le, en,...)* quand le verbe est à l'impératif ?
2. Où est le pronom *(le, en,...)* quand le verbe est à l'impératif négatif ?
3. Pourquoi est-ce qu'il faut un « s » dans *achètes-en* ?
4. Observez bien le pronom dans le dernier exemple. Que remarquez-vous ?

b) Écrivez le verbe en italique à l'impératif et remplacez les mots soulignés par un pronom (*le*, *l'*, *la*, *les*, *en*).

Exemple : – Voilà la lettre.
– Vous *mettez* la lettre sur le bureau, s'il vous plaît.
→ – *Mettez*-la sur le bureau, s'il vous plaît.

1. – Regarde, maman, Coralie m'a donné des bonbons !
   – Ah, c'est gentil ! Tu *offres* un bonbon à ta sœur. Elle va être contente.
2. – Est-ce que Maude vient avec nous ?
   – Non, non, vous n'*attendez* pas Maude ! Elle n'est pas prête !
3. – J'aimerais bien faire quelque chose avec Vincent.
   – C'est facile ! Tu *invites* Vincent au restaurant !
4. – On va acheter des fruits.
   – Oui, mais vous n'*achetez* pas les fruits au supermarché, ils ne sont pas bons.

l'impératif

Présent		**Impératif**	
	Tu prends le bus.		Prends le bus !
	Vous prenez le bus.		Prenez le bus !
	Nous prenons le bus.		Prenons le bus !

Attention : avoir : N'aie pas peur ! N'ayez pas peur ! N'ayons pas peur !
être : Sois à l'heure ! Ne soyez pas en retard ! Soyons clairs !
Le « s » disparaît avec les verbes en *-er* : *Tu regardes.* → *Regarde !*

Forme négative **Ne** regarde **pas** ! **Ne** venez **pas** demain !

Avec un pronom Prends le livre ! Prends-**le** ! Ne **le** prends pas !
Achète un kiwi ! Achète**s-en** un ! N'**en** achète pas !

Attention : – on ajoute un « s » aux verbes en *-er*, à la deuxième personne *(tu)* quand ils sont suivis du pronom *en* : *Achètes-en !*
– *toi* et *moi* deviennent *te* et *me* à la forme négative : *Attends-moi !* → *Ne m'attends pas !*

Demander / indiquer une direction

13 Vous êtes à côté de la place Victor Hugo et une personne vous demande comment elle peut aller au téléphérique. Regardez le plan et indiquez le chemin à cette personne (utilisez l'impératif). Écrivez un dialogue.

demander une direction
Où est la poste, s'il vous plaît ?
Où se trouve la poste, s'il vous plaît ?
La poste, s'il vous plaît ?
Excusez-moi, vous connaissez la rue Victor Hugo ?
Excusez-moi, je cherche la rue Victor Hugo.
C'est loin ? / C'est près d'ici ?

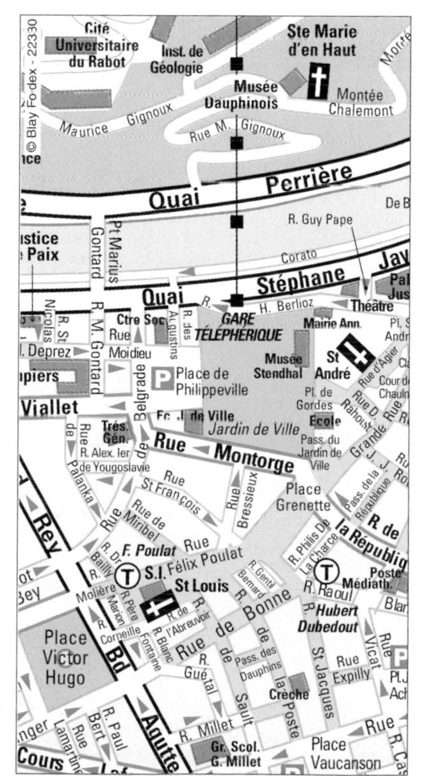

14 Vous voulez aller chez un ami. Vous téléphonez à cet ami pour savoir comment aller chez lui.

a) Écoutez le document et prenez des notes pour aller chez votre ami.

b) Avec ses indications, faites un plan.

Vous avez 1 nouveau message

Mes messages | Écrire | Répertoire | *Options*

<< messages précédents / messages suivants >

De : Flora Tylon ‹ floty@laposte.net ›
A : Marco Mangelli ‹ mangelli@etud.uco.fr ›
Date : mardi 1er février 2005
Objet : dimanche soir…

Cher Marco,
Tout va bien à Nice. Ma rue change d'aspect et ça me plaît beaucoup.
Il y a maintenant trois nouveaux magasins à la place d'anciens bureaux : d'abord, le premier, une boulangerie à 25 mètres de chez moi (ça ne doit pas faire très plaisir à la boulangère au bout de la rue) et une petite épicerie africaine un peu plus loin (mais je ne connais pas beaucoup les légumes exotiques. Moi, à part les patates…).
Le troisième magasin est une boutique de fringues. Elle se trouve juste en bas de chez moi, dans l'immeuble d'à côté. La propriétaire est jeune et on a déjà sympathisé. Elle a plein de petites choses merveilleuses. C'est la caverne d'Ali Baba… Cette ville de Nice me plaît de plus en plus…
Je t'embrasse,
Flora

Vieux Nice

Plaire, faire plaisir

15 Observez les phrases. Quel autre verbe peut remplacer le verbe *plaire* ?

1. J'espère que le livre va te plaire. → J'espère que tu vas ..... le livre.
2. Cette ville me plaît de plus en plus. → Je ..... cette ville de plus en plus.
3. Ça ne me plaît pas beaucoup. → Je ne ..... pas beaucoup ça.

16 Observez les phrases. Quel autre mot peut remplacer *faire plaisir* ?

1. Ça ne fait pas plaisir à la boulangère. → La boulangère n'est pas ..... .
2. Tu l'invites ? Ça va faire plaisir à Luc. → Tu l'invites ? Luc va être ..... .
3. Ça me fait très plaisir de vous voir ! → Je suis ..... de vous voir.
4. Ça te fait plaisir de venir avec nous ? → Tu es ..... de venir avec nous ?

17 Complétez les dialogues en utilisant *plaire* ou *faire plaisir*.

1. – Alors, la France, c'est bien ?
   – Oui, ça me ..... beaucoup.
2. – On peut aller chez vous demain soir ?
   – Oui ! Ça va nous ..... de vous voir.
3. – Tu travailles dimanche ?
   – Oui. Et ça ne me ..... pas beaucoup.
4. – Quels sont tes cours préférés ?
   – J'aime bien l'histoire. Et la littérature me ..... beaucoup aussi.

Premier, deuxième

18 **a) Observez le tableau.**

1	Vous prenez la **première** rue à gauche. Le **premier** exercice est facile. Les **premières** personnes vont arriver à 8 heures.
2	Ils veulent acheter une **deuxième** voiture. Je voudrais un billet Lyon-Avignon en **seconde** classe. C'est le **second** disque de La Grande Sophie.
3	Le **troisième** magasin est une boutique d'informatique.
17	Pierre Corneille et Molière sont des écrivains du **dix-septième** siècle.
	Il habite au **dernier** étage. Les toilettes ? C'est la **dernière** porte à droite.

b) Écrivez les nombres en lettres

Exemple : Le bureau de M. Leclerc est au 5ᵉ étage. → cinquième.

1. Je voyage en 1re classe.
2. Le film *Le Pianiste* a reçu la Palme d'or du 55ᵉ festival de Cannes.
3. C'est la 3ᵉ fois que je viens en France.
4. Victor Segalen est un écrivain du début du XXᵉ siècle.
5. La France a gagné sa 2de médaille d'or.

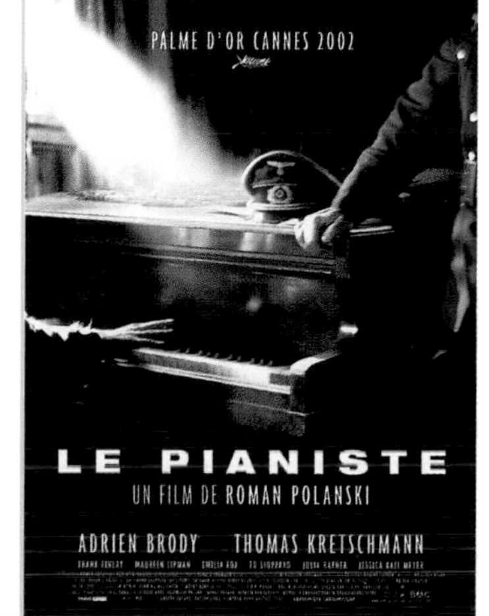

phonétique

Allez ou aller ?

A **Écoutez et indiquez comment on écrit le son [e] (é) ou [ɛ] (è).**

1. Je voud**rais** un caf**é**. *ais - é*
2. Vous allez à la neige ? .....
3. Il est au musée jusqu'à seize heures. .....
4. Tu es français ? .....
5. J'ai un chemisier violet. .....
6. Des crêpes, du lait et un sachet de thé. .....
7. Je vais aller près de Sète avec ma mère. .....
8. Qu'est-ce que tu vas faire chez Lucie ? .....
9. Prends les clés de la porte d'entrée. .....
10. C'est le dernier billet. .....

B **Complétez les phrases avec les éléments de droite.**

1. Vous all..... à Lyon ? Je veux all..... à Lyon. — **-er ; -ez**
2. Tu ..... chinois ? Il ..... italien. — **es ; est**
3. Il ..... malade. Il mange de la soupe ..... de la salade. — **et ; est**
4. Je ne ..... pas. Il ..... où tu habites ? — **sais ; sait**
5. Tu ..... où ..... amis habitent ? — **sais ; ses**
6. L'entr..... du château est à droite. Entr..... ! Tu peux entr...... — **-ée ; -er ; -ez**
7. Il habite pr..... du jardin du Mail. Tu es pr..... ? — **-ès ; -êt**

C **Écoutez et cochez la case qui convient.**

	1	2	3	4	5	6	7	8
[b] (*banque*)								
[v] (*ville*)								

Les jeux des Français

19 **Lisez l'article, puis classez les jeux suivants dans le tableau.**

1. le Monopoly
2. le Scrabble
3. la pétanque
4. les quilles
5. la belote
6. le tarot
7. le bowling

jeux de cartes	jeux de société	jeux de boules ou de balles
-----	-----	-----
-----	-----	-----
-----	-----	-----

20 **Qui joue à quoi ? Trouvez les joueurs de chaque jeu.**

la marelle •	• les enfants de 5 à 10 ans
la pétanque •	• les jeunes de 15 à 24 ans
la belote •	• les adultes de 24 à 70 ans
le Monopoly •	
le tarot •	
le Scrabble •	
les jeux vidéos •	
les billes •	

21 **Dans votre pays, qui joue à quoi ? Complétez le tableau avec votre professeur.**

	jeux de boules et de balles	jeux de cartes	jeux de société
Qui joue ?	-----	-----	-----
Comment s'appelle le jeu ?	-----	-----	-----

jeux populaires

La pétanque est un jeu de boules. Chaque joueur a deux boules de fer qu'il doit lancer près d'une petite boule de bois (le cochonnet).
La belote est un jeu avec 32 cartes, pour deux équipes de deux joueurs.
Le tarot est un jeu avec 78 cartes, pour trois, quatre ou cinq joueurs.

la pelote basque

les quilles

Depuis l'enfance et jusqu'à un âge avancé, le soir, le dimanche après midi, en famille ou avec des amis, les Français aiment jouer. Les enfants jouent à la marelle, aux billes, à cache-cache... Pour les adultes, il y a des jeux de cartes, des jeux de société, des jeux de boules, de balles, de ballons... Le jeu est une activité sociale et une façon de partager du temps avec les autres.

Certains jeux sont connus et pratiqués dans toute la France – par les adultes surtout, mais aussi par des adolescents de 12-15 ans – comme la pétanque, le tarot et la belote. Chaque région française possède aussi *son* jeu : la pelote au Pays Basque, le palet en Vendée, les grandes quilles dans le Bordelais...

Les jeux de boules et de balles sont très anciens et ils ont évolué avec le temps : le vieux jeu de paume s'est transformé en tennis et en pelote basque, le vieux jeu de mail est devenu le billard et la crosse (au Québec), les quilles sont devenues le bowling.

Le jeu de tarot est né au XVe siècle en Italie et n'a pas beaucoup changé en cinq siècles.

Au XXe siècle, sont nés des jeux de société très appréciés des Français :

– le *Monopoly* : c'est sans doute le jeu le plus connu au monde. Il est arrivé en France en 1937. Dans la version française, la rue la plus chère est la rue de la Paix, à Paris.

– le *Scrabble* : plus de 40 % des Français pratiquent ce jeu de lettres et de mots ; la version française est née en 1951.

– le *Trivial Pursuit* (chasse aux petites choses) : c'est le plus jeune des jeux de société largement pratiqués en France. Il a été adapté en français en 1984.

À côté des jeux de société traditionnels, les jeux vidéos ont pris une place importante dans les loisirs des Français, surtout des jeunes Français : environ 55 % des 15-24 ans, soit 4 millions de personnes, possèdent une console de jeux. Mais le jeu vidéo n'est pas un jeu de groupes comme le sont, par exemple, la pétanque ou le *Monopoly*.

la marelle

la pétanque

les billes

8 Chez moi

Béa,

Je suis très contente de te prêter mon appartement cette semaine. Tu vas pouvoir visiter Strasbourg et moi, je peux partir tranquille en voyage avec Jeff : il y a quelqu'un chez nous.

Quelques conseils importants :

- Dans la cuisine, le frigo est branché et il y a des petits trucs que tu peux manger. Pour allumer le four, tourne le bouton noir de 1 à 8, puis appuie sur le bouton orange.
- Dans le salon, la télévision ne marche pas très bien ; Jeff doit regarder mais... tu connais les hommes... Donc il faut allumer la télé et attendre longtemps (10 minutes !) et ça vient !
- La lampe du séjour marche mais il faut juste changer l'ampoule qui est grillée... Excuse-moi, je n'ai pas eu le temps d'en acheter une...
- Dans la chambre, j'ai mis un petit mot sur le radio-réveil pour t'expliquer comment il marche. C'est simple, ne t'inquiète pas.
- Dans le bureau, tu peux utiliser l'ordinateur ; il faut l'allumer et entrer le mot de passe qui est isa31.
- Enfin, nos poubelles sont dans le meuble sous l'évier de la cuisine. Il faut sortir la jaune (seulement pour le papier, le métal et le plastique) le mercredi et la bleue le mardi et le vendredi.

Voilà. Jeff est parti à l'agence pour prendre nos billets, je dois finir les bagages et demain matin, c'est le départ vers le grand soleil ! Je t'embrasse très fort. Appelle-moi de temps en temps sur mon portable : 06 71 12 54 98.

Bises

Isabelle

PS : J'ai oublié quelque chose : pense à arroser les plantes vertes de temps en temps, STP !

quelque chose / quelqu'un

Il y a **quelqu'un** chez nous. ≠ Il **n'**y a **personne** chez nous.
Quelqu'un veut venir. ≠ **Personne ne** veut venir.
J'oublie **quelque chose**. ≠ Je **n'**oublie **rien**.
Quelque chose est arrivé pour toi ce matin. ≠ **Rien n'**est arrivé pour toi ce matin.

Attention à l'ordre des mots au passé :
Je **n'**ai oublié **personne**. Je **n'**ai **rien** oublié.

devoir

je dois
tu dois
il/elle/on doit
nous devons
vous devez
ils/elles doivent
(j'ai dû)

Lisez le message d'Isabelle puis dites dans quelle pièce de l'appartement se trouve chaque objet.

1 Relisez le message d'Isabelle et répondez.

1. Pourquoi est-ce qu'Isabelle peut prêter son appartement ?
2. Où est-ce qu'Isabelle et Jeff habitent ?
3. Est-ce que Béa va pouvoir regarder la télévision ?
4. Quel est le problème avec la lampe du salon ?
5. Jeff est parti en voyage ?
6. À votre avis, que signifie *STP* ?

2 Retrouvez les neuf pièces qu'on peut avoir dans une maison.

cuisine — maison — chambre — toilettes — salon — château — garage — couloir — logement — salle de bain — appartement — séjour — studio — grenier — bureau — cave

3 *Tourne le bouton noir, puis appuie sur le bouton orange*, écrit Isabelle. Retrouvez ci-dessous les deux couleurs citées.

4 a) Donnez la (les) couleur(s) de ces éléments bien familiers à tous les Français.

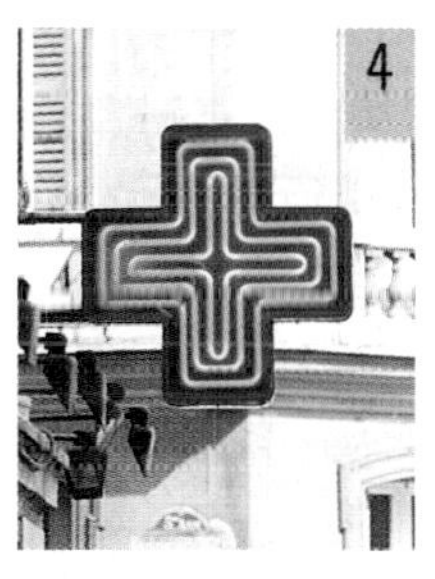

b) Écoutez et associez une réplique à chaque photo.

1. photo .....
2. photo .....
3. photo .....
4. photo .....
5. photo .....
6. photo .....

Outils

Exprimer la possession

5 Lisez ces expressions et cochez la réponse qui convient.

Nos poubelles sont dans le meuble sous l'évier.
Jeff est parti à l'agence pour prendre nos billets.

Dans ces deux phrases, à qui sont les poubelles et les billets ?

☐ à Isabelle ☐ à Jeff ☐ à Béa et Isabelle ☐ à Jeff et Isabelle

6 Observez ce tableau et complétez-le.

une seule personne			**plusieurs personnes**		
un ordinateur, une lampe, des tableaux, des plantes			un ordinateur, une lampe, des tableaux, des plantes		
je	**tu**	**il/elle**	**nous**	**vous**	**ils/elles**
mon ordinateur - - - lampe	- - - ordinateur **ta** lampe	- - - ordinateur - - - lampe	**notre** { ordinateur, lampe }	- - - { ordinateur, lampe }	**leur** { ordinateur, lampe }
mes { tableaux, plantes }	- - - { tableaux, plantes }	**ses** { tableaux, plantes }	- - - { tableaux, plantes }	**vos** { tableaux, plantes }	**leurs** { tableaux, plantes }

Le passé composé

8 Observez ces phrases et répondez.

Je n'ai pas eu le temps d'acheter une ampoule.
Jeff est parti à l'agence pour prendre nos billets.

a) Dans ces deux phrases, les verbes sont au passé composé. Quel est leur infinitif ?

Je *n'ai pas eu* : - - - - - Jeff *est parti* : - - - - -

b) Donnez le contraire de *je n'ai pas eu*.

c) Complétez la règle.

Le passé composé se forme avec *avoir* ou - - - - -
au présent + le participe passé du verbe.

d) Écrivez les participes passés des verbes.

manger : - - - - - adorer : - - - - - inviter : - - - - -
avoir : - - - - - partir : - - - - - rencontrer : - - - - -

9 Regardez les participes passés, trouvez leur infinitif, puis complétez.

Exemple : été : <u>être</u> → il <u>a été</u>.

fait : *faire*	Tu *as fait.*
entendu : - - - - -	Ils - - - - -
visité : - - - - -	Pierre - - - - -
connu : - - - - -	Vous - - - - -
écrit : - - - - -	Elles - - - - -
dormi : - - - - -	Nous - - - - -
dû : - - - - -	J' - - - - -
attendu : - - - - -	Elle - - - - -
pu : - - - - -	Nous - - - - -
choisi : - - - - -	Tu - - - - -
dit : - - - - -	J' - - - - -
détesté : - - - - -	Il - - - - -
pris : - - - - -	J' - - - - -
voulu : - - - - -	Ils - - - - -

7 Complétez les phrases avec l'adjectif possessif qui convient.

1. Isabelle et Jeff vont prêter ..... appartement à ..... amie Béa. Isabelle a donc écrit un message pour donner des conseils à ..... amie.
2. Ali veut parler à Élodie mais ..... téléphone portable ne marche pas. Il écrit à Élodie et propose d'aller au cinéma. Élodie accepte ..... proposition.
3. L'inspecteur Labille écoute un message sur ..... répondeur : « Bonjour Inspecteur, vous voulez trouver ..... coupable ? »
4. Vincent aime ..... piano et ..... CD de jazz.
5. Emma et sa famille habitent à Strasbourg. ..... maison est grande et ils invitent souvent ..... amis pour faire des fêtes.

notre, votre, leur...

SINGULIER		PLURIEL
masculin	**féminin**	**masculin et féminin**
mon, ton son	ma, ta, sa	mes, tes, ses
notre *famille*		***nos*** *parents*
votre *voiture*		***vos*** *amis*
leur *copain Marc*		***leurs*** *loisirs*

Attention : devant les noms féminins qui commencent par *a, e, i, o, u* et certains *h* : **ma, ta, sa → mon, ton, son.**
***Mon** amie, **ton** adresse, **son** histoire*

10 Écoutez et soulignez la phrase que vous entendez.

1. J'écris un message. / J'ai écrit un message.
2. Je choisis mon dessert. / J'ai choisi mon dessert.
3. Je visite Paris. / J'ai visité Paris.
4. Je dis bonjour à Lina. / J'ai dit bonjour à Lina.
5. Je finis mon travail. / J'ai fini mon travail.
6. J'ai un problème. / J'ai eu un problème.

le passé composé

Il se forme avec :
– ***avoir*** au présent + le **participe passé** du verbe.
J'ai mangé. - Ils ont dormi.
– ***être**** au présent + le **participe passé** du verbe
Il **est parti**. - Je **suis né** en 1981.

* avec 15 verbes et les verbes de la même famille : aller - venir (revenir) - retourner - entrer (rentrer) - sortir - monter - descendre - arriver - partir - rester - passer - tomber - apparaître - naître - mourir

Forme négative : Je **n'ai pas pu** venir. - On **n'a rien compris**. - Tu **n'es pas allé** à l'école ?

11 Récrivez cette histoire au passé.

Pendant des mois et des mois, Francis cherche un appartement à Paris. Un jour, il visite un studio dans le Quartier latin. Il tombe amoureux de cet appartement, petit mais très joli, et il décide de l'acheter.
Il va à la banque mais le banquier ne veut pas prêter d'argent à Francis. Alors, il demande à ses parents : non. Il écrit à de vieux amis qui, eux aussi, répondent non. Alors, pour la première fois de sa vie, Francis joue au loto. Et là... incroyable ! Il gagne un million d'euros ! Bien sûr, il ne prend pas le studio mais il choisit un grand appartement, magnifique, et, quelques mois plus tard, il rencontre Élise... Il part avec elle pour un long et beau voyage, et c'est à Las Vegas que Francis demande Élise en mariage et qu'ils disent « oui ».
Drôle de vie, non ?

Donner un ordre, un conseil / exprimer l'obligation - interdire

 **a) Lisez le message d'Isabelle et cochez la réponse qui convient.**

Il faut = ▢ tu vas ▢ tu peux
▢ tu dois ▢ tu veux

b) Récrivez la phrase suivante en utilisant *il faut*.

Pour allumer le four, tourne le bouton noir de 1 à 8, puis appuie sur le bouton orange.

exprimer l'obligation / donner un conseil, un ordre

Verbe à l'impératif
Appuie sur le bouton rouge.
Devoir + verbe
Je dois finir les bagages.
Il faut + verbe
Il faut changer l'ampoule.

 **interdire**

Verbe à l'impératif négatif
Ne fumez pas, s'il vous plaît !
Devoir (forme négative) + verbe
Tu ne dois pas dormir en classe...
Il faut (forme négative) + verbe
Il ne faut pas oublier les billets d'avion !

13 **Écoutez ces personnes qui donnent des ordres ou interdisent. Retrouvez ci-dessous la phrase équivalente. Complétez la grille.**

a. Il ne faut pas fumer ici.
b. Il y a une école, il ne faut pas rouler trop vite en voiture.
c. Pour votre sécurité, vous devez mettre votre ceinture en voiture.
d. Il faut réserver vos vacances par téléphone ou sur l'internet.
e. Fin de l'autoroute : vous devez payer 12 €.
f. Pour traverser la rue, vous devez appuyer sur le bouton et attendre le signal.
g. Il faut montrer votre carte d'identité quand vous payez par chèque.
h. Vous ne devez pas gêner la fermeture des portes quand le train va partir.

1	2	3	4	5	6	7	8
g							

 **14** **Lisez les encadrés puis donnez des conseils à ces personnes. Vous pouvez utiliser les expressions proposées ou trouver d'autres idées.**

Exemple : Qu'est-ce que vous dites à une amie qui est fatiguée ?
→ Tu dois dormir. Ne sors pas le soir et arrête de regarder la télévision jusqu'à 1 heure !

Qu'est-ce que vous dites à ces personnes ?

1. Un enfant va traverser une rue.
2. Une amie va partir en voyage en Afrique.
3. Un ami veut acheter un appartement.
4. Un ami veut quitter son travail.
5. Quelqu'un a un examen difficile bientôt.

- Prendre beaucoup de photos.
- Bien regarder à gauche, puis à droite.
- Goûter la cuisine africaine.
- Dormir beaucoup.
- Poser beaucoup de questions.
- Ne pas boire trop de café.
- Visiter beaucoup d'appartements.
- Bien réfléchir.
- Bien lire les guides de voyage.

15 **Comme Isabelle et Jeff, vous prêtez votre appartement à un(e) ami(e). Écrivez un petit message à cet(te) ami(e).**

Qui / que / où

16 **a) Lisez les phrases puis complétez.**

Il y a des petits trucs que tu peux manger.
Il faut changer l'ampoule qui est grillée.
Strasbourg est la ville où Isabelle et Jeff habitent.

Il y a des petits trucs. Tu peux manger -----
Il faut changer l'ampoule. L'ampoule -----
Strasbourg est une ville. Isabelle et Jeff habitent -----

b) Dans le message d'Isabelle, relevez une autre phrase avec *qui*. Quel mot (ou groupe de mots) est-ce qu'il remplace ?

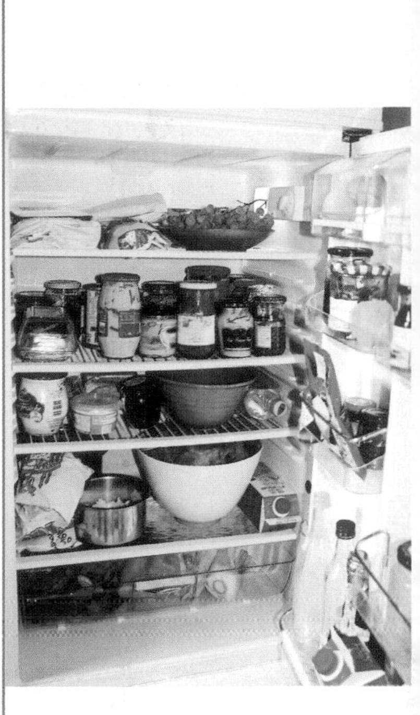

« DANS LE FRIGO, IL Y A DES PETITS TRUCS QUE TU PEUX MANGER. »

17 **Complétez avec *qui*, *que*, *où*.**

1. La Suisse, c'est le pays ----- Frédéric va habiter.
   ----- Frédéric adore.
   ----- a trois langues officielles.
2. Voici le vin ----- nous recommandons.
   ----- est sur le menu.
3. J'ai visité des villes ----- tu ne connais pas.
   ----- il y a du soleil toute l'année.
   ----- sont magnifiques.
4. C'est toi ----- j'ai appelé sur ton portable.
   ----- m'a appelé sur mon portable ?
5. On va au café ----- on a pris un verre hier ?
   ----- est rue du marché ?
   ----- tu aimes bien, rue du marché ?

18 **Jouez : quelqu'un propose une définition et les autres doivent trouver le nom de l'objet ou de la personne.**

Exemple : C'est quelqu'un qui est petit, qui a un pull noir et que tout le monde aime.
→ C'est Ali !

qui / que / où, pronoms relatifs

Je connais bien cet homme. Cet homme est sur la photo.
Je connais bien cet homme **qui** est sur la photo.

Béa est une amie. J'adore Béa.
Béa est une amie **que** j'adore.

Paul est dans l'appartement. J'ai habité dans l'appartement.
Paul est dans l'appartement **où** j'ai habité.

Vous avez 1 nouveau message

Mes messages | Écrire | Répertoire | *Options*

<< messages précédents / messages suivants >

De : Marco Mangelli ‹ mangelli@etud.uco.fr ›
A : ‹ floty@laposte.net ›
Date : samedi 26 mars 2005
Objet : Trouver un appart : pas facile !

Chère Flora !

Excuse-moi, je ne t'ai pas écrit depuis longtemps mais j'ai trop de choses à faire en ce moment. Un travail fou à l'université et en plus, je cherche un appartement. Oui, ma chambre est vraiment trop petite et je voudrais un studio ou un deux pièces. C'est difficile de trouver des petits logements à Angers ; il y a beaucoup d'étudiants. J'ai visité des appartements très vieux et sales…

Des amis de mes parents louent des studios à Angers. Je leur ai écrit le mois dernier mais je n'ai pas de réponse. Je leur ai téléphoné hier, mais personne !

Et toi, comment vas-tu ? Merci pour l'adresse de Sophie ; je lui ai envoyé un message et elle m'a répondu (ah ! mes relations marchent mieux que mes recherches d'appartement !).

J'espère que tout va bien pour toi. Écris-moi vite ! Grosses bises.

Marco

19 Relisez le message et répondez oralement.

1. Pourquoi est-ce Marco n'a pas écrit à Flora depuis longtemps ?
2. Pourquoi est-ce qu'il cherche un appartement ?
3. C'est facile de trouver un petit appartement à Angers ? Pourquoi ?
4. Il n'a pas visité d'appartements ?
5. À qui est-ce qu'il a écrit ? Pourquoi ?
6. Est-ce qu'il a téléphoné à Sophie ?

Les pronoms compléments indirects

20 Relisez le message de Marco, puis complétez.

Je leur ai écrit. = *J'ai écrit aux amis de mes parents.*
Je leur ai téléphoné. = J'ai téléphoné - - - - -
Je lui ai envoyé un message. = - - - - -

21 a) Classez ces verbes dans le tableau.

aimer - parler - chercher - écouter - téléphoner - expliquer - regarder - prêter - connaître - inviter - faire un cadeau - poser une question - aider - écrire

Qui ?	À qui ?
Tu aimes qui ?	Tu parles à qui ?
- - - - -	- - - - -
- - - - -	- - - - -

b) Choisissez trois questions dans chaque colonne et imaginez une réponse.

22 **Lisez le tableau des pronoms compléments indirects et complétez ces phrases avec le pronom qui convient.**

1. Notre professeur (nous / les) _____ a expliqué la formation du passé composé.
2. Je (l' / lui) _____ ai entendu mais je ne (l' / lui) _____ ai pas répondu.
3. Il (m' / lui) _____ écoute quand je (le / lui) _____ donne des conseils.
4. Vous (les / m') _____ avez posé une question ?
5. Je (les / leur) _____ adore mais je ne (les / leur) _____ vois pas souvent.
6. Tu (l' / lui) _____ as prêté le CD de Baschung ? Et il (t' / l') _____ a aimé ?

les verbes avec «à»

téléphoner à
écrire à
dire à
expliquer à
parler à
...

les pronoms compléments indirects

Il **me** parle.	Il **nous** parle.	Le pronom se place devant le verbe :
Il **te** parle.	Il **vous** parle.	– Je **lui** explique l'exercice.
Il **lui** parle. (à Paul)	Il **leur** parle.	– Je ne **leur** téléphone pas.
Il **lui** parle. (à Anne)		– Je **lui** ai dit au revoir.

Attention : à l'impératif → Téléphone-**moi** !

phonétique

Comment prononcer « e » ?

A **Écoutez, répétez et écrivez les mots qui manquent.**

1. demande - _____ - _____ - venir - _____ - dangereux - de - _____ - ne
2. numéro - _____ - téléphone - _____ - _____ - écrire - _____ - entrée - _____ -
3. même - très - _____ - _____ - chèque - _____ - chère - _____ - préfère

B **Écoutez et répondez oralement : sur chaque ligne, ces mots n'ont pas d'accent et on prononce le « e » [e] ou [ɛ]. Pourquoi ? Que remarquez-vous ?**

1. **e**xpression - **e**xercice - **e**xemple - **e**xcuse - **e**xcellent
2. m**e**ssage - m**e**ttre - v**e**rre - qu**e**lle - adr**e**sse
3. b**e**lge - p**e**rsonne - dét**e**ste - m**e**rci - **e**spère

C **a) Vous connaissez ces mots. Mettez, si nécessaire, les accents aigus « é », graves « è » ou circonflexes « ê ». Lisez ces mots à voix haute.**

petit - chercher - demain - mange - espagnol - probleme - dangereux - remarquer - fete - troisieme - menu - exemple - belle

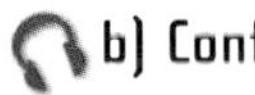

b) Contrôlez avec l'enregistrement.

D **Dans ces mots, tous les « e » en gras se prononcent [e] ou [ɛ]. Lisez le tableau et mettez ou non les accents sur le « e ».**

d**e**chirer - r**e**gle - **e**trange - l**e**ttre - r**e**ste - **e**xcuse - **e**chauffer - obs**e**rver - d**e**crire - m**e**chant

les prononciations du « e »

Le « e » n'a pas d'accent et se prononce « é » ou « è » :
– devant un « x » : *exemple, exercice, connexions*
– devant une consonne doublée : *belle, lettre, message*
– devant *s*, *r* et *l* + autre consonne : *espère, merci, belge*

E **Écoutez et cochez la case qui convient.**

	1	2	3	4	5	6	7	8
[œ] *(coul**eu**r)*								
[o] *(radi**o**)*								

Tri sélectif et recyclage

23 **a) Observez ce document puis associez chaque objet à son nom.**

a. un bocal ......
b. une bouteille en verre ......
c. une boîte en carton ......
d. une boîte métallique ......
e. une bouteille en plastique ......
f. du papier ......

b) Dites dans quelle poubelle vous jetez ces objets.

24 **Écoutez le dialogue entre Karine et Franck et rendez à chacun ses idées.**

	Karine	Franck
1. On trie les déchets pour protéger la nature.		
2. C'est très ennuyeux d'avoir trois poubelles.		
3. On ne doit pas trier les déchets à la maison.		
4. Il y a trop de déchets sur notre terre.		
5. C'est facile de trier les déchets.		
6. Les villes doivent proposer du travail à beaucoup de personnes : trier les déchets des habitants, par exemple.		
7. Avec les déchets recyclés, on peut fabriquer d'autres objets.		
8. Les villes ne peuvent pas trier tous les déchets. C'est trop cher.		

25 **Et vous, est-ce que vous recyclez les déchets dans votre pays / ville ?**
Que pensez-vous du tri ?
Est-ce que vous pensez qu'il faut ou non recycler les déchets ? Pourquoi ?

la terre
l'environnement
le tri / trier
le recyclage / recycler
fabriquer
les déchets / les ordures
jeter

– C'est en quoi ?
– C'est en verre
en plastique
en métal
en carton

Pour recycler, il faut trier !

Pour les bouteilles en plastique, les boîtes métalliques, le papier, le carton (journaux, magazines, documents publicitaires...).

COLLECTE LE MERCREDI

Pour les déchets non recyclables.

COLLECTE LE MARDI ET LE VENDREDI

Pour les bouteilles, les pots, les bocaux en verre.

Ensemble, donnons l'exemple
...recycler, c'est naturel

9 Les vacances

L'été arrive et nos journalistes ont voulu savoir où les Français aiment partir en vacances. Interview de Lili Laforêt, 26 ans, Christian Berthaud, 46 ans et Luc Andoir, 33 ans.

OÙ EST-CE QUE LES FRANÇAIS AIMENT PASSER LEURS VACANCES ?

Loisirs Plus : Où est-ce que vous aimez partir en vacances ?

Lili : Moi, je vais sur l'île de Berder. C'est une très petite île qui se trouve en Bretagne. Elle est magnifique et j'adore y aller. Ça me fait un bien fou !

Christian : Ma femme est croate, alors chaque été, on va en Croatie. Sa mère est à Zagreb, elle a un frère qui habite à 20 kilomètres de Dubrovnik et deux sœurs près de Split. On visite le pays !

Luc : Moi, je suis un fou de montagne, j'y vais dès que je peux. Mes vacances, c'est les Alpes ou les Pyrénées, ça dépend. Cet été, je vais faire de la randonnée en Suisse. L'année dernière, j'ai fait le tour du Mont-Blanc. J'ai besoin de sommets et de nature !

Loisirs Plus : Qu'est-ce que vous aimez dans ces lieux ?

Lili : D'abord le climat : à Berder, il y a un microclimat, c'est très agréable. Il y a une plage de sable fin, un parc immense, un beau château et puis, je fais beaucoup de sport à Berder : de l'équitation et aussi un peu de voile. Pour moi, Berder, c'est le paradis !

Christian : Zagreb, la capitale de la Croatie, est une très belle ville et dans la région, on peut visiter des châteaux médiévaux et de belles églises baroques. C'est un pays intéressant avec des régions très différentes. Dans la région de mon beau-frère, au sud du pays, on profite de la mer et des nombreuses petites îles, c'est autre chose. Et savez-vous qu'en Croatie, on fait du très bon vin ?

Luc : J'aime la nature, les grands espaces et la liberté. En montagne, je découvre des paysages incroyables, c'est toujours différent ! Et le rêve... Ah ! oui... Qu'est-ce que je peux rêver en montagne !

Loisirs Plus : Dans quel autre pays est-ce que vous aimeriez passer vos vacances ?

Lili : Moi, j'aimerais bien aller aux États-Unis un jour. Je n'y suis jamais allée.

Christian : Peut-être en Espagne ou au Portugal.

Luc : Au Népal pour découvrir l'Himalaya !

ce, cet, cette, ces

un pays	→	ce pays	ces pays
un été	→	cet été	ces étés
un hôtel	→	cet hôtel	ces hôtels
une ville	→	cette ville	ces villes

ce **bâtiment** → cet **immense** bâtiment

des → de (d')

devant un adjectif, **des** devient **de (d')** :

des plages magnifiques
→ d'immenses plages

des églises intéressantes
→ de belles églises

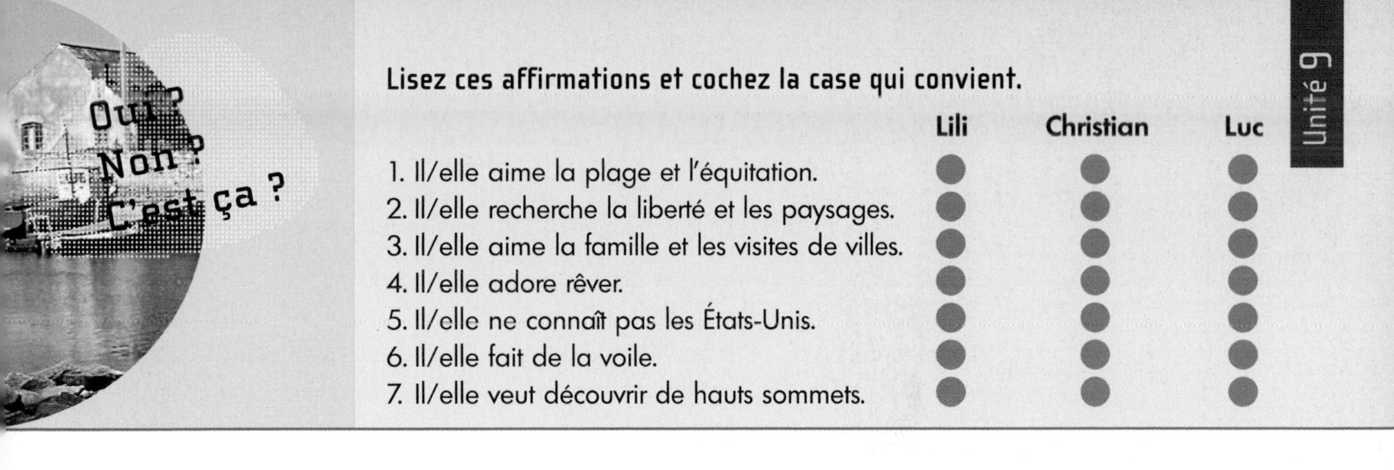

Lisez ces affirmations et cochez la case qui convient.

	Lili	Christian	Luc
1. Il/elle aime la plage et l'équitation.	●	●	●
2. Il/elle recherche la liberté et les paysages.	●	●	●
3. Il/elle aime la famille et les visites de villes.	●	●	●
4. Il/elle adore rêver.	●	●	●
5. Il/elle ne connaît pas les États-Unis.	●	●	●
6. Il/elle fait de la voile.	●	●	●
7. Il/elle veut découvrir de hauts sommets.	●	●	●

1 a) Dans l'article de *Loisirs Plus*, relevez les différents noms se rapportant à la famille.

ma femme - sa ..... - un ..... - deux ..... - mon .....

b) Trouvez dans la liste ci-dessus l'équivalent masculin ou féminin de chaque nom proposé.

Exemple : une femme / un mari

une sœur / ..... - une belle-sœur / ..... - un père / ..... - un frère / .....

2 Olivia présente son petit ami à sa famille. Écoutez et complétez l'arbre généalogique.

3 Regardez le dessin de la famille d'Olivia et trouvez la solution aux énigmes.

1. La belle-sœur de Carla est Florence. Mais qui est son beau-frère ?
2. Les petites-filles de Jacques et Louise sont Olivia et Lise. Mais qui est leur petit-fils ?
3. La mère de Philippe est Carla. Mais qui est sa tante ?
4. La fille de Jacques est Florence. Mais qui est sa femme ?
5. La sœur de Thomas est Lise. Mais qui est sa cousine ?

Y, pronom complément

4 **Lisez et dites ce que remplace *y* dans chaque phrase.**

1. Berder et une petite île de Bretagne. J'adore y aller.
2. Je suis fou de montagne, j'y vais dès que je peux.
3. J'aimerais bien aller aux États-Unis un jour. Je n'y suis jamais allée.
4. – Tu es déjà allé à Najac ?
   – Non, mais mes amis Anne et Jean-Luc y sont allés l'été dernier et ils ont beaucoup aimé.
5. Vous avez aimé cette ville ? Alors, retournez-y !
6. – Tu connais le quartier de la Butte-aux-Cailles à Paris ?
   – Bien sûr, j'y habite !

5 **Regardez l'agenda de Romain et répondez aux questions en utilisant *y* dans toutes les réponses.**

1. Quel jour est-ce que Romain est allé au cinéma ?
2. Est-ce qu'il est allé à Boulogne ?
3. Il est allé à la piscine, cette semaine ?
4. Quand est-ce qu'il est allé à la librairie ?
5. Il n'est pas allé à l'anniversaire de François ?
6. Quand est-ce qu'il est allé au théâtre ?

safari au Kenya

6 **Lisez et reformulez les phrases sans le pronom *y*.**

Exemple : – Tu as répondu à la lettre de Monsieur Martini ?
– J'y réponds maintenant, tu vois bien !
→ – Je réponds à cette lettre maintenant, tu vois bien !

1. – Je pense souvent à nos vacances au Kenya. Pas toi ?
   – Si, j'y pense tous les jours.
   – --
2. – J'adore le monopoly.
   – Ah bon… Tu y joues souvent ?
   – --
3. – Une question : qu'est-ce que tu veux faire après le lycée ?
   – Quelle question !… Je ne sais pas. Je n'y ai pas réfléchi.
   – --
4. – Vous participez aux journées de l'aventure en mai ?
   – Ah ! J'y participe, bien sûr ! J'adore la nature et l'aventure !
   – --

7 Relisez bien les phrases des activités 4, 5 et 6 puis répondez.

	oui	non
On utilise *y* avec des verbes de mouvement (en direction d'un lieu). si oui, exemple :	X	
On utilise *y* avec des verbes sans mouvement. si oui, exemple :		
Dans l'activité 6, tous les verbes en couleur sont construits avec *à*. si oui, exemple		
Au présent et au passé composé, *y* est devant le verbe. si oui, exemple :		
À l'impératif affirmatif, *y* est derrière le verbe. si oui, exemple :		

le pronom *y*

Y remplace des expressions qui expriment le lieu :

– Les clés sont **dans le sac rouge** !
– Mais non, elles n'**y** sont pas...

– Tu vas **à la piscine** aujourd'hui ?
– Non, j'**y** suis allé hier avec Sabine.

Avec les verbes + *à* + quelque chose *(répondre à, penser à, réfléchir à, faire attention à...)* :
– Tu penses **à mon livre** ?
– Oui, j'**y** pense, je te l'apporte demain.

Attention : Je réponds **à ma mère**. → Je **lui** réponds.

8 Lisez le tableau et répondez aux questions en remplaçant l'élément souligné par le pronom qui convient.

Exemple : Vous allez aller en Grèce, cet été ?
Oui, je vais y aller. ou *Non, je ne vais pas y aller.*

1. Vous devez faire des exercices de français chaque soir ?
2. Est-ce que vous voudriez goûter du vin français ?
3. Est-ce que vous pouvez manger au restaurant ce soir ?
4. Vous savez faire la pastilla marocaine ?
5. Vous aimez regarder les matchs de football à la télévision ?
6. Est-ce que vous aimeriez parler à votre acteur préféré ?
7. Vous pensez faire un voyage cette année ?
8. Vous allez voir votre meilleur(e) ami(e) aujourd'hui ?

la place des pronoms avec deux verbes

Dans une construction avec deux verbes, le pronom se place devant le verbe à l'infinitif :
Je peux **lui** dire.
Il n'a pas voulu **y** aller.
Est-ce que tu vas **en** prendre un ?

Décrire un lieu

9 **Complétez la réplique de Lili.**

À Berder, il y a un microclimat, c'est très .... Il y a une .... de sable fin, un .... immense, un beau .... et puis, je fais beaucoup de .... à Berder : de l'........... et aussi un peu de .... Pour moi, Berder, c'est le ....!

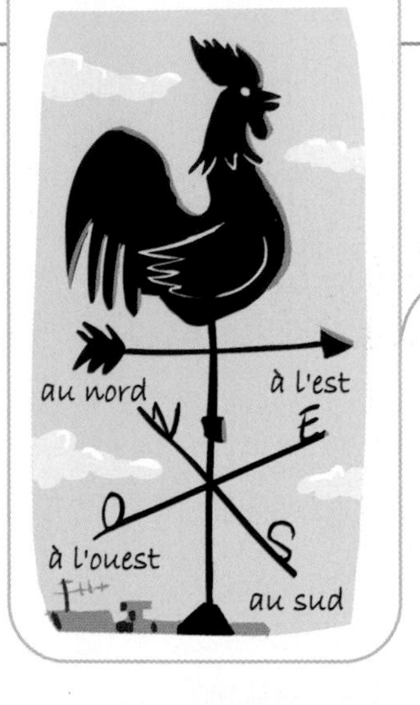

10 **Écoutez le dialogue et reconstituez les informations. Associez les éléments.**

1. C'est un département
2. C'est au nord
3. Je pars
4. On peut visiter
5. Il y a environ
6. On peut faire

a. dans l'Aveyron.
b. 800 habitants.
c. de l'équitation, de la randonnée…
d. de Toulouse.
e. un élevage d'autruches.
f. de la région Midi-Pyrénées.

11 **Lisez ce dépliant touristique de la ville de Strasbourg et, parmi les informations données ci-dessous, cochez celles qui sont dans le texte.**

STRASBOURG, ville de 252 000 habitants, se situe au cœur de l'Europe, en Alsace. Elle est à moins de 500 kilomètres de Paris, Lyon, Amsterdam, Prague et Milan. Sur les bords du Rhin, Strasbourg abrite le Conseil de l'Europe, la Cour des Droits de l'Homme et le Parlement européen.

C'est une ville touristique par excellence. Il ne faut pas manquer de visiter **LA VIEILLE VILLE** avec ses maisons du Moyen Âge et ses ruelles pittoresques qui respirent les bonnes odeurs du passé.

LA CHALEUR DE SES HABITANTS et son excellente cuisine donnent toujours envie de rester plus longtemps à Strasbourg…

- Plus de deux cent cinquante mille personnes vivent à Strasbourg.
- Strasbourg présente de nombreux styles d'architecture.
- L'ancienne ville s'étend autour de la cathédrale.
- Cette ville est au centre de l'Europe.
- Strasbourg est le symbole de l'unité et de la construction de l'Europe.
- C'est une ville moderne et dynamique, une capitale européenne où la qualité de vie est excellente.
- On peut admirer beaucoup de maisons médiévales.
- Strasbourg a toujours été un lieu de rencontre de religions et de culture différentes.
- L'accueil des habitants est très bon.
- Le dialecte strasbourgeois est encore très présent aujourd'hui.

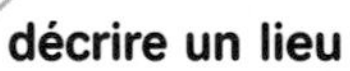

décrire un lieu

C'est au sud / au nord de…
C'est à 200 kilomètres de Paris.
C'est un petit village. / C'est une grande ville.
C'est la capitale de la Suède.
Il y a 200 000 habitants.
On peut voir des monuments du Moyen Âge.
On peut visiter / admirer / faire…

12 **En vous inspirant des activités 10 et 11, écrivez un texte sur un lieu que vous aimez bien.**

À Paris, en Chine...

13 Lisez ces listes et répondez oralement.
a) Quelle est la dernière lettre de chaque nom ? Ces noms sont masculins ou féminins ?

la Croatie, la Suisse, l'Espagne, la France, l'Italie, la Grèce, la Chine, la Tunisie...

b) Quelle est la dernière lettre de chaque nom ? Ces noms sont masculins ou féminins ?

le Portugal, le Vénézuéla, le Danemark, le Cameroun, le Laos, le Brésil, le Liban...

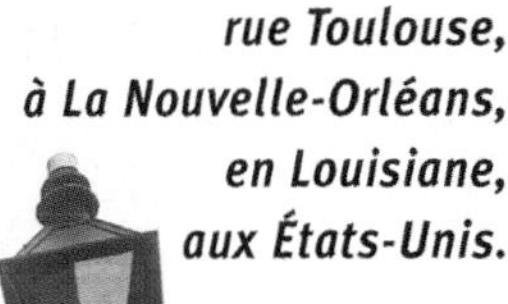

rue Toulouse, à La Nouvelle-Orléans, en Louisiane, aux États-Unis.

14 Relisez l'interview des trois Français (page 96) et complétez.

J'aimerais aller **en** Croatie, ... Suisse, ... États-Unis, ... Espagne, ... Portugal, ... Népal.

15 Écoutez et cochez les réponses qui conviennent (0, 1, 2 ou 3 réponses possibles).

1. ☐ Il part au Népal.
   ☐ Il part en Afrique.
   ☐ Il arrive de Tanzanie.

2. ☐ Alban est français.
   ☐ Alban vient d'Algérie.
   ☐ L'ami d'Alban vient de Tunisie.

3. ☐ Yann arrive des États-Unis.
   ☐ Son ami va partir à Chicago.
   ☐ Yann est à Chicago.

16 Complétez avec *à*, *en*, *au*, *aux*, *du*, *de*, *d'* ou *des*.

1. – Cet été, vous allez encore ..... Portugal ou vous restez ..... France ?
   – On va changer ; je crois qu'on va réserver une semaine ..... Espagne.
2. – D'où est-ce que tu viens avec tous ces bagages ?
   – J'arrive ..... Argentine. J'ai passé deux semaines ..... Buenos Aires chez Carlos et Adriana. Je suis aussi allée ..... Chili, ... Santiago.
3. – Alors, l'Asie, tu as aimé ?
   – Super voyage ! On est allés ..... Chine, ... Japon, ... Corée et ..... Viêtnam. C'est magnifique et j'aimerais y retourner vite.
4. – Tu es d'où ?
   – Je suis né ..... France mais ma famille vient ..... Maroc. J'ai habité 22 ans ..... Maroc et 10 ans ..... France. Et toi ?
   – Moi, j'habite ..... Lille mais je viens ..... Belgique.

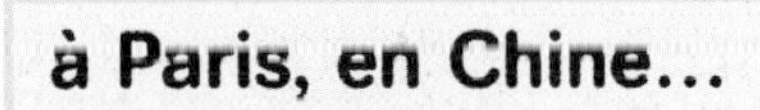

à Paris, en Chine...

Villes : Bordeaux
Je vais **à** Bordeaux. - Il arrive **de** Bordeaux.

Pays et continents :

– Devant un nom féminin [1] : la Pologne
Il est **en** Pologne. - Il revient **de** Pologne.

– Devant un nom masculin [2] : le Tchad
Elle habite **au** Tchad. - Ils viennent **du** Tchad.

– Devant un nom commençant par une voyelle : l'Asie
Il vit **en** Asie. - Elle vient **d'**Asie.

– Devant un nom pluriel : les Émirats
Je pars **aux** Émirats. - Il est rentré **des** Émirats.

1. En général, les noms de pays ou de continents féminins se terminent par « e » : la Tunisi**e**, la Slovéni**e**, l'Espagn**e**... sauf : **le** Mexiqu**e**, **le** Zaïr**e**, **le** Cambodg**e**, **le** Mozambiqu**e**, **le** Zimbabw**e**.
2. Les noms de pays masculins se terminent par une consonne ou par une voyelle autre que le « e » : le Brési**l**, le Pérou, le Kazakhsta**n**...

Vous avez 1 nouveau message

Mes messages | Écrire | Répertoire | *Options*

<< messages précédents / messages suivants >

De : Flora Tylon ‹ floty@laposte.net ›
A : Marco Mangelli ‹ mangelli@etud.uco.fr ›
Date : vendredi 8 avril 2005
Objet : Reste calme…

Bonjour Marco,
Oh ! Je vois que ça ne va pas très bien chez toi… Pour l'appartement, ne t'inquiète pas, c'est toujours très difficile mais tu vas trouver ! Mais, dis-moi, tu n'es pas patient… Toi qui es si calme, en général ! Attends un peu. Qu'est-ce qui se passe, tu travailles trop ou… tu penses trop à ma copine Sophie ? ;-) J'ai déjeuné avec elle et Violaine hier. Elle est contente d'avoir de tes nouvelles et elle va te répondre. C'est super et moi, j'aimerais bien que Sophie et toi… Elle est tellement sympa et adorable !
Pour moi, tout va bien, je commence à travailler pour mes examens mais je suis un peu paresseuse… Le soleil arrive et c'est assez dur de travailler…
Je t'embrasse,
Flora

voir

je vois
tu vois
il/elle/on voit
nous voyons
vous voyez
ils/elles voient
(j'ai vu)

17 Lisez le message de Flora et complétez le tableau.

	vrai	faux	?
1. Flora ne va pas très bien.			
2. Marco a trouvé un appartement.			
3. Marco pense trop à Sophie.			
4. Flora souhaiterait une histoire d'amour entre Sophie et Marco.			
5. Flora ne travaille pas du tout.			

18 Dans le message de Flora, relevez le contraire de ces adjectifs.

impatient(e) - détestable - courageux (courageuse) - facile - énervé(e)

Très, peu, tellement…

19 Dans le message, retrouvez les éléments pour compléter ces phrases.

Ça ne va pas ..... bien.
Toi qui es ..... calme.
Tu travailles ..... ?
Elle est ..... sympa et adorable !
Je suis ..... paresseuse.
C'est ..... dur de travailler.

20 Écoutez Jean, puis cochez la réponse qui convient.

Sa famille est…
- assez grande.
- trop grande.
- très grande.

Jean appelle…
- peu ses parents.
- assez souvent ses parents.
- beaucoup ses parents.

Jean a…
- peu de famille à Paris.
- beaucoup de famille à Paris.
- trop de famille à Paris.

21 Complétez ce dialogue avec *peu*, *un peu*, *assez*, *très*, *beaucoup*, *tellement*, *si* ou *trop*. Plusieurs choix sont possibles parfois.

– Je ne peux plus travailler, je suis ...... fatiguée aujourd'hui !
– Mais qu'est-ce que tu as fait ?
– J'ai regardé la télévision un peu ...... tard hier soir et il y a eu ...... de bruit dans ma rue cette nuit. J'ai dormi cinq heures et pour moi, ce n'est pas .... Il me faut huit heures !

22 Lisez le tableau, puis par groupes de deux, jouez la situation.

C'est bientôt les vacances d'été. Dans un café, vous discutez avec un(e) ami(e).
– Votre ami(e) vous demande où vous aimez aller en vacances.
– Vous lui répondez.
– Il/elle vous demande où est ce lieu.
– Vous répondez.
– Il/elle vous pose des questions sur ce lieu.
– Vous répondez.
– Il/elle vous demande ce qu'on peut faire/visiter.
– Vous répondez.
– Il/elle vous demande pourquoi vous aimez ce lieu.

un peu, beaucoup, trop...

peu un peu assez très si/tellement trop	+ adjectif + adverbe	verbe +	peu un peu assez beaucoup tellement trop
Il est tellement sympa ! C'est très bien.		Tu manges trop ! Elle parle tellement !	

phonétique

Aigu, grave ou circonflexe ?

A Écoutez et écrivez les mots dans la colonne qui convient : son [e] = « é », comme dans *téléphone* ou son [ɛ] = « è » ou « ê » comme dans *frère* ou *fête*.

	[e] = « é »	[ɛ] = « è » ou « ê »
1	....	....
2	....	....
3	....	....
4	....	....
5	....	....
6	....	....
7	....	....

b) Qu'est-ce que vous remarquez ?

accent aigu, grave ou circonflexe

La prononciation ne peut pas toujours aider à choisir le bon accent car selon les personnes et les régions, elle peut varier.
Mais il existe certaines règles :
– **é + a, e, é, è, i, o, u, y** : *théâtre, année, réunion*
– **é + consonne(s) + a, é, è, i, o, u, y** (toute voyelle ou son prononcés) : *cinéma, décrire, télévision*
Remarque : On trouve souvent é en première ou dernière lettre d'un mot : *école, étudiant, fatigué, été.*
– **è + consonne (+ e muet)** : *très, père*
Remarque : On ne trouve jamais è en première ou dernière lettre d'un mot.
– **ê** : L'accent rappelle souvent un « s » qui a disparu dans l'évolution de la langue (isle, teste) : *île, tête.*

B Lisez le tableau. Écoutez et accentuez les mots proposés.

numero - biere - reunion - nationalite - etes - ecrire - pres - desole - espere - esperer

Les vacances

 **Écoutez comment Simone passe ses vacances, puis associez un dessin à chaque partie du texte.**

a : ----- b : ----- c : ----- d : -----

 **Avec les mots que vous comprenez, racontez l'histoire de Simone.**

Simone est à la neige. Elle y est allée par le train. Elle ne connaît pas l'amour…

----

25 Regardez Simone après quelques années… et imaginez la chanson *Simone à la mer*. Amusez-vous à écrire trois couplets (ou plus) de la chanson.

Exemple : Simone est allée à la mer
Avec son beau bikini vert
…

Les Escrocs

Simone à la neige

1

Simone est allée à la neige,
Avec son petit pull over beige,
Elle ne veut pas attraper froid,
Habillée jusqu'au bout des doigts.
Simone, apprentie boulangère,
Habite dans le Loir et Cher.
Comme elle n'a pas de gros moyens,
Elle y est allée par le train.

2

Simone a le cœur gros,
Du courage, il en faut,
Simone a le cœur lourd,
Ne connaît pas l'amour.
Simone est pas jolie. Non.
Elle n'a pas d'ami,
Et le soir, dans son lit, elle s'ennuie.

3

Simone espère y rencontrer
(à la neige...)
Celui qui voudra l'épouser,
(un mari...)
Mais elle n'a pas encore trouvé.
Simone est très mal habillée
(ses habits...)
Dans son petit hôtel modeste,
Simone enfile son horrible veste,
(pas jolie...)
Ses souliers bleus et tout le reste,
Et son petit parfum qui empeste.

Simone a le cœur gros,
Du courage, il en faut,
Simone a le cœur lourd,
Ne connaît pas l'amour.
Simone est pas jolie. Non.
Elle n'a pas d'ami,
Et le soir, dans son lit, elle s'ennuie.

C'est la vie, pauvre Simone,
C'est comme ça, non, ne pleure pas.
C'est la vie, pauvre Simone,
C'est comme ça, la la la la.

Simone est allée à la neige
Avec son petit pull over beige.
Simone racontera son séjour
À ses parents, à son retour.

4

Elle force sur les esquimaux,
Simone a pris quelques kilos.
Elle force aussi sur les gâteaux,
(Trop, c'est trop, trop c'est trop...)

a

b

c

d

Je peux demander et indiquer une direction / décrire un lieu

1 Lisez ces phrases et dites ce qu'elles expriment. Indiquez le numéro de la phrase en face de l'expression qui convient.

1. Prenez à gauche après l'épicerie, et continuez tout droit.
2. S'il vous plaît, vous connaissez la rue de Seine ?
3. C'est une petite ville au nord de Paris, près de Beauvais.
4. Je cherche la poste, s'il vous plaît.
5. On peut visiter la vieille ville et la magnifique église baroque.
6. C'est tout droit.

Demander une direction : n° .....
Indiquer une direction : n° .....
Décrire un lieu : n° .....

Comptez 1 point par bonne réponse.
Vous avez...
– 6 points : félicitations
– moins de 6 points, revoyez les pages 76, 77, 81, 100 de votre livre et les exercices de votre cahier.

Je peux indiquer une direction / donner des ordres ou interdire

2 a) Vous donnez des informations à quelqu'un dans la rue. Mettez le verbe entre parenthèses à l'impératif.

(faire) ..... attention, la première rue est réservée aux bus.
(prendre) ..... la deuxième rue à gauche, (continuer) ..... tout droit puis (tourner) ..... à droite après l'église.

b) Écrivez les verbes soulignés à l'impératif.

Tu vas venir me chercher à 17 h 30. Tu vas m'attendre devant l'entrée principale. Et tu ne vas pas être en retard !

Comptez 1 point par bonne réponse.
Vous avez...
– 7 points : félicitations
– moins de 7 points, revoyez les pages 76, 77, 80, 81, 90 de votre livre et les exercices de votre cahier.

Je peux utiliser *à, au, à la, à l', aux*

3 Répondez à chaque question à l'aide des mots proposés.

Exemple : Je vais à la piscine pour nager.
la gare - la poste - l'hôpital - le restaurant - l'hôtel - le cinéma - la banque - l'école

1. Où allez-vous pour dormir ?
2. Où est-ce qu'on peut acheter des timbres ?
3. Où est-ce qu'on va voir un film ?
4. Où est-ce qu'on peut demander de l'argent ?
5. Où est-ce qu'on peut déjeuner quand on n'est pas à la maison ?

Comptez 1 point par bonne réponse.
Vous avez...
– 5 points : félicitations !
– moins de 5 points, revoyez la page 78 de votre livre et les exercices de votre cahier.

Je peux utiliser *à, au, aux, de, du, de la, des* et *en* avec des noms de villes et de pays

4 Complétez les phrases avec *à*, *au*, *aux*, *du*, *de*, *de la*, *des* **ou** *en*.

1. Je viens ..... Roumanie. J'ai passé une semaine ..... Bucarest.
2. Pour les prochaines vacances, Marc et Sophie vont ..... Faro, ... Portugal.
3. Bruno est parti ..... Émirats Arabes Unis ; il revient lundi prochain.
4. Je ne suis pas allé ..... Inde mais je vais aller ..... Népal en juin.

Comptez 1 point par bonne réponse.
Vous avez...
– 7 points : félicitations !
– moins de 7 points, revoyez la page 101 de votre livre et les exercices de votre cahier.

Je peux utiliser le vocabulaire de la ville

5 Complétez chaque phrase avec un des mots de la liste. Effectuez les changements nécessaires.

la rue - le pont - la rivière - l'église - la pharmacie - la librairie - l'épicerie - le feu - la boulangerie

1. À Paris, on peut admirer de jolis ..... sur la Seine.
2. Il n'y a plus de pain ; je vais à la ..... .
3. Prends six œufs à ....., je veux faire un gâteau !
4. Prenez l'avenue à droite après le ....., puis continuez tout droit.
5. Je vais acheter un livre à la ..... du coin ; attends-moi !

Comptez 1 point par bonne réponse.
Vous avez...
– 5 points : félicitations !
– moins de 5 points, revoyez les pages 78, 79 de votre livre et les exercices de votre cahier.

Je peux faire des phrases complexes

6 Associez les éléments et construisez quatre phrases correctes.

Sophie connaît le professeur	qui	habite près de chez toi.
J'adore la petite île	que	j'ai passé mes dernières vacances.
Voici le bureau	où	je travaille tous les jours.
		tu as rencontré dans le train.

Comptez 1 point par phrase correcte.
Vous avez...
– 4 points : félicitations !
– moins de 4 points, revoyez la page 91 de votre livre et les exercices de votre cahier.

Je peux utiliser les pronoms *me, te, lui, leur, y...*

7 Complétez avec le pronom qui convient.

1. – Tu as vu Fanny et Louis, hier ?
   – Non, je ..... ai téléphoné.
2. – Il a répondu à ta question ?
   – Oui, il ..... a répondu.
3. – Tu ne ..... as pas répondu : tu viens ou non ?
   – Si, je ..... ai répondu : je viens avec toi !
4. – Vous n'allez pas au cinéma, ce soir ?
   – Non, on ..... est allé hier soir.
5. – Vous avez répondu à Laure ?
   – Bien sûr, je ..... ai répondu lundi.

Comptez 1 point par bonne réponse.
Vous avez...
– 6 points : félicitations !
– moins de 6 points, revoyez les pages 92, 93, 98, 99 de votre livre et les exercices de votre cahier.

→ ***RÉSULTATS : .... points sur 40 points = ... %***

Préparation au DELF A1

Oral

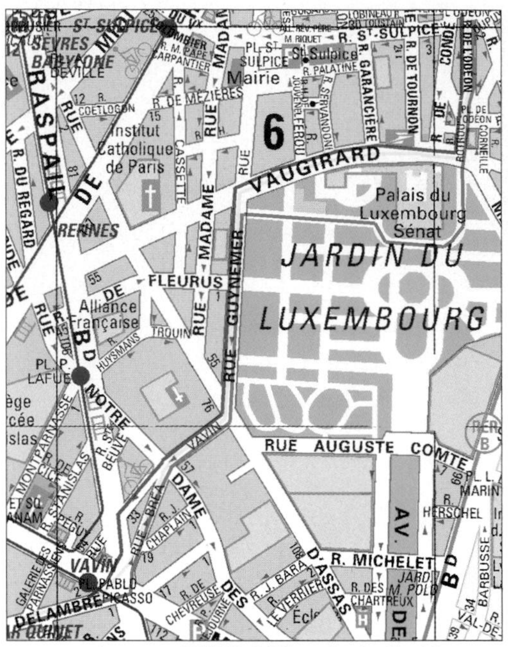

1 Écoutez Sylvie et indiquez son trajet pour aller travailler.

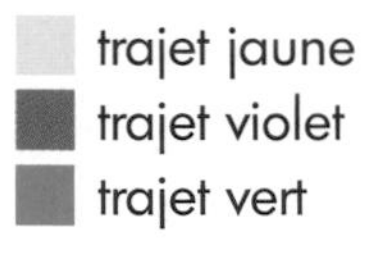

2 Regardez le plan de l'activité 1.

Vous êtes place de l'Odéon et quelqu'un vous demande comment aller à l'Alliance Française.
Vous lui indiquez le chemin.

3 Écoutez les phrases et dites ce qu'elles expriment. Indiquez le numéro de la phrase (ou des phrases) en face de l'expression qui convient.

donner un conseil	n° -----	exprimer l'obligation	n° -----
se situer dans l'espace	n° -----	exprimer la possession	n° -----
décrire un lieu	n° -----	indiquer une direction	n° -----
interdire	n° -----		

Écrit

4 Lisez le dépliant puis répondez par écrit.

LE PETIT TRAIN DE LA RHUNE

À deux pas de Saint-Jean-de-Luz et de l'Espagne, découvrez le Pays basque et les Pyrénées par le petit train touristique. Depuis 1924, le petit train grimpe, à 8 km/h, jusqu'au sommet de la montagne et il emmène plus de 350 000 visiteurs par an. La petite gare d'accueil est typiquement basque et le train est resté d'époque : voitures en bois, rideaux et poignées. Une balade de 35 minutes qui mène au sommet de la Rhune à 905 mètres d'altitude. Là, un panorama exceptionnel s'offre à nous : une vue de 360° sur toute la côte basque et sur les sept provinces basques françaises ou espagnoles. On découvre aussi la flore et la faune pyrénéennes : des moutons, des pottoks, petits chevaux sauvages qui vivent toute l'année sur la montagne, des vautours majestueux. Et puis, pour le retour, c'est en train ou... à pied ! Une balade inoubliable...

1. Où est le pays basque ?
2. Qu'est-ce que la Rhune ?
3. Comment est-ce qu'on peut visiter la Rhune ?
4. Pourquoi est-ce que la visite est intéressante ?
5. Qu'est-ce qu'un pottok ?

5 Présentez une ville ou un village où vous aimeriez habiter. Situez ce lieu, décrivez-le, dites ce qu'on peut faire, ce qu'on peut visiter, etc.

4

« Mais tu comprends vraiment rien ! » a répondu Ju
Elle a empoigné son portable, pris son sac, et elle a
descendu l'escalier quatre à quatre. Dans la rue, elle a e
elle a trouvé un taxi tout de suite.
Partir, vite. Angoisse. Où aller ? Non, pas chez elle ! I
rester seule. Tout s'est bousculé dans sa tête.
« Alors, je vous emmène où ?
– Euh, rue Bouchardon. »
Isabelle a toujours été là pour les coups durs.
« Allo, Isabelle, c'est Julie. Ah, heureusement, tu es c
passer ? Oui. Non, ça va pas. Non, je t'explique ça tout
Julie a réussi à tenir jusqu'à son arrivée chez Isabel
Isabelle a ouvert la porte, elle s'est effondrée. Elle est t
bras de son amie et s'est mise à pleurer.
Elles sont entrées et ont discuté pendant deux heure
Julie, de Paris, d'Isabelle, des autres, de François et

10 Au jour le jour

Un jour, en hiver

les quatre saisons

le printemps, l'été, l'automne, l'hiver

Je pars en vacances **au** printemps.
en été.
en automne.
en hiver.

Oui ? Non ? C'est ça ?

La journée de Monsieur Lefort commence... Les images sont dans le désordre. Remettez-les dans le bon ordre.

6 ....

1 **a) Écoutez Madame Lefort qui raconte le début de la journée de son mari à une amie. Complétez le texte.**

« Ah ! Ce pauvre Thomas, je crois que ce n'est pas son jour. Écoute un peu ça. Ce matin, il se réveille. Il se lève et il ..... dans la ...... Ensuite, il se brosse les dents, il se rase, il va ..... la ..... pour s'habiller. Jusque là, pas de problème. Après, il ..... coiffe et il ..... regarde dans le miroir. Tout va ....., il est ..... de partir travailler... Mais bon, tu as vu, il ne fait vraiment pas beau, aujourd'hui : il fait froid et il ..... ; dans la ....., vlan ! Thomas glisse et il tombe !... Tu sais, il n'aime pas du tout cette ...... Il préfère l'été. Ce n'est pas étonnant ! »

b) Choisissez une fin parmi les quatre proposées.

fin 1 : ... Il rentre chez lui et décide de retourner au lit.
fin 2 : ... Il va à l'hôpital en ambulance.
fin 3 : ... Il retourne chez lui pour changer de vêtements et prendre un parapluie mais il arrive en retard au travail...
fin 4 : ... Il va au café du coin, prend un café, lit le journal et ne va pas travailler.

pourquoi ?
pour... / parce que...

Pourquoi est-ce que M. Lefort va dans sa chambre ?
- Pour s'habiller.
- Parce qu'il doit s'habiller.

Pourquoi est-ce que vous apprenez le français ?
- Parce que j'aime la France.
- Pour me faire plaisir, j'adore les langues !

2 **Lisez le récit de Monsieur Lefort et remettez le texte dans l'ordre.**

1. et je prends un bon petit déjeuner pour bien commencer la journée.
2. Ensuite, je me lave,
3. Je me coiffe, je quitte la maison vers 7 h 45 et
4. Voilà, ce n'est pas très original mais c'est ma journée !
5. je me rase
6. Après, je vais faire du sport avec ma femme ou nous allons prendre un verre avec des amis ou nous rentrons chez nous.
7. Je me lève tous les jours à 7 heures
8. et je m'habille.
9. j'arrive au bureau vers 8 heures.
10. Puis, je travaille jusqu'à midi.
11. Parfois, je rentre déjeuner à la maison quand ma femme ne travaille pas.
12. Là, c'est l'heure de déjeuner et je vais au restaurant seul ou avec des collègues.
13. Je retourne au bureau à 14 heures. Je sors à 18 ou 19 heures, ça dépend des jours.

7, ...

sortir

je sors
tu sors
il/elle/on sort
nous sortons
vous sortez
ils/elles sortent
(je suis sorti)

Se lever, s'habiller…

3 **Lisez ces phrases. Relevez les verbes et répondez.**

1. Tu t'appelles Christophe ?
2. Vous vous arrêtez devant la boulangerie.
3. Monsieur Lefort se réveille et il se lève vite.
4. Chut… Marie et Alex se reposent…
5. Elle ne se couche pas tous les soirs à minuit.

– **Comment se construit la forme verbale ?**
– **Est-ce que vous connaissez d'autres verbes qui ont la même formation ? Lesquels ?**
– **Observez la dernière phrase et mettez les phrases 1 et 2 à la forme négative.**

se lever, s'amuser…

je me réveille.
tu te lèves.
il/elle/on se lave.
nous nous reposons.
vous vous couchez.
ils/elles s'amusent.

4 **Lisez le tableau et complétez les phrases avec le verbe entre parenthèses à la forme qui convient.**

1. Tu (se laver) - - - - - ou tu prends d'abord ton petit déjeuner avec moi ?
2. Je ne (pas se lever) - - - - - à huit heures tous les jours.
3. Nous ne (pas se coucher) - - - - - assez tôt.
4. Elles (se dépêcher) - - - - -, leur rendez-vous est à 16 h 30 !
5. Demain, on (se réveiller) - - - - - à 6 heures pour partir en voyage.
6. Vous (s'amuser) - - - - - toujours beaucoup avec Bruno et Claire !
7. Vous (s'ennuyer) - - - - -, vous n'aimez pas ce film ?

5 **Lisez les phrases et complétez le tableau.**

	infinitif	présent	impératif
Asseyez-vous !	s'asseoir	tu t'assieds	- - - - -
		vous vous asseyez	- - - - -
Lève-toi, il est huit heures !	se lever	tu te lèves	- - - - -
		vous vous levez	- - - - -
Tu as les cheveux dans les yeux ; coiffe-toi !	se coiffer	tu te coiffes	- - - - -
		vous vous coiffez	- - - - -

D'abord, ensuite…

l'enchaînement d'actions

Pour relier une action à une autre :

1. pour commencer, d'abord, tout d'abord.
2. ensuite, puis, plus tard, après.
3. enfin, pour finir.

9 **Lisez les actions de Monsieur Lefort, observez le tableau puis décrivez vos actions du matin, en utilisant un mot de chaque ligne (1, 2, 3).**

D'abord, Monsieur Lefort se lève. **Puis**, il se brosse les dents, se lave et s'habille. **Ensuite**, il se coiffe. **Après**, il prend son petit déjeuner et, **enfin**, il part au travail (quand il ne neige pas…).

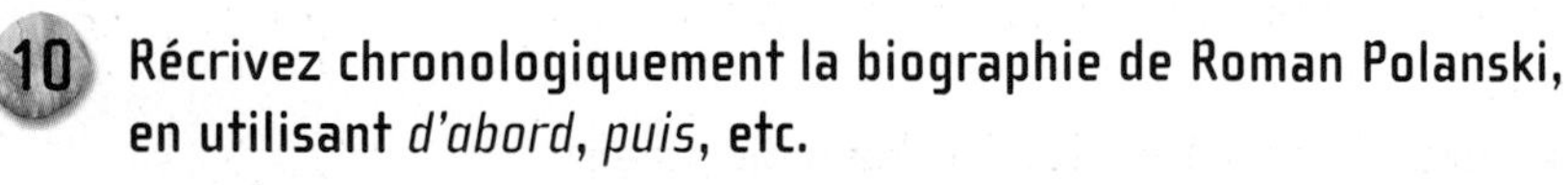

10 **Récrivez chronologiquement la biographie de Roman Polanski, en utilisant *d'abord*, *puis*, etc.**

– Il a débuté une carrière internationale en 1965 et il a réalisé *Répulsion* (1965) et *Le Bal des Vampires* (1967) avec sa première femme, Sharon Tate.
– Il a vécu en France, en Pologne, aux États-Unis et de nouveau en France.

6 Observez les phrases puis donnez des conseils ou des ordres aux personnes indiquées.

Tu t'arrêtes là. Arrête-toi là ! **Ne** t'arrête **pas là** !
Vous vous levez. Levez-vous ! **Ne** vous levez **pas** !

1. à un ami : (s'asseoir) ..... ici !
2. à votre professeur : (ne pas s'inquiéter) ....., j'ai compris.
3. à des enfants qui partent à une fête : (s'amuser) ..... bien, les enfants !
4. à une petite fille : (se brosser les dents) ..... avant d'aller te coucher !
5. à des amis : (ne pas s'énerver) ....., discutez calmement !
6. à une amie : (ne pas s'en faire) ....., tout va bien !

7 Complétez les phrases avec le pronom qui convient.

Exemple : Je dois m'habiller.

1. Est-ce que tu aimes ..... coiffer ?
2. Nous n'aimons pas du tout ..... dépêcher.
3. Je déteste ..... lever tôt !
4. Elle est fatiguée. Elle a besoin de ..... reposer un peu.
5. Est-ce que vous voulez ..... laver avant le petit déjeuner ?
6. Tu peux ..... arrêter là, s'il te plaît, je voudrais acheter le journal.

les verbes pronominaux

Ils se conjuguent avec un pronom :
- Je **me** lève.
- Tu **t'**es rasé, aujourd'hui ?
- Asseyez-**vous** !

Remarques :
- à l'impératif affirmatif, *te* devient *toi* : Dépêche-**toi** ! / Ne **te** dépêche pas !
- au passé composé, tous les verbes pronominaux se conjuguent avec *être* : Il s'est couché.

8 Monsieur Lefort raconte son histoire à ses collègues de bureau. Lisez, puis complétez son récit.

Ce matin, je ne me suis pas réveillé très tôt. Je me suis levé, je me suis lavé, je me suis coiffé et...

.....

- Il a réalisé le célèbre *Chinatown* et un film tourné en France, en 1976, *Le Locataire*, avec Isabelle Adjani.
- Son dernier film, *Le Pianiste*, a obtenu de nombreux prix en 2002 et 2003.
- Il a mis en scène sa seconde femme, Emmanuelle Seigner, dans *Lunes de fiel* en 1992 et dans *La 9e Porte* en 2000.
- Il a réalisé son premier film, *Le Couteau dans l'eau*, en 1962.
- Roman Polanski est né en 1933 à Paris, de parents polonais.
- *Tess* a reçu trois prix en 1979 : Césars du meilleur film, du meilleur réalisateur et de la meilleure photo.

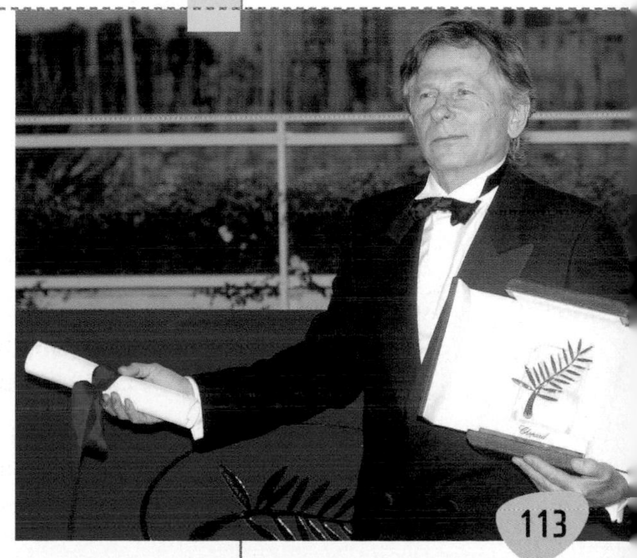

Les registres de langue

11 **Voici la fin de la BD *Un jour, en hiver*. Imaginez les deux répliques qui manquent.**

ne... que

- Soixante euros ! Je ne peux pas payer, je **n'**ai **que** 50 euros ! (= j'ai seulement 50 €)
- Il **n'**y a **que** moi qui fais des efforts.
- Il **n'**a reçu **qu'**un message de Flora.

12 **Voici l'échange entre Monsieur Lefort et sa femme. Choisissez, parmi les trois propositions, une réponse équivalente à la réplique de Monsieur Lefort.**

Sa femme : Tu n'es pas au bureau, toi ?
Monsieur Lefort : T'as vu le temps ? C'est toujours la même chose, y a que moi qui dois faire des efforts ! Alors, hein, bon…

1. Je fais des efforts, je vais tout le temps au bureau…
2. Le climat ne fait pas d'efforts, alors, pourquoi est-ce que moi, je dois faire des efforts ?
3. Je me suis levé, lavé, habillé. J'ai fait assez d'efforts…

13 **a) Écoutez et répétez ces phrases.**

1. Vous venez pas avec nous ?
2. T'as vu Ben, hier soir ?
3. Y a du jus d'orange au frigo, si tu veux.
4. I' faut pas s'énerver. Restez calmes…
5. Vous avez que 10 heures de cours ?
6. J'sais pas quoi faire…
7. T'as faim, toi ?
8. Est-ce qu'i' t'a téléphoné, José ?

b) Transformez les phrases ci-dessus comme dans l'exemple.

Exemple : Y a que moi qui fais des efforts (langue orale familière)
→ Il n'y a que moi qui fais des efforts (langue standard)

Les parties du corps

14 **Regardez le dessin et rajoutez ces mots au bon endroit.**

la main - les doigts - les dents - les cheveux - le bras

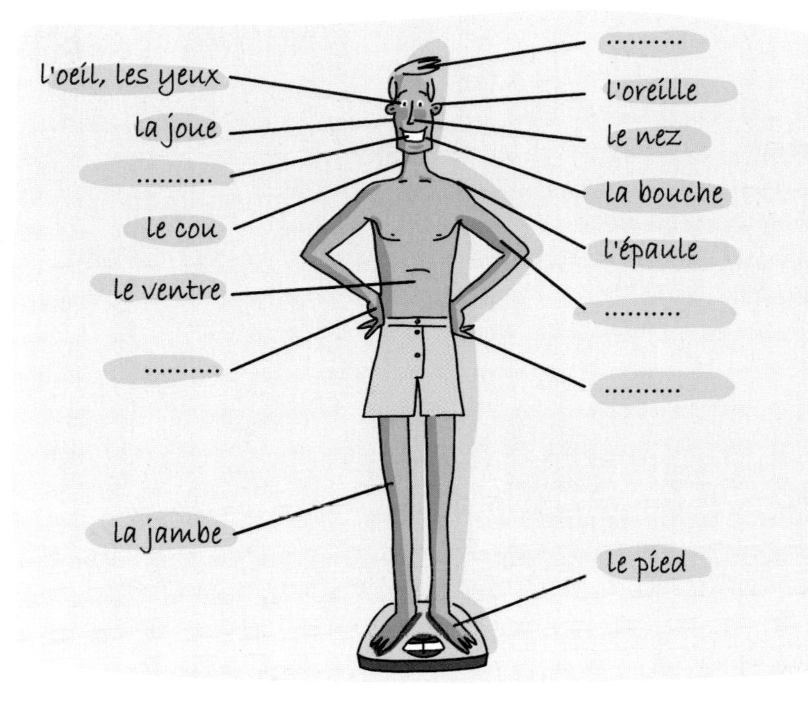

15 **Lisez ce texte sur les dessins des enfants. Regardez les deux dessins et dites quel âge Delphine et Juan peuvent avoir.**

de 2 à 4 ans : l'enfant dessine la tête, les bras et les jambes.

de 4 à 7 ans : la tête est toujours ronde et parfois on trouve quelques éléments du visage : yeux, bouche... L'enfant dessine un autre rond, plus gros, pour le corps. Il ajoute les bras, les jambes et quelques vêtements.

de 7 à 9 ans : des détails du visage apparaissent ; l'enfant dessine les yeux, le nez, la bouche et parfois le cou, les oreilles et les cheveux. Il ajoute les mains avec les doigts (parfois il y en a beaucoup, parfois pas assez...) et les pieds.

de 9 à 11 ans : maintenant, tous les éléments sont là et on trouve bien cinq doigts à chaque main. Les bras sont plus courts et l'enfant dessine beaucoup de vêtements.

Vous avez 1 nouveau message

Mes messages | Écrire | Répertoire | *Options*

<< messages précédents / messages suivants >

De : ‹ floty@laposte.net ›
A : Marco Mangelli ‹ mangelli@etud.uco.fr ›
Date : samedi 23 avril 2005
Objet : J'ai trouvé !

Salut Flo !
Connais-tu la bonne nouvelle ? J'ai trouvé un appartement ! En plein centre ville, clair, une grande chambre et une jolie cuisine. Il est dans un immeuble moderne ; il y a un médecin au premier étage et une architecte en face de chez moi ; du beau monde, hein ? J'espère que tu vas venir bientôt pour visiter mon nouveau « château »…
Comment vas-tu, toi ? Est-ce que tu travailles pour tes exams ?
Allez, courage, ma copine ! Je t'embrasse et attends de tes (bonnes !) nouvelles.
Je me dépêche parce que je vais au ciné avec des copains et je suis en retard…
Oh ! Tu as des examens quels jours ? À quelle heure ? Je vais penser à toi…
Marco

quel(s), quelle(s)
- *Quel est ton numéro de téléphone ?*
- *Quels jours as-tu des examens ?*
- *Quelle heure est-il ?*
- *Quelles villes est-ce que tu connais en Turquie ?*

16 Lisez le message de Marco et répondez.

1. Quelle est la bonne nouvelle ?
2. Qui est le « beau monde » ?
3. Quel est le château que Marco évoque ?
4. Pourquoi doit-il se dépêcher ?

L'interrogation

l'interrogation
Il existe trois formes de questions :
- Venez-vous avec moi ? (soutenu)
- Est-ce que vous venez avec moi ? (standard)
- Vous venez avec moi ? (standard, surtout à l'oral)

Attention :
- Habite-t-il à Nice ?
- Va-t-elle à Paris bientôt ?

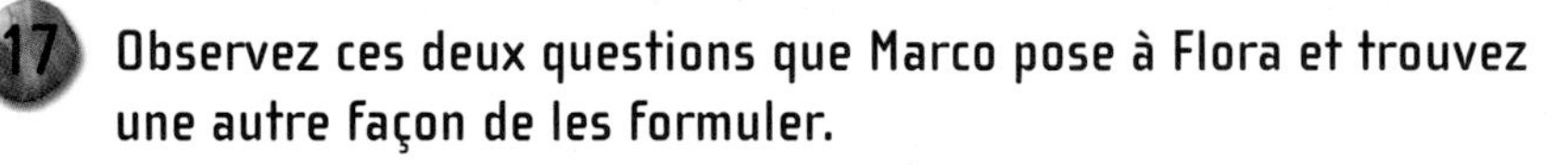

17 Observez ces deux questions que Marco pose à Flora et trouvez une autre façon de les formuler.

Connais-tu la bonne nouvelle ? = ...
Comment vas-tu, toi ? = ...

18 Lisez le tableau, puis transformez ces questions sur le même modèle que celles de Marco.

Exemples : – Est-ce que tu vas venir avec nous, samedi ? – Vas-tu venir avec nous, samedi ?
– Tu t'appelles comment ? – Comment t'appelles-tu ?

1. À quelle heure est-ce que vous allez arriver à Paris ?
2. Tu sais que j'ai eu 25 ans samedi ?
3. Tu vas te lever ? Il est 10 heures !
4. Vous habitez où, exactement ?
5. Ils partent quand au Nigeria ?
6. Comment est-ce qu'on fait pour préparer un bon couscous ?

19 a) **Écoutez les répliques et trouvez ci-dessous la question correspondant à chacune.**

	répliques
a. Il se réveille très tôt ?	n° .....
b. Où est-ce que vous vous arrêtez ?	n° .....
c. Pourquoi tu t'énerves ?	n° .....
d. Il s'assied toujours ici ?	n° .....
e. Tu te lèves à quelle heure ?	n° .....
f. Est-ce qu'elle s'amuse bien en Irlande ?	n° .....
g. Quand est-ce que vous vous reposez un peu ?	n° .....
h. Vous vous inquiétez pour elle ?	n° .....

b) **Lisez les exemples et transformez chaque question.**

Exemples : Il se réveille très tôt ? → Se réveille-t-il très tôt ?
Où est-ce que vous vous arrêtez ? → Où vous arrêtez-vous ?

Il fait froid ! Pourriez-vous fermer la porte ?

20 **Transformez ces questions comme dans les exemples.**

Exemples : Vous êtes allé à la fête d'anniversaire de Béatrice ?
→ Êtes-vous allé à la fête d'anniversaire de Béatrice ?
Tu t'es levé à quelle heure ?
→ À quelle heure t'es-tu levé ?

1. Vous m'avez parlé ?
2. Il s'est inquiété pour ses examens ?
3. Où est-ce qu'il est allé ?
4. Pourquoi est-ce qu'elle n'a pas parlé ?
5. Est-ce qu'ils ont bien compris ?
6. Quand est-ce que je vous ai dit ça ?
7. Comment est-ce que vous avez fait ?
8. Qui est-ce que tu as vu ?

phonétique

[ɛ] (comme dans *lait*) et [ɛ̃] (comme dans *vin*)

A **Écoutez et cochez la case qui convient.**

	1	2	3	4	5	6	7
[ɛ]							
[ɛ̃]							

B **Écoutez et soulignez tous les sons [ɛ̃].**

1. Désolé mais c'est impossible le lundi vingt.
2. Vous pouvez venir demain matin ?
3. Tu viens avec moi ou tu restes avec tes copains ?
4. C'est un ami colombien.
5. J'adore la peinture anglaise du quinzième siècle.
6. Donne-moi la main, Adrien !

[ɛ̃] peut s'écrire :
in : *vin*
im : *impoli*
ain : *copain*
aim : *faim*
un : *un*
i + en : *combien*

Les Français et la lecture

Lisez l'article sur Zep, célèbre dessinateur de BD et sur son héros *Titeuf*. Lisez les titres des parties ci-dessous et remettez-les dans l'ordre.

1. – Le succès de *Titeuf* : - - - - -
2. – L'évolution du personnage à travers les albums : - - - - -
3. – La naissance de *Titeuf* : - - - - -
4. – La plus grosse difficulté pour l'auteur : - - - - -
5. – *Titeuf* et l'actualité : - - - - -
6. – Comment l'auteur travaille : - - - - -

a) Lisez les résultats de cette enquête et dites ce qui vous surprend, vous amuse...

QUEL LECTEUR ÊTES-VOUS ?

On aime partager le délicieux plaisir de la lecture. C'est l'occasion d'exprimer ses émotions et ses bonheurs de

1. Vous lisez en moyenne...
- au moins 3 ou 4 livres par semaine : .... *0 %*
- 1 à 2 livres par semaine : .... *34 %*
- 2 à 3 livres par mois : .... *40 %*
- 1 livre par mois : .... *10 %*
- 1 livre tous les 2 ou 3 mois : .... *4 %*
- 2 à 3 livres par an : .... *2 %*
- jamais : .... *0 %*
- *pas de réponse :* .... *9 %*

2. Vous lisez généralement : *réponses multiples autorisées)*
- des romans : .... *94 %*
- des nouvelles : .... *37 %*
- des poèmes : .... *19 %*
- des pièces de théâtre : .... *18 %*
- des biographies, des témoignages : .... *29 %*
- des essais philosophiques, historiques, politiques : .... *37 %*
- des bandes dessinées : .... *22 %*
- autres : .... *10 %*
  Scénario, Lettres, Journal, Autobiographie...
- *pas de réponse :* .... *1 %*

3. Quels styles de littérature préférez-vous ?
(réponses multiples autorisées)
- littérature générale : .... *78 %*
- romans noirs, policiers : .... *33 %*
- romans d'aventure : .... *29 %*
- récits de voyage : .... *13 %*
- récits intimistes, psychologiques : .... *39 %*
- récits initiatiques : .... *15 %*
- romans historiques : .... *32 %*
- romans sentimentaux : .... *16 %*
- science-fiction : .... *29 %*
- romans d'épouvante : .... *13 %*
- autres : .... *7 %*
  Biographie...
- *pas de réponse :* .... *1 %*

4. Généralement, vous lisez un livre :
- d'une seule traite : .... *6 %*
- en quelques jours : .... *71 %*

b) Répondez à cette enquête et discutez de vos résultats par groupes de deux.

23 **À votre tour, réalisez une enquête. Élaborez un questionnaire sur la lecture (Aimez-vous lire ? Quels types de livres lisez-vous ? Pourquoi aimez-vous lire ?...) et interrogez votre entourage. Discutez des résultats en classe.**

ZEP et Titeuf

Le personnage de Titeuf est né dans les années 90. D'abord, le projet de BD de Zep – raconter ses souvenirs d'école – n'a pas plu aux éditeurs et Zep a publié ses premières planches[1] dans un fanzine[2]. L'éditeur Glénat a alors proposé à Zep de publier le premier album de Titeuf.
Chaque jour, Zep écrit tout d'abord des émotions. Il imagine qu'il est Titeuf et il utilise une langue simple. En même temps, il illustre ses histoires et il ne s'ennuie donc pas une minute.
Ce n'est pas toujours facile. Parfois, l'histoire ne marche pas et il ne garde que quelques pages...
Les aventures de Titeuf sont très actuelles mais on peut dire que les préoccupations des écoliers sont assez identiques d'une génération à l'autre. Les sujets aussi changent peu : le racket à l'école existe depuis toujours...
Cette BD plaît à la fois aux adultes et aux enfants. Les enfants n'aiment pas toujours les histoires spécialement écrites pour eux, mais ils aiment Titeuf parce qu'il est drôle, un peu perdu, comme eux parfois. Titeuf a souvent des problèmes mais c'est un bon copain et on s'attache à lui. Les adultes, eux, apprécient de retrouver leur enfance.
Il y a eu 9 albums de Titeuf. Le personnage a évolué dans le dessin mais pas dans sa tête ! Il est toujours en CM2, il a toujours des problèmes à l'école et peu de succès avec les filles. C'est désespérant !

1. pages de BD
2. petite revue de bandes dessinées faite par des non professionnels.

lecture. Voici ci-dessous le résultat de l'enquête sur environ 300 personnes interrogées.

- en quelques semaines : .... *20 %*
- en quelques mois : .... *1 %*
- en plus de temps encore : .... *0 %*
- *pas de réponse :* .... *2 %*

5. Vous lisez :
- pour vous détendre : .... *62 %*
- pour vous évader, pour rêver : .... *69 %*
- pour apprendre .... *67 %*
- pour vous créer une philosophie .... *33 %*
- pour découvrir la vie des autres : .... *34 %*
- pour être surpris, étonné : .... *39 %*
- pour des motifs professionnels .... *17 %*
- autres : .... *10 %*
  Pour m'émouvoir, Pour préparer ma mort, Pour le plaisir
- *pas de réponse :* .... *1 %*

6. Pensez-vous que la lecture a beaucoup d'importance pour vous :
- oui, la lecture a beaucoup d'importance pour moi : .... *83 %*
- oui, la lecture est assez importante pour moi : .... *12 %*
- non, la lecture n'est pas très importante pour moi : .... *3 %*
- non, la lecture n'est pas du tout importante pour moi : .... *0 %*
- *pas de réponse :* .... *2 %*

7. Qui sont les lecteurs ayant pris part à cette enquête ?
- sexe : femmes : .... *62 %*
  hommes : .... *38 %*
- âge moyen : *29 ans* (plus jeune : 13 ans, plus âgé : 99 ans)
- France : .... *65 %*
- Belgique - Luxembourg : .... *6 %*
- Suisse : .... *2 %*
- Canada - Québec : .... *10 %*
- autres pays : .... *16 %*
  Allemagne, Angleterre, Canada-Québec...

D'après *Quel lecteur êtes-vous ?*, www.biblio-idealis.com

titeuf
ZEP
c'est pô juste...

11 Roman

« Mais tu comprends vraiment rien ! » a répondu Julie.

Elle a empoigné son portable, pris son sac, et elle est partie. Elle a descendu l'escalier quatre à quatre. Dans la rue, elle a eu de la chance : elle a trouvé un taxi tout de suite.

Partir, vite. Angoisse. Où aller ? Non, pas chez elle ! Elle ne veut pas rester seule. Tout s'est bousculé dans sa tête.

« Alors, je vous emmène où ?

– Euh, rue Bouchardon. »

Isabelle a toujours été là pour les coups durs.

« Allo, Isabelle, c'est Julie. Ah, heureusement, tu es chez toi. Je peux passer ? Oui. Non, ça va pas. Non, je t'explique ça tout à l'heure. »

Julie a réussi à tenir jusqu'à son arrivée chez Isabelle. Mais quand Isabelle a ouvert la porte, elle s'est effondrée. Elle est tombée dans les bras de son amie et s'est mise à pleurer.

Elles sont entrées et ont discuté pendant deux heures de François, de Julie, de Paris, d'Isabelle, des autres, de François et Julie, d'avant, d'après… Le téléphone a sonné.

« Oui, allo. Julie ? Non, elle n'est pas là. Tu as essayé chez Valérie ? Non, je te dis qu'elle n'est pas là, tu ne me fais pas confiance ? Je ne sais pas. Oui, bien sûr. Oui, oui, d'accord. »

Le lendemain, vendredi, Julie n'est pas allée travailler. Puis, il y a eu le week-end.

François est venu chez Isabelle, en terrain neutre, ou presque, le dimanche soir. L'accueil a été glacial et les discussions difficiles. Aucun accord n'a été trouvé.

Julie a quitté Paris un mois plus tard pour s'installer à Marseille et commencer une nouvelle vie.

Pendant ses vacances, François est allé à Nice. Il est, bien sûr, passé par Marseille.

18

descendre, sortir, monter, passer

Au passé composé, quand les verbes **descendre**, **monter**, **sortir**, **passer** ont un complément direct, on utilise **avoir**.

- J'**ai** descendu l'escalier.
- Elle **a** passé tout le week-end dans son lit.

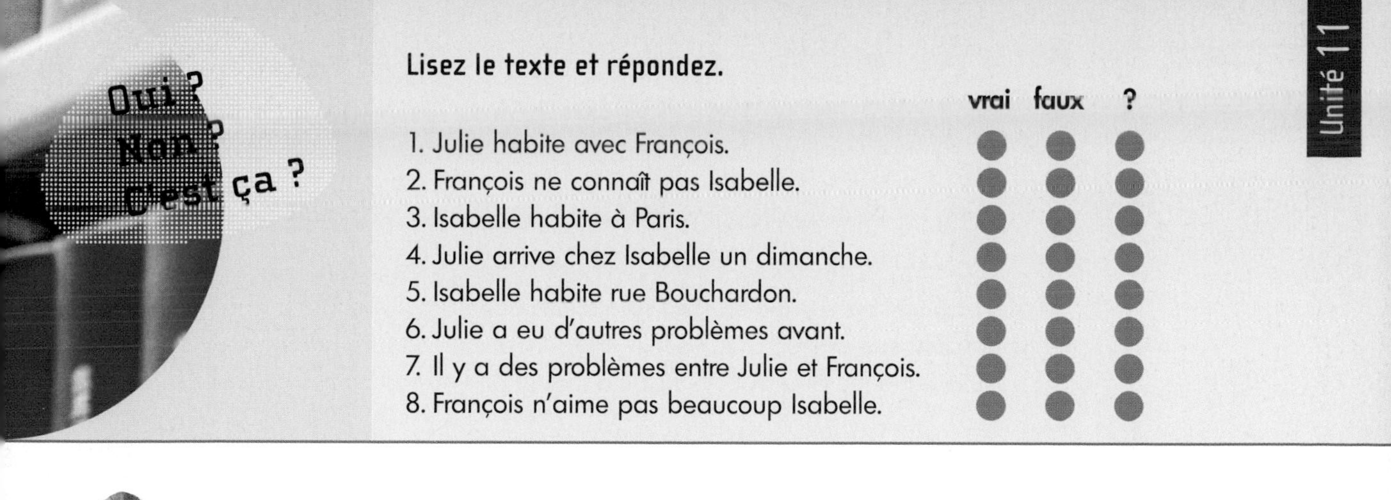

Lisez le texte et répondez.

	vrai	faux	?
1. Julie habite avec François.	●	●	●
2. François ne connaît pas Isabelle.	●	●	●
3. Isabelle habite à Paris.	●	●	●
4. Julie arrive chez Isabelle un dimanche.	●	●	●
5. Isabelle habite rue Bouchardon.	●	●	●
6. Julie a eu d'autres problèmes avant.	●	●	●
7. Il y a des problèmes entre Julie et François.	●	●	●
8. François n'aime pas beaucoup Isabelle.	●	●	●

1 Retrouvez quand les événements se passent.

1. Julie se fâche avec François. .....
2. Julie prend un taxi et va chez Isabelle. .....
3. François cherche Julie et il téléphone chez Isabelle. .....
4. Julie ne va pas travailler. .....
5. François va voir Julie chez Isabelle. *Dimanche soir.*
6. Julie part à Marseille. .....

2 Imaginez les communications téléphoniques. Puis, jouez les situations par deux.

Entre Julie et Isabelle :

Isabelle : .....
Julie : Allo, Isabelle, c'est Julie.
Isabelle : .....
Julie : Ah, heureusement, tu es chez toi. Je peux passer ?
Isabelle : .....
Julie : Oui.
Isabelle : .....
Julie : Non, ça ne va pas.
Isabelle : .....
Julie : Non, je t'explique ça tout à l'heure.

Entre François et Isabelle :

Isabelle : Oui, allo.
François : .....
Isabelle : Julie ?
François :
Isabelle : Non, elle n'est pas là. Tu as essayé chez Valérie ?
François : .....
Isabelle : Non, je te dis qu'elle n'est pas là, tu ne me fais pas confiance ?
François : .....
Isabelle : Je ne sais pas.

3 Julie téléphone à François le samedi. Écoutez les questions de François et répondez.

4 Rayez le mot qui ne convient pas.

1. Isabelle [est partie / a quitté] de Paris à 6 heures ce matin.
2. Mon amie mexicaine, Vanesa, arrive en France le 3 juillet et elle [retourne / revient] au Mexique le 17 juillet.
3. J'ai téléphoné au réparateur pour le frigo. Il [va / vient] cet après-midi, vers trois heures.
4. Jean-Paul va au Cambodge le 14 octobre et il [entre / rentre] en France le 21 octobre.
5. Où est-ce que vous [allez / venez] en vacances, cet été ?
6. Le matin, je [pars / quitte] au travail à 7 h 30 et, le soir, je [entre / rentre] vers 18 heures.
7. Moi ? À Brest ? Non, pas question ! Je suis allée à Brest la semaine dernière, je ne veux pas y [retourner / revenir] cette semaine !
8. Non, je suis désolé, le directeur n'est pas là. Il est en voyage au Maroc. Il [retourne / revient] ici vendredi prochain.
9. Donnez-moi juste une petite minute, s'il vous plaît. [Entrez / Rentrez] et asseyez-vous. Je [retourne / reviens] dans une minute.

Les indicateurs de temps

5 **a) Observez les phrases avec *jusqu'à* et *pendant*, puis reliez les propositions qui vont ensemble.**

Pendant son voyage en taxi, Julie a téléphoné à Isabelle. Elle a réussi à tenir **jusqu'à son arrivée** chez Isabelle. Elles ont discuté **pendant deux heures**. Julie est restée chez Isabelle **jusqu'à minuit** puis elle est rentrée chez elle.

On utilise *pendant* •
On utilise *jusqu'à* •

• avec une date ou une heure (lundi / 13 h 45)
• avec une durée (une semaine / 45 minutes)
• avec un nom qui indique une date (l'arrivée du train = 13 h 45)
• avec un nom qui indique une durée (la promenade = 45 minutes)

b) Complétez avec *jusqu'à* ou *pendant*.

1. Le magasin est ouvert du lundi au samedi ..... 19 heures.
2. Qu'est-ce que tu vas faire ..... les vacances ?
3. Le prof de maths est malade. Il va être absent ..... la fin du mois.
4. Ça y est, c'est les vacances ! Je vais en Turquie ..... un mois ! Je pars demain.

Marseille, le 8 juillet

Ma chère Lisa,

Comment vas-tu ? François et moi, c'est fini. Je l'ai quitté, il y a deux mois. J'ai beaucoup aimé François, mais, il y a six mois, il a commencé à changer et la vie avec lui est devenue insupportable.
Pendant des mois, j'ai cherché une solution. Et puis je suis partie. J'ai été très triste, bien sûr, mais bon, c'est la vie !
Puis, j'ai décidé de quitter Paris. Et me voilà à Marseille ! Je suis ici depuis le 1er juin et je travaille depuis une semaine dans une agence de voyage. C'est super !

Bises
Julie

6 **Julie écrit à une amie. Lisez la lettre puis reliez les éléments.**

On utilise *il y a* •
On utilise *depuis* •

• avec une durée (un mois / une semaine / 45 minutes)
• avec une date ou une heure (lundi / le 3 septembre / 13 h 45)

L'accord au passé composé

9 **a) Lisez le texte et écrivez dans le tableau les verbes écrits avec *être*.**

Julie est partie. Quand elle est arrivée et qu'Isabelle a ouvert la porte, elle s'est effondrée. Elle est tombée dans les bras de son amie et s'est mise à pleurer. Elles sont entrées et ont discuté pendant deux heures.

verbes sans « se »		verbes avec « se » (verbes pronominaux)	
au passé composé	infinitif	au passé composé	infinitif
Elle est partie.	*partir*	.....	.....

b) Pourquoi est-ce qu'on ajoute un « e » au verbe *partir* dans *Elle est partie* ? Pourquoi est-ce qu'on ajoute « es » au verbe *entrer* dans *Elles sont entrées* ?

7 **a) Complétez les phrases avec *depuis* ou *il y a*.**

1. Julie s'est fâchée avec François ..... deux mois.
2. Elle travaille dans une agence de voyage ..... le 1er juillet.
3. Elle habite à Marseille ..... cinq semaines.
4. Elle est très heureuse ..... son arrivée à Marseille.

b) Rayez le mot qui ne convient pas.

1. Julie est arrivée à Paris [il y a / pendant] deux ans.
2. François connaît Isabelle [depuis / il y a] le 10 novembre 2002.
3. Julie travaille à Marseille [depuis / il y a] une semaine.
4. François est très triste [depuis / pendant] le départ de Julie.

8 **a) Relisez les phrases de l'activité 7 et reliez les éléments :**

Avec *il y a* on utilise •
Avec *depuis* on utilise •

• le présent
• le passé composé
• le présent ou le passé composé

b) Écrivez le verbe au présent ou au passé composé.

1. Julie (habiter) ..... à Marseille depuis une semaine.
2. Elle (quitter) ..... Paris il y a une semaine.
3. François (aller) ..... à Marseille il y a un mois.
4. Julie (connaître) ..... Isabelle depuis 1998.

les indicateurs de temps

Pour indiquer UNE DURÉE
– *pendant* indique la durée complète d'une action :
On va en Normandie **pendant une semaine / les vacances.**
– *depuis* indique le début de la durée d'une action qui continue :
Louise habite à Paris **depuis le 18 juin / son mariage / 3 mois.**
– *jusqu'à* indique la fin de la durée d'une action :
Elle reste **jusqu'à mardi / 16 h 30 / mon départ.**

Pour indiquer UN MOMENT PRÉCIS
– *il y a* indique un moment précis (une date, une heure) :
L'avion a décollé **il y a dix minutes.**

10 **Écrivez les verbes entre parenthèses au passé composé.**

1. Hyo-Jung (arriver) ..... en France le 1er octobre et elle (retourner) ..... en Corée le 28 juin.
2. Quand est-ce que Julien et Coralie (passer) ..... chez toi ?
3. Les étudiantes (s'asseoir) ..... devant et les étudiants derrière.

11 **Écrivez une lettre à un ami français. Racontez ce que vous avez fait depuis le 1er janvier. Utilisez les indicateurs de temps.**

l'accord au passé composé

Au passé composé, pour les verbes qui utilisent *être*, on ajoute un « e » quand le sujet du verbe est féminin, un « s » quand il est pluriel.
– verbes du type *aller* : *aller, venir, arriver...*
Julie est allé**e** chez Isabelle.
Elles sont entré**es** dans l'appartement.
– verbes avec « se » (verbes pronominaux) :
se lever, se dépêcher, se mettre à...
Julie s'est mis**e** à pleurer.
Julie et Isabelle se sont amusé**es**.

Attention : la prononciation du verbe peut changer.
Il s'est mis à pleurer. Elle s'est mis**e** à pleurer.

Exprimer son accord ou son désaccord

12 **Écoutez le dialogue entre Isabelle et Julie. Cochez les cases qui conviennent.**

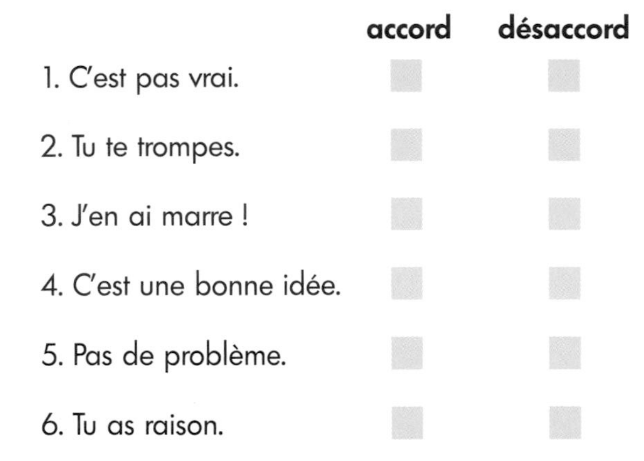

	accord	désaccord
1. C'est pas vrai.		
2. Tu te trompes.		
3. J'en ai marre !		
4. C'est une bonne idée.		
5. Pas de problème.		
6. Tu as raison.		

13 **a) Écoutez le dialogue entre François et Julie une première fois. Pourquoi est-ce que Julie et François se disputent ?**

b) Écoutez le dialogue une deuxième fois puis mettez les phrases dans l'ordre.

1. François : Enfin, essaie de comprendre…
2. François : Et puis, je suis bientôt en vacances… Là, on va avoir du temps pour nous.
3. François : Oh ! Eh ! Tu peux bien faire un petit effort.
4. François : Bientôt ça va aller mieux.
5. Julie : C'est nul ! Je ne veux pas avoir du temps seulement une fois par an.
6. Julie : C'est pas vrai. Tu as déjà dit ça il y a trois mois.
7. Julie : Non, je ne suis pas d'accord. En plus, tu ne préviens jamais quand tu es en retard.
8. Julie : Non, je ne veux plus essayer ! J'ai été très patiente, très gentille !

c) Quelles sont les quatre expressions que Julie utilise pour exprimer son désaccord ?

14 **a) Julie utilise des phrases négatives. Pour chacune des deux phrases suivantes, cochez une phrase équivalente.**

1. On **n'**a **plus** le temps de sortir le soir.
   - Avant oui, mais maintenant on n'a pas le temps de sortir.
   - Maintenant on a beaucoup de temps, mais on ne sort pas le soir.
   - Maintenant on a beaucoup de temps pour sortir le soir.
2. Tu **ne** préviens **jamais** quand tu es en retard.
   - Quand tu es en retard, tu me téléphones toujours.
   - Quand tu es en retard, tu ne me téléphones pas.

b) Répondez aux questions avec *ne... plus* et le verbe entre parenthèses.

1. – Tu as du jus d'orange, s'il te plaît ?
   – (il y a) - - - - -
2. – Alors, Caroline va avec vous à Cannes ?
   – (venir) - - - - -
3. – Est-ce que tu as de l'argent ?
   – (avoir) - - - - -

c) Répondez aux questions avec *ne... jamais* et le verbe entre parenthèses.

1. – Vous connaissez la ville de Carcassonne ?
   – Oui, mais (aller) - - - - -
2. – Tu connais le roman d'Albert Camus, *La Peste* ?
   – Oui, mais (lire) - - - - -
3. – Vous aimez les épinards ?
   – Non, (manger) - - - - -

15 Écoutez les six situations et dites si les personnes sont d'accord ou si elles sont en désaccord. Cochez les cases qui conviennent.

	1	2	3	4	5	6
accord						
désaccord						

16 Choisissez une situation. Utilisez les mots et expressions des tableaux *exprimer son accord / exprimer son désaccord* et *la négation*.

a. Votre mari (femme) vous dit que sa tante Véronique va venir passer huit jours chez vous. Vous exprimez votre désaccord.

b. Votre ami(e) vous propose d'aller dîner dans un restaurant mexicain. Vous exprimez votre accord.

c. Le directeur de l'hôtel où vous êtes resté pendant trois jours vous demande de payer 750 euros. Vous exprimez votre désaccord.

d. Votre directeur vous demande d'aller au Sénégal pour y travailler pendant une semaine. Vous exprimez votre accord.

17 Par deux, choisissez un dessin et jouez la situation.

la négation

ne... pas
Ce n'est pas vrai.
ne... plus
On n'a plus d'argent.
ne... jamais
Je n'ai jamais dit ça.

exprimer son accord
Voilà !
Bon, d'accord.
Pas de problème.
Je pense que ça va.
C'est une bonne idée.
Tu as raison.
Exactement !
C'est parfait !

exprimer son désaccord
Je ne suis pas d'accord.
Ce n'est pas vrai.
C'est nul.
Ça ne me plaît pas.
C'est insupportable !
J'en ai marre !
Pas du tout !
Absolument pas !
Bien sûr que non !
Tu as tort.
Tu te trompes.
Tu plaisantes ?

Vous avez 1 nouveau message

Mes messages | Écrire | Répertoire | Options

<< messages précédents / messages suivants >

De : Marco Mangelli ‹ mangelli@etud.uco.fr ›
A : Flora Tylon ‹ floty@laposte.net ›
Date : lundi 16 mai 2005
Objet : Ah ! l'Italie…

Flora,

› Est-ce que ça veut dire que tu n'aimes pas beaucoup la France ?

Non, ce n'est pas exactement ça.

Pour moi, la France c'est un peu comme l'Italie. Il n'y a pas beaucoup de différences : notre *Pendolino* ressemble à votre TGV, on mange trois fois par jour (et pas seulement des spaghettis !), on trouve des paysages identiques, nos deux langues sont latines… et finalement, nos deux pays se ressemblent beaucoup.

Bon, évidemment, il y a les Italiens : des gens sympas, intelligents, qui ont très bon goût. Les Français ont toujours l'air triste. Les Italiens sont plus accueillants et moins froids ! Bref, ils ont tout pour plaire. :-D

Ah ! mais attention, heureusement, les Françaises, c'est autre chose : cultivées, élégantes, chaleureuses, romantiques, accueillantes et charmantes, bien sûr…

Oui, je l'avoue, je préfère l'Italie. C'est normal, non ? J'ai passé toute ma vie en Italie. Pour toi, c'est la même chose, la France est ton pays préféré, non ?

Bises.

Marco.

comparer

- On trouve des paysages **identiques**.
- Une livre et 500 g, c'est **la même chose**.
- Une avenue et un boulevard, **c'est pareil**.
- La bière est un alcool, **comme** le vin.
- Le Pendolino **ressemble** au TGV.
- Mon frère et ma sœur **se ressemblent** beaucoup.
- Ma sœur est **plus** jeune.
- L'autre livre est **moins** cher.

- Non, ce **n'est pas pareil**.
- Je ne suis pas **comme** lui.
- Les dessins sont **différents**.
- La France, **c'est autre chose** !

18 **Lisez le message de Marco et répondez aux questions.**

1. Qu'est-ce qu'on trouve en France et en Italie ?
2. Qu'est-ce que Marco pense des Français et des Françaises ?
3. Pourquoi est-ce qu'il préfère l'Italie ?

Comparer

19 **a) Observez les phrases.**

La France c'est **comme** l'Italie.
Le Pendolino **ressemble** au TGV.
On trouve des paysages **identiques**.
Nos deux pays **se ressemblent**.

Pour toi, c'est **la même chose** ?
Oui, c'est vrai, pour moi, **c'est pareil**.
Les Italiens sont **plus** accueillants.
Ils sont **moins** froids.

b) Complétez les phrases.

1. Les deux tableaux sont ....
2. Il a 20 ans, ... moi.
3. Ma sœur et ma mère .... Moi, je ..... à mon père.
4. Oui, tu peux dire deux heures ou quatorze heures, c'est ....
5. J'ai 25 ans. Ma sœur, Anneline, est ..... jeune, elle a 21 ans.

Décrire une personne

20 Relisez le message de Marco puis rayez le mot qui ne convient pas.

1. – Qui est cette jeune fille avec cette superbe robe ?
   – Anne Royer. Elle est très [élégante / accueillante] mais pas très sympa.
2. – Avec Julie, on peut parler de beaucoup de choses, c'est agréable.
   – C'est vrai, c'est incroyable, elle connaît tout : les livres, la peinture, la musique… Elle est très [charmante / cultivée].
3. – Yannick est toujours très heureux quand on va chez lui.
   – Oui, il est très [accueillant / romantique].
4. – Ah, voilà une photo de toute la famille. Là, c'est ma sœur, Léa.
   – Comme elle a l'air [cultivé / sérieux] sur cette photo !
5. – Tiens, un petit cadeau pour toi !
   – C'est quoi ? Un disque ! Merci, tu es [élégant / gentil].

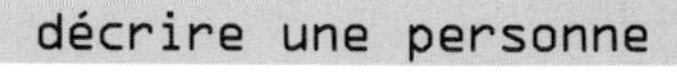

décrire une personne

heureux ≠ triste
drôle ≠ sérieux
froid ≠ chaleureux
élégant ≠ mal habillé
intelligent ≠ stupide
sympathique (sympa)
gentil
cultivé
romantique
accueillant
charmant

avoir l'air (+ adjectif)

21 Regardez les dessins et décrivez les deux personnes (vous pouvez utiliser le tableau *décrire une personne*).

phonétique

[a] (comme dans *Canada*) et [ã] (comme dans *France*)

A a) Écoutez et soulignez le son [a].

1. Je passe à Paris au mois de mars.
2. Ma femme aime les gâteaux.
3. Mardi, il va en Espagne et au Portugal.
4. C'est un cadeau pour Madame Lafarge.

b) Écoutez et soulignez le son [ã].

1. Je commence mes vacances le trente novembre.
2. La maman attend l'enfant dans la chambre.
3. Le château de Chambord a cinq cents ans.
4. Jean et Amanda passent beaucoup de temps ensemble.

B Complétez.

[a] peut s'écrire :
« a » exemples : *passe*, ……
« … » exemples : ……
« … » exemples : ……
« … » exemples : ……
[ã] peut s'écrire :
« … » exemples : ……
« … » exemples : ……
« … » exemples : ……
« … » exemples : ……
« … » exemples : ……

C Écoutez les phrases et cochez la case qui convient.

1.	☐ C'est gras.	☐ C'est grand.	4. ☐ Je cherche une râpe.	☐ Je cherche une rampe.
2.	☐ Deux bacs.	☐ Deux banques.	5. ☐ J'aime les chats.	☐ J'aime les chants.
3.	☐ Tu m'as.	☐ Tu mens.	6. ☐ Tu y passes ?	☐ Tu y penses ?

La francophonie

Le français a une place importante dans ces sept pays :
le Luxembourg, le Sénégal, le Canada, le Viêtnam, l'Algérie, Madagascar et Vanuatu.
Où se trouvent ces pays ? Quel est leur numéro sur la carte ?

Le Luxembourg : n° .....　　L'Algérie : n° .....　　Le Vanuatu : n° .....
Le Sénégal : n° .....　　Le Viêtnam : n° .....
Le Canada : n° .....　　Madagascar : n° .....

23 **Beaucoup d'écrivains ont choisi le français pour écrire.**
Lisez les trois textes et répondez à ces questions :
Qui sont les personnages du texte ?
Quel est le problème présenté ?

Associez les phrases des pays et régions francophones aux phrases équivalentes en français de France.

Pays / région	Phrase	Français de France
Louisiane	Il est smatte comme une tomate.	Il est intelligent.
Cameroun	Il ne faut pas motamoter.	Il travaille dans une station-service.
Sénégal	Il travaille à l'essencerie.	Il va venir avec sa petite amie.
Québec	Qu'est-ce que tu fais cette fin de semaine ?	Il va venir ce soir.
Belgique	Ça fait septante euros.	Il ne faut pas apprendre par cœur.
Côte d'Ivoire	Je t'ai absenté hier soir.	Je ne t'ai pas vu hier soir.
République Démocratique du Congo	Il va venir avec sa cava.	Le prix est de soixante-dix euros.
Niger	Il va venir aujourd'hui soir.	Qu'est-ce que tu fais ce week-end ?

Source pour les expressions africaines :
Visages du français, variétés lexicales de l'espace francophone
Ed. AUPELF UREF, Paris, 1990

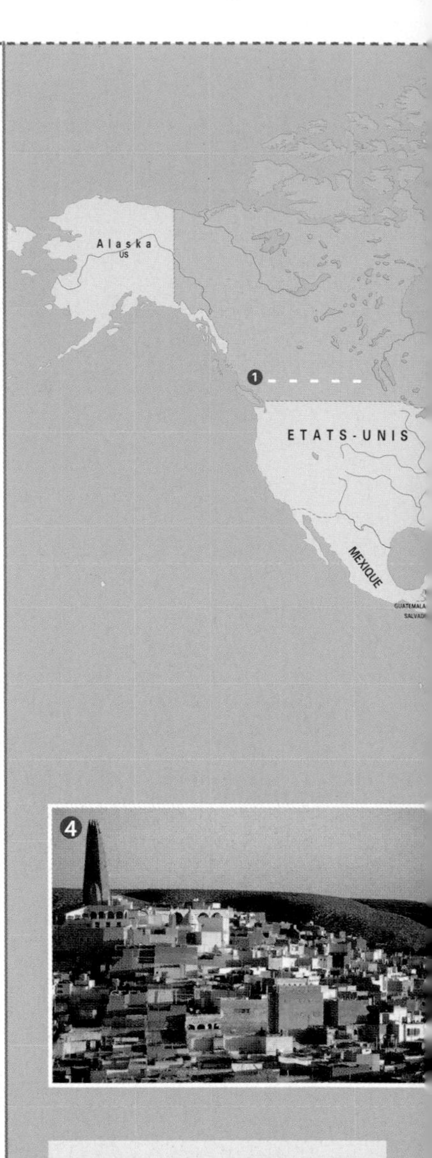

Moi, j'peux pas parler avec leurs enfants. J'parle pas en anglais pis eusses i' parlont pas français. Quand il app'lont icitte pour Chrissmusse, i'm'disont :
– Bonjour, Grom'mom, comment vou' est ?
Et moi, tout j'peux yeux répond' c'est :
– Hallo cher, Gramma's fine, an' y'all ?
C'est tout, Monsieur ! C'est tout j'peux dire à ces chers 'tits enfants que j'aime tant ! C'est mon sang qui coule dans leurs veines et j'sus pas capab' d'yeux montrer côment j'les aime.

Richard GUIDRY
(États-Unis d'Amérique)
C'est p'us pareil

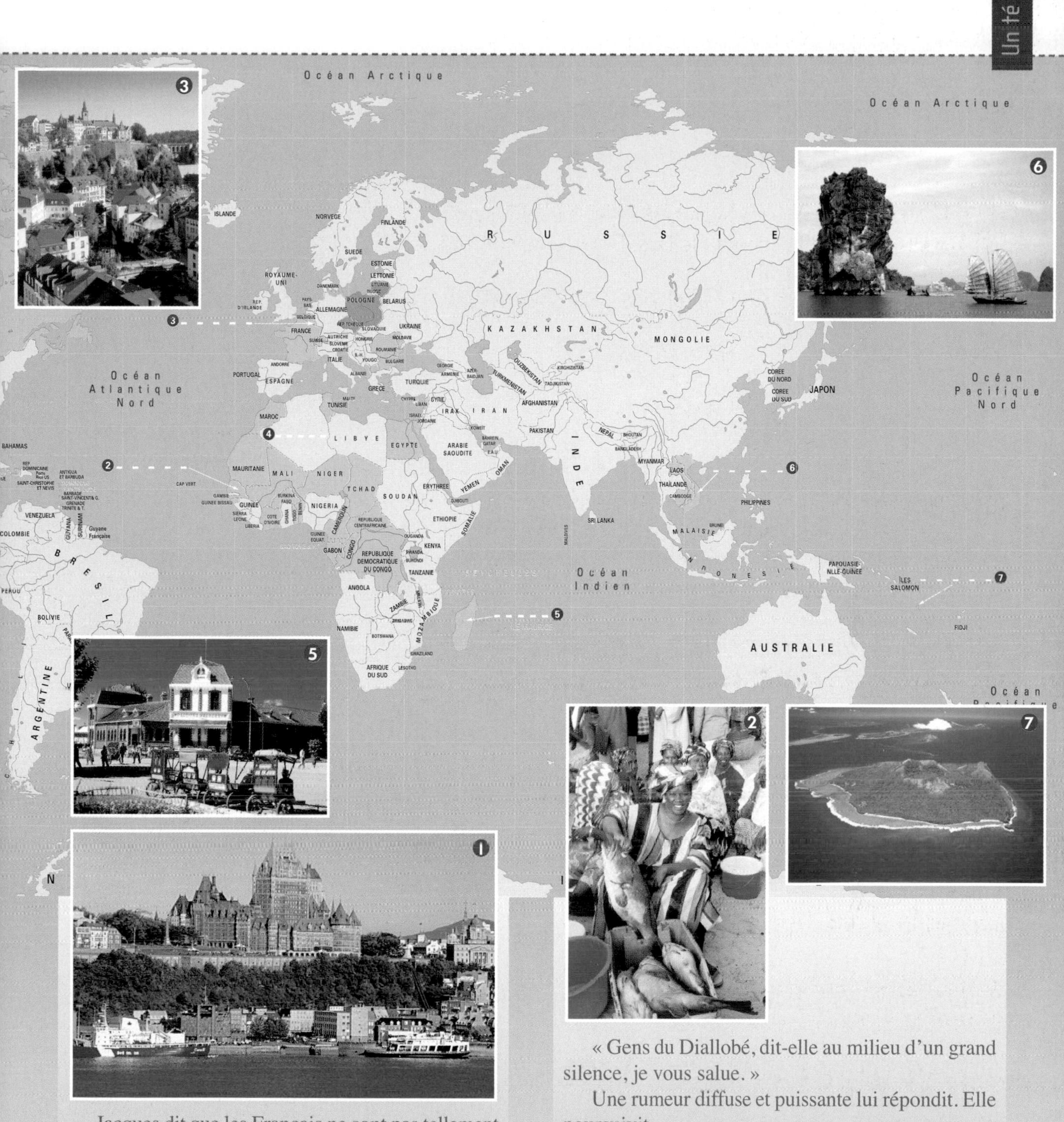

Jacques dit que les Français ne sont pas tellement vivables, parce qu'ils sont cartésiens. Ça n'est pas moi qui dis ça, c'est lui. Moi, je ne sais pas, j'en connais seulement deux Français de France, qui ont acheté des maisons ici, dans l'île, et quand ils viennent chercher au stand un « cornet » de frites, je leur vends un casseau de patates comme à tout le monde. C'est des drôles de gens, ils sont toujours pressés, faut que ça saute, ils sont faciles à insulter : il suffit de les regarder – du monde nerveux [...] Ils sont difficiles, c'est vrai, mais ils parlent bien, ils ont un accent qui shine comme des salières de nickel. Ça se mettrait sur la table à Noël, un accent comme ça, entre deux chandeliers.

Jacques GODBOUT (Canada)
Salut Galarneau

« Gens du Diallobé, dit-elle au milieu d'un grand silence, je vous salue. »

Une rumeur diffuse et puissante lui répondit. Elle poursuivit.

« J'ai fait une chose qui ne vous plaît pas, et qui n'est pas dans nos coutumes. J'ai demandé aux femmes de venir aujourd'hui à cette rencontre. Nous autres Diallobé, nous détestons cela, et à juste titre, car nous pensons que la femme doit rester au foyer. Mais, de plus en plus, nous aurons à faire des choses que nous détestons, et qui ne sont pas dans nos coutumes. C'est pour vous exhorter à faire une de ces choses que j'ai demandé de vous rencontrer aujourd'hui.

« Je viens vous dire ceci : moi, Grande Royale, je n'aime pas l'école étrangère. Je la déteste. Mon avis est qu'il faut y envoyer nos enfants cependant. »

Cheik Hamidou KANE (Sénégal)
L'aventure ambiguë

12 Je te retrouverai

Où que tu ailles
La Grande Sophie

Où que tu ailles je te retrouverai
Sans problème je te retrouverai
J'ai de l'odorat sans aucun doute
Ton odeur sera toujours sur ma route
Ta voix pareil dans mes oreilles
Ton bracelet sur mon poignet
Ton drap de bain dans ma salle de bain
Où que tu ailles je te retrouverai
Sans problème je te retrouverai

Là où tu iras j'irai où tu seras
Je tiendrai parole
Promis promis

Où que tu ailles je te retrouverai
Sans problème je te retrouverai

Au cas où tu appelles
Laisse tes coordonnées
Donne-moi de tes nouvelles
Qu'on soit toujours dans la confidence
Mais qu'est-ce qui t'a pris
Qu'est-ce que tu fais si loin si loin
Et si longtemps ?

Où que tu ailles je te retrouverai
Sans problème je te retrouverai
Où que tu ailles je te retrouverai
Sans problème je te retrouverai
Où que tu ailles
Promis promis

Paroles et musique : Sophie HURIAUX
Éditée par EMMA Productions

Oui ? Non ? C'est ça ?

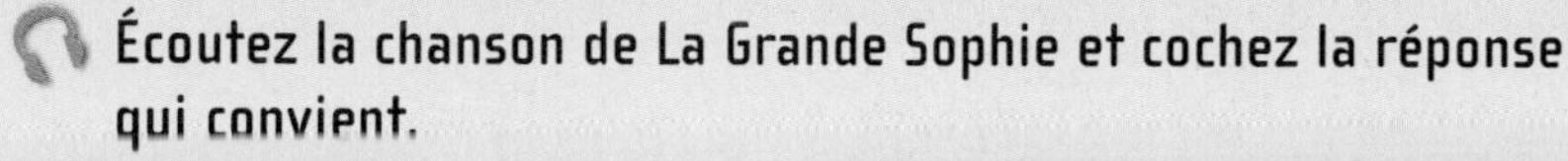

Écoutez la chanson de La Grande Sophie et cochez la réponse qui convient.

1. La Grande Sophie parle à :
- une amie.
- la personne qu'elle aime.
- quelqu'un de sa famille.

2. La Grande Sophie :
- peut aller dans tous les pays pour retrouver cette personne.
- ne porte plus le bracelet de cette personne.
- ne veut plus entendre la voix de cette personne.

3. La Grande Sophie sait bien que :
- elle ne va pas retrouver cette personne.
- elle va toujours retrouver cette personne.
- elle va avoir des problèmes pour retrouver cette personne.

1 Écoutez encore la chanson sans regarder le texte. Qu'est-ce qui permet à Sophie de penser à la personne qu'elle aime ? Retrouvez quatre éléments.

sa photo

ses lettres

sa montre

son bracelet

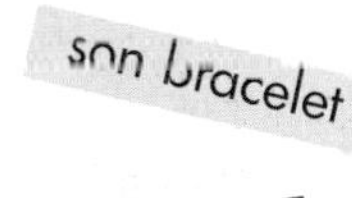

son drap de bain

ses lunettes

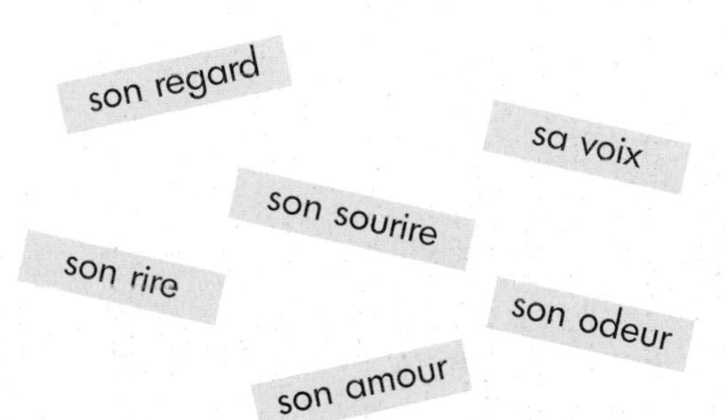

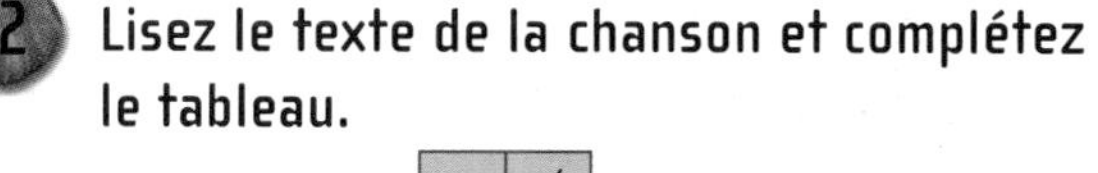

2 Lisez le texte de la chanson et complétez le tableau.

	=	≠	
1. sans aucun doute			peut-être
2. sans problème			c'est difficile
3. je tiendrai parole			promis
4. les coordonnées			l'adresse et le numéro de téléphone
5. qu'est-ce qui t'a pris ?			pourquoi tu as fait ça ?

3 a) Associez un verbe à chaque dessin.

a) goûter - b) voir - c) sentir - d) entendre - e) toucher

b) Associez chaque nom à un verbe de la partie a).

l'odorat - la vue - le toucher - l'ouïe - le goût

Outils

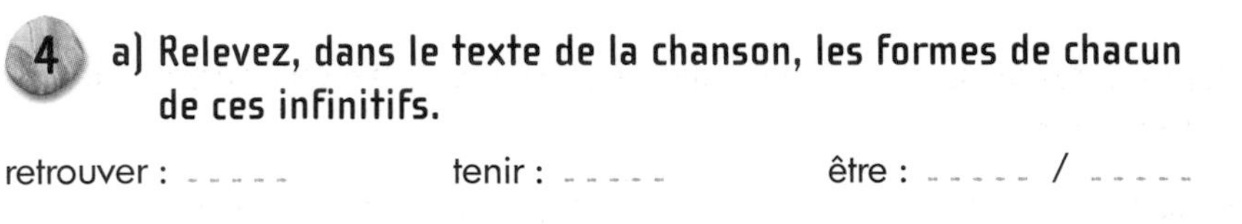

Le futur simple

4 **a) Relevez, dans le texte de la chanson, les formes de chacun de ces infinitifs.**

retrouver : ..... tenir : ..... être : ..... / .....

b) Retrouvez maintenant, dans la chanson, deux autres formes verbales qui se terminent de la même manière. À votre avis, à quel infinitif correspondent ces deux formes ?

....

....

c) Les formes que vous avez relevées expriment des actions :

☐ passées ☐ présentes ☐ futures

5 **Lisez le tableau, puis complétez la liste.**

le futur simple

Il se forme sur l'infinitif.

je manger**ai**	nous manger**ons**
tu manger**as**	vous manger**ez**
il/elle/on manger**a**	ils/elles manger**ont**

NB : sauf pour certains verbes comme *être (je serai), avoir (j'aurai), pouvoir (je pourrai)*, etc.
Remarque : les verbes en -re perdent le « e » final
je prendrai - il comprendra

être	je serai	nous serons	vous .....
avoir	tu auras	on	ils .....
pouvoir	je	elle pourra	vous .....
devoir	tu	nous	elles devront
vouloir	je voudrai	tu	on .....
aller	j'.....	tu	nous irons
venir	je	il viendra	vous .....
faire	tu feras	on	ils .....
il faut	il faudra		

Parler de l'avenir

8 **Écoutez et dites si ces personnes parlent du passé, du présent ou de l'avenir.**

	1	2	3	4	5	6	7	8
parle du passé								
parle du présent								
parle de l'avenir								

parler de l'avenir
- *Demain, nous partons en vacances. (présent)*
- *Mon frère va venir en France en mars. (futur proche)*
- *Quand je serai grand, je serai footballeur ! (futur simple)*

9 **Lisez l'encadré, puis, par groupes de deux, jouez la scène.**

Vous allez voir une voyante pour connaître votre avenir. Elle vous parle de vos études, de votre futur travail, de vos amours, de vos voyages...

6 Mettez les verbes au futur dans ce dialogue entre une petite fille et son père.

– Moi, quand je (être) ..... grande, je (vivre) ..... très loin, dans un autre pays.
– Ah bon ? Et tu (aller) ..... comment dans ce pays ?
– Ben, je (prendre) ..... l'avion et après, je (aller) ..... sur un très gros bateau pour traverser la mer.
– Et il s'appelle comment, ce beau pays ?
– La Matagolie ! On ne (travailler) ..... jamais, on (rester) ..... à la maison pour jouer et il (faire) ..... toujours beau.

7 Vous êtes un groupe d'amis. Vous organisez un petit dîner samedi soir. Chaque personne participe à la préparation. Remplacez le futur avec *aller* par le futur simple.

Exemple : Sébastien va téléphoner à son frère.
→ Sébastien téléphonera à son frère.

1. Sophie va préparer une entrée.
2. Stéphane va apporter du vin.
3. Isabelle et Mathilde vont faire une galette des rois.
4. Mathias va s'occuper de la musique.
5. Gaétan et Pascal vont installer les tables.
6. Fabrice et Lise vont décorer la salle.
7. Et moi, je vais venir les mains dans les poches !

10 Lisez les deux premières résolutions et choisissez parmi les propositions les phrases qui conviennent pour compléter le tableau.

Quand une nouvelle année commence, on prend souvent de bonnes résolutions.
Comment évoluent ces résolutions d'une année à l'autre ?...

	en 2002	en 2003	en 2004
1	Je lirai 20 bons livres par an.	Je lirai 5 livres par an.	Je finirai le livre que j'ai commencé en 2003.
2	Je ferai un régime pour peser 80 kg.	Je ne dépasserai pas 85 kg.	J'essaierai de ne pas dépasser 90 kg.
3	.....	Je serai un excellent secrétaire.	.....
4	.....	.....	Je n'emprunterai plus d'argent à personne en 2005.
5	Je ferai un beau voyage à Tahiti avec Nathalie.	.....	.....

- J'emprunterai moins d'argent à mes parents et à mes amis.
- Je serai un très bon directeur.
- On fera un beau voyage sur la Côte d'Azur en juillet.
- Je n'emprunterai plus d'argent à mes parents.
- On ira chez mes parents, à Lille, pendant les vacances.
- Je ferai beaucoup d'efforts pour ne pas perdre mon travail.

Quel temps fait-il ?

11 Relevez les expressions qui se rapportent au temps qu'il fait.

le ....
les ....
il ....
il .....

parler du temps
Il fait/il fera
– beau/mauvais.
– chaud/froid.
– doux/frais.
Il fait/il fera
– 20 degrés (20°).
– moins 5 degrés (-5°).
Le temps est/sera
– beau/mauvais.
– frais/doux.
Il y a/il y aura du soleil/du vent/des nuages.
Le vent souffle/soufflera fort.
Le soleil brille/brillera.
Il pleut/il pleuvra.
Il neige/il neigera.

12 Écoutez le bulletin météorologique, puis complétez la carte à l'aide des symboles.

13 a) Décrivez, par écrit, le temps qu'il fait chez vous aujourd'hui.

b) Décrivez oralement le temps que vous imaginez pour demain.

Exprimer des souhaits

14 Les verbes de ces phrases sont au subjonctif. Observez le tableau puis complétez les minidialogues en mettant les verbes proposés au subjonctif.

le subjonctif : formation

– Pour écrire le subjonctif avec *je, tu, il, elle, on, ils, elles,*
- prenez le verbe au présent avec *ils* : ils viennent
- enlevez -ent : **vienn**~~ent~~
- ajouter *e, es, e, …ent* (je vienn**e**, tu vienn**es**, il vienn**e**, … ils vienn**ent**)

– Pour écrire le subjonctif avec *nous* et *vous,*
- prenez le verbe au présent avec *nous* : nous venons
- enlevez -ons : nous **ven**~~ons~~
- ajouter *-ions* et *-iez* (nous ven**ions**, vous ven**iez**)

Je voudrais qu'il revienne.

Cette année, j'aimerais bien qu'on parte *en vacances sous le soleil !*

1. – Je veux que vous (finir) ..... ce travail aujourd'hui.
   – Mais, il faut qu'on (écrire) ..... tout le dialogue ?
   – Non, je voudrais que vous le (préparer) ....., puis que vous le (jouer) ..... devant la classe.

2. – Pierre voudrait que tu (venir) ..... à son anniversaire.
   – J'aimerais bien qu'il me le (dire) ..... ! Pourquoi c'est toi qui m'en parles ?
   – Je ne sais pas...

15 Observez le tableau, puis complétez le texte avec les verbes suivants à la forme qui convient : répondre - aller - dire - organiser - connaître.

Flora,
Il faut que tu ..... au message de Marco. Il voudrait que tu ..... chez lui à Angers pour le week-end de Pâques et il aimerait bien que tu lui ..... oui ou non parce qu'il faut qu'il ..... une petite fête pour que tu ..... ses amis.
Bisous.
Sophie

le subjonctif : emploi

On l'utilise après les expressions qui présentent quelque chose qui n'est pas « réalisé » :
Je **voudrais** que **tu viennes** avec moi.
Elle **veut** que **tu répondes** à sa question.
Il **aimerait** bien que **tu** lui **écrives**.
Il faut que nous nous levions très tôt.
Je te dis ça **pour que tu comprennes**.
etc.

phonétique

[o] (comme dans *eau*) et [ɔ̃] (comme dans *mon*)

A a) Écoutez et soulignez le son [o].

1. Oh ! J'ai mal au dos, c'est incroyable !
2. Tu veux beaucoup d'eau ?
3. C'est trop tôt pour acheter les journaux ?
4. Tu es trop nerveuse, Pauline !

b) Écoutez et soulignez le son [ɔ̃].

1. Ils sont très bons, ces petits en-cas.
2. J'ai répondu à son annonce.
3. Il s'est trompé dans son addition.
4. Ne parlons plus de cette question étrange.

B Complétez.

[o] peut s'écrire :
« o » exemples : *trop*, ...
« ... » exemples : ....
« ... » exemples : ....
« ... » exemples : ....

[ɔ̃] peut s'écrire :
« ... » exemples : ....
« ... » exemples : ....

C Écoutez les phrases et cochez la case qui convient.

	1	2	3	4	5	6	7	8
[o] (eau)								
[ɔ̃] (bon)								

Vous avez 1 nouveau message

Mes messages | Écrire | Répertoire | Options

<< messages précédents / messages suivants >

De : Marco Mangelli ‹ mangelli@etud.uco.fr ›
A : ‹ floty@laposte.net ›
Date : dimanche 5 juin 2005
Objet : Romain…

Cher Marco,

Une grande nouvelle : je suis amoureuse !!! Tu m'as raconté ton histoire avec Sophie, alors moi, je vais te parler de Romain ! Je l'ai rencontré à l'université. Lui, il est en 2e année d'allemand et c'est un ami de mon copain Franck.

Il est grand, châtain aux cheveux un peu longs. Il a de beaux yeux bleus et il porte des petites lunettes. Il est pas mal, enfin, c'est mon avis… mais surtout, c'est un garçon très doux et vraiment sympa.

Dans 10 jours, je vais à une fête chez lui. Je suis contente !!!

Tu vois, tout va très bien. Et toi, quoi de neuf ? Qu'est-ce que tu me racontes ? Je n'oublie pas mes amis fidèles et j'espère qu'on se verra bientôt. Je voudrais que tu viennes vite à Nice ; je te présenterai Romain… et puis, j'aimerais qu'on se voie un peu plus souvent, pas toi ? Je t'embrasse.

Flora

PS : Ma cousine Anita va faire des études de langues à Angers et elle a trouvé un appartement… en deux jours ! Elle a eu de la chance, non ?

16 **Lisez le message de Flora et répondez oralement.**

1. De qui est-ce que Flora est amoureuse ?
2. Qui est Franck ?
3. Quelles sont les qualités de Romain ?
4. Pourquoi est-ce qu'Anita a de la chance ?

décrire quelqu'un

Il/elle est :
- grand(e), petit(e).
- mince, gros(se), fort(e).
- jeune, vieux (vieille).
- blond(e), châtain, brun(e).

Il/elle a :
- les yeux noirs, marron, verts, bleus.
- un petit, grand nez.
- les cheveux courts, longs, raides, frisés.
- une moustache, une barbe.
- des lunettes.

Il/elle a l'air : sympathique, drôle, content(e), triste, timide…

Il/elle porte :
- un pantalon.
- une jupe, une robe.
- un pull, une chemise, un T-shirt, une veste.
- des chaussures noires, bleues…, des baskets.
- une casquette, un chapeau.

Décrire, caractériser une personne

17 **Observez les dessins. Écoutez les huit descriptions et indiquez le n° de l'enregistrement qui correspond à chaque personne.**

18 Rayez le mot qui ne convient pas.

1. Elle est brune, petite et elle a les (yeux / cheveux) bleus.
2. Sur cette photo, mon frère porte un pantalon gris, une chemise blanche et des (moustaches / chaussures) noires.
3. Jennifer Lopez ? Ah ! Oui, elle est très (châtain / jolie).
4. J'ai acheté des nouvelles (jupes / baskets) pour courir.
5. Tu vois bien avec tes nouvelles (lunettes / barbes) ?
6. Il sourit tout le temps, le copain d'Antoine ! Il a l'air (timide / drôle) !

19 Décrivez quelqu'un de votre groupe. Les autres essaient de deviner de qui vous parlez et donnent son prénom.

Exemple : – Elle est petite, châtain et porte des petites lunettes. Qui est-ce ?
→ – C'est Douha ?

Temps et durée

20 a) Observez ces deux phrases puis associez.

Dans 10 jours, il y a une fête chez Romain.
Elle a trouvé un appartement en deux jours !

en • • indique une durée.
dans • • indique une action future.

b) Utilisez les éléments pour écrire deux histoires courtes.

Exemple : cette année - bientôt - dans un an ; visiter - partir - découvrir
→ Cette année, nous ne partirons pas en vacances mais bientôt, nous visiterons toute l'Europe. Dans un an, nous découvrirons l'Amérique qu'on ne connaît pas.

1. en une semaine - dans un mois - l'année prochaine ; faire - aller - être
2. en une heure - dans quelques mois - dans une semaine - un jour, peut-être ; dîner - voyager - rentrer - comprendre

dans, en

Mon train part **dans** une heure.
Le TGV fait Paris-Marseille **en** trois heures.

21 Complétez ces minidialogues avec *dans*, *en*, *depuis*, *il y a* ou *pendant*.

1. – Tu as vu Michel hier ?
   – Ben, non ! Je l'ai attendu ..... une heure et il n'est pas venu !
   – Mais, il ne t'a pas téléphoné ?
   – Téléphoné ! Il ne m'a pas appelé ..... deux mois !
2. – ..... dix minutes, on s'en va. Dépêche-toi de finir ton travail !
   – T'es drôle, toi ! Faire cinq exercices de maths ..... dix minutes...
   – Dix minutes ? Tu as commencé ..... une heure !
   – Mais non, j'ai d'abord fait le français. Je fais les maths ..... seulement cinq minutes !
3. – Je n'ai pas vu Bruno ..... Noël. Il va bien ?
   – Oui. Il a été malade ..... deux semaines, mais ça va mieux. Ah ! La grippe...
   – Je vais lui téléphoner parce que je fête mon anniversaire ..... quelques semaines et je voudrais l'inviter.

Notre vie dans 50 ans

 **Lisez le texte et discutez en classe. Est-ce que ces informations vous étonnent ? Pourquoi ?**

 **Exprimez vos pronostics et vos souhaits : parmi tous ces domaines, quel est, à votre avis, le domaine qui connaîtra le plus de progrès ? Quel domaine aimeriez-vous voir se développer ? Pourquoi ?**

24 Écoutez les réponses des personnes interrogées et retrouvez ci-dessous les thèmes qu'elles citent.

1. Des organes qui se développent dans le corps pour pouvoir remplacer un organe malade (œil, etc.).
2. Des voitures silencieuses et qui respectent l'environnement.
3. De nouveaux vêtements jetables, recyclables.
4. Des plantes dans le métro pour assurer un air pur, comme en montagne.
5. Un avion spatial qui fait le tour du monde en une heure.
6. Des puces dans les vêtements qui informent les personnes quand il y a un danger.
7. Des tissus de vêtements intelligents qui changent de couleur quand on veut et s'adaptent à la température.

 **Lisez ces informations sur la France et imaginez ce qui se passera dans 20 ans pour ces domaines ou pour d'autres.**

La vie quotidienne en 2050 vue par les 18-25 ans

Des pronostics qui ne correspondent pas toujours aux attentes des jeunes.

Interrogés sur leurs pronostics[1] et leurs souhaits pour les 50 prochaines années, les jeunes de 18 à 25 ans vivant en France expriment avec force leurs attentes en matière de santé et, plus globalement, de qualité de vie.
Ces personnes qui construiront le monde de demain, pensent qu'on notera des progrès essentiels dans deux domaines : la communication et la santé.
On note également que les souhaits d'innovation[2] des 18-25 ans ne sont pas forcément équivalents à leurs pronostics. En effet, quand on les interroge sur les domaines dans lesquels ils souhaiteraient voir les plus grands progrès, ces mêmes personnes citent d'abord celui de la santé et de l'hygiène (40 % des réponses), suivi de l'environnement (26 % des réponses). La communication (5 %) n'arrive qu'en 5e position avec l'alimentation !
Il semble donc que les jeunes distinguent bien l'essentiel, ce qui touche à la vie de chacun, et le superficiel, les technologies de l'information et de la communication (TIC), par exemple.

La santé et l'environnement

Les pronostics et les souhaits semblent se rejoindre en ce qui concerne les projets d'inventions. Par exemple, 38 % des personnes interrogées pensent que de nouvelles cultures d'organes dans le corps humain seront possibles, et 37 % le souhaitent.
Autre exemple touchant au domaine de l'environnement : 23 % pensent que dans les 50 prochaines années, on développera de nouvelles voitures non polluantes et 24 % le souhaitent.
Pour finir, il peut être intéressant de noter que les attentes en matière de santé et d'hygiène touchent surtout les femmes (48 % contre 33 % chez les hommes) et la population la plus âgée de la tranche d'âge interrogée.

1. *jugement, idée sur ce qui va arriver.*
2. *chose nouvelle, inconnue qui apparaît pour faire évoluer un domaine (innovations scientifiques, techniques)*

AUJOURD'HUI...

Le constructeur est maintenant très prospère et il a racheté Nissan.

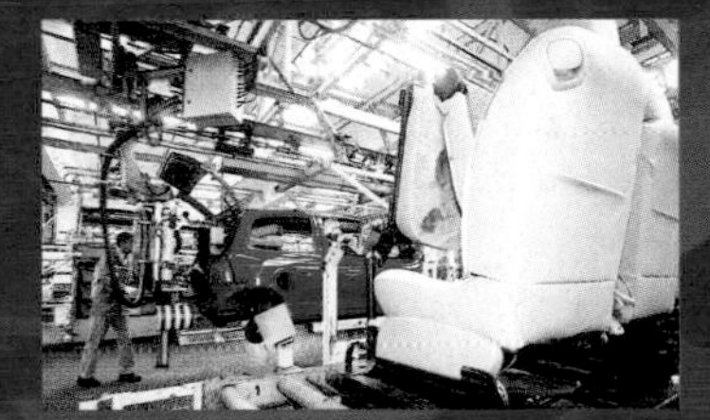

Cette invention est complètement dépassée par l'internet.

Seuls 4 % des logements restent insalubres.

IL Y A 20 ANS... / **AUJOURD'HUI...**

16 000 personnes travaillent dans les mines de charbon. ▶▶ Les principales mines sont fermées et il reste seulement quelques centaines de travailleurs.

On écoute la musique sur des disques vinyles. ▶▶ Plus de 60 % des foyers français ont un lecteur de CD.

Le train met 8 heures pour faire Paris-Marseille ▶▶ Avec le TGV, il faut 3 heures pour aller de Paris à Marseille.

Le centre des villes compte beaucoup de petits magasins. ▶▶ Le petit commerce meurt peu à peu face aux hypermarchés.

Autoévaluation • 4

Comptez 1 point par phrase correcte.
Vous avez...
- 5 points : félicitations !
- moins de 5 points, revoyez les pages 112, 113 de votre livre et les exercices de votre cahier.

Je peux utiliser les verbes pronominaux (*se lever, s'habiller...*)

1 Écrivez les verbes entre parenthèses à la forme qui convient.

1. Hier matin, Sylvie (ne pas se réveiller) ..... et elle est arrivée en retard.
2. Entrez Madame Lecomte et (s'asseoir) ..... !
3. Vos enfants (se coucher) ..... tard, le soir ?
4. (ne pas s'en faire) ....., je vais t'aider.
5. Julien n'est pas venu la semaine dernière et vous (ne pas s'inquiéter) ..... ?

Comptez 1 point par phrase correcte.
Vous avez...
- 5 points : félicitations !
- moins de 5 points, revoyez les pages 116, 117 de votre livre et les exercices de votre cahier.

Je peux poser une question sous une forme soutenue

2 Transformez les questions comme dans l'exemple.

Exemple : Tu es allé où ? → Où es-tu allé ?

1. Il habite où ?
2. Pourquoi tu n'as pas voulu venir ?
3. Ils partent quand au Mexique ?
4. À quelle heure il va arriver à Paris ?
5. Vous lui avez parlé ?

Comptez 1 point par phrase correcte.
Vous avez...
- 5 points : félicitations !
- moins de 5 points, revoyez la page 121 de votre livre et les exercices de votre cahier.

Je peux utiliser les verbes de déplacement (*aller, partir, sortir...*)

3 Rayez le verbe qui ne convient pas.

1. Aurélie veut (partir / quitter) Paris pour aller dans une ville plus calme.
2. Je pars en vacances au Brésil le 17 juin et je vais (retourner / revenir) le 30.
3. On a beaucoup de travail : le soir, je (entre / rentre) chez moi vers 21 heures.
4. Vous êtes ici depuis le 1er octobre ! Et quand est-ce que vous allez (rentrer / revenir) dans votre pays ?
5. Bon, chéri, je (vais / pars) ! À ce soir !

Comptez 1 point par phrase correcte.
Vous avez...
- 4 points : félicitations !
- moins de 4 points, revoyez la page 126 de votre livre et les exercices de votre cahier.

Je peux comparer

4 Regardez les informations sur ces deux femmes et complétez les phrases.

a Madame Devanne
Âge : 34 ans
Enfants : deux filles
Adresse : 12, rue Curie, Toulon

b Madame Girard
Âge : 31 ans
Enfants : deux filles
Adresse : 7, rue Cuvier, Toulon

1. Madame Devanne et Madame Girard ..... .
2. Elles habitent dans ..... ville.
3. Madame Girard est ..... jeune.
4. ..... Madame Devanne, Madame Girard a deux filles.

Je peux décrire une personne

5 Associez les phrases de gauche aux phrases de droite.

1. Elle a 89 ans.
2. Elle n'est pas grosse.
3. Elle connaît beaucoup de choses.
4. Elle porte de jolis vêtements.
5. Elle ne voit pas très bien.
6. Elle rit beaucoup.

a) Elle est cultivée.
b) Elle est heureuse.
c) Elle est mince.
d) Elle porte des lunettes.
e) Elle est vieille.
f) Elle est élégante.

1 ... 2 ... 3 ... 4 ... 5 ... 6 ...

Comptez 1 point par association correcte.
Vous avez...
– 6 points : félicitations !
– moins de 6 points, revoyez les pages 127, 136, 137 de votre livre et les exercices de votre cahier.

Je peux utiliser les indicateurs de temps

6 Complétez les phrases avec des indicateurs de temps : *dans, en, depuis, il y a* **ou** *pendant*.

1. Avec le TGV, on peut aller de Paris à Marseille ..... trois heures.
2. Je suis allé voir le film *Clarika*, ... une semaine. J'ai adoré !
3. Bah, alors, tu as vu l'heure ? Je t'attends ..... 20 minutes !
4. Le Portugal fait partie de l'Union européenne ..... 1992.
5. Vite, dépêche-toi, le train va partir ..... deux minutes !
6. Tu connais l'actrice Ludivine Sagnier ? On a pris le même avion pour aller à Mexico. On a parlé ..... tout le voyage.

Comptez 1 point par phrase correcte.
Vous avez...
– 6 points : félicitations !
– moins de 6 points, revoyez les pages 122, 123, 137 de votre livre et les exercices de votre cahier.

Je peux situer un événement dans le futur

7 Écrivez les verbes au futur simple.

1. Vous allez avoir beaucoup de problèmes. ....
2. Il va faire très chaud demain. ....
3. Tu vas venir avec nous ? ....
4. Après, on va aller dans le nord de l'Espagne. ....
5. Elle va être contente de vous voir. ....

Comptez 1 point par phrase correcte.
Vous avez...
– 5 points : félicitations !
– moins de 5 points, revoyez les pages 132, 133 de votre livre et les exercices de votre cahier.

Je peux exprimer des souhaits

8 Écrivez les verbes entre parenthèses à la forme qui convient.

1. J'aimerais que tu (venir) ..... demain.
2. Il faut que vous lui (écrire) ..... .
3. Elle voudrait que je (aller) ..... avec elle chez Anne-Marie.
4. Je téléphone à Marie pour qu'elle (dire) ..... à Lucien de venir.

Comptez 1 point par phrase correcte.
Vous avez...
– 4 points : félicitations !
– moins de 4 points, revoyez les pages 134, 135 de votre livre et les exercices de votre cahier.

➔ ***RÉSULTATS : .... points sur 40 points = ... %***

Épreuve de DELF unité A1

Oral 1 • unité A1

Vous allez entendre six annonces enregistrées dans un aéroport. Vous écouterez ce document trois fois.

- *première écoute : il n'y aura pas de pause entre les annonces. Écoutez bien, sans regarder les questions et sans prendre de notes ;*
- *vous aurez ensuite trois minutes pour lire les questions ;*
- *deuxième écoute : cette fois, vous aurez une minute après chaque annonce pour répondre aux questions ;*
- *troisième écoute : vous entendrez à nouveau les annonces, sans pause. Vous aurez encore cinq minutes pour compléter et relire vos réponses.*

Répondez aux questions en cochant la réponse exacte (☒), ou en écrivant l'information demandée.

NB : vous devez noter les numéros ou les heures en chiffres.

Annonce 1 :

vol n°	va à	heure de départ	porte n°
....	1. .... 2.	....	....

Annonce 2 :

vol n°	va à	heure de départ	porte n°
....	....	....	....

Ce vol est : ☐ retardé ☐ avancé ☐ supprimé.
Pour des raisons ☐ météorologiques ☐ techniques ☐ on ne sait pas.

Annonce 3 :

N° du vol : .... Nom de la ville : ....
Ce vol ☐ va partir ☐ va arriver ☐ est arrivé.
Les passagers doivent aller au comptoir pour ☐ embarquer.
☐ passer le contrôle de police.
☐ prendre leurs bagages.

Annonce 4 :

Ce vol ☐ va partir ☐ va arriver ☐ est arrivé.
Monsieur Leroy est ☐ un passager.
☐ un membre de l'équipage.
☐ un agent de l'aéroport.
Il doit ☐ descendre de l'avion. ☐ monter dans l'avion. ☐ changer d'avion.

Oral 2 • unité A1

Vous êtes depuis une semaine à Paris, où vous allez étudier un an à la Sorbonne. Vous rencontrez par hasard devant le Centre Pompidou, Yoko, une étudiante japonaise que vous connaissez un peu. Vous décidez d'aller prendre un café et vous parlez de votre nouvelle vie (logement, cours, loisirs, amis...).

L'examinateur joue le rôle de l'étudiante japonaise.

Écrit 1 • unité A1

« Tout va mal. » Vous êtes allé(e) consulter une voyante. Vous écrivez à un(e) ami(e) pour lui raconter ce que la voyante vous a dit sur votre passé, votre présent et votre avenir. Vous êtes très satisfait(e) : vous conseillez à votre ami(e) de la consulter à son tour, et vous lui donnez son adresse. (100 mots environ)

Mémento

Transcriptions

Unité 1

Bonjour !

● **Activité 1 : p. 9**

dialogue 1
– Bonjour, Valérie, ça va ?
– Bonjour. Ça va, et toi ?

dialogue 2
– Bonjour, François.
– Bonjour, Corinne. Asseyez-vous.
– Merci.

dialogue 3
– Bon, salut, tu me téléphones ?
– Oui, oui.

dialogue 4
– Madame Benghellab, s'il vous plaît.
– Oui, vous êtes ?
– Jocelyn Ouvrard

dialogue 5
– Allo.
– Amélie ?
– Oui.
– C'est Vincent.
– Ah, salut, Vincent, ça va ?
– Ça va, et toi ?

Dialogue 6
– Eh, salut Cora !
– Bonjour, Antoine, ça va ?
– Ça va, et toi ?
– Hum, ça va !

● **Activité 5 b) : p. 10**

– Oui, et vous êtes ?
– Je m'appelle Joana WAWRZYN
– Oui. Ça s'écrit comment ?
– Joana : J.O.A.N.A. ; WAWRZYN : W.A.W.R.Z.Y.N.
– Merci.

● **Activité D : p. 15**

a) coucou - nana - poil - boule - boîte - bouche - mouchoir - couloir - moustache - Canada - abracadabra - Ouagadougou

Unité 2

Rencontres

● **Activité 5 : p. 20**

1. Celsio est portugais. Alcina est portugaise.
2. Jimmy est australien. Jessie est australienne.
3. Il est marocain. Elle est marocaine.
4. Thilo est allemand. Monika est allemande.
5. Pablo est espagnol. Mercedes est espagnole.
6. Edmund est polonais. Renata est polonaise.

● **Activité 7 b) : p. 20**

1. Tu as 18 ans ?
2. 15 euros, s'il vous plaît !
3. Air : 19 degrés ; eau : 16 degrés.
4. Eh oui ! J'ai 13 ans aujourd'hui !
5. Le train est quai numéro 11.
6. Tu travailles 18, avenue des Champs-Élysées ?
7. Voilà 12 roses pour vous.
8. Oh… 10 kg, s'il vous plaît.

● **Activité 9 : p. 22**

Salut ! Moi, c'est Laura Zanelli. J'ai 23 ans ; je suis née en Italie, et j'apprends le français à Paris. J'aime beaucoup Paris !

● **Activité 14 : p. 24**

– Bonjour madame ! je suis journaliste et je fais un reportage sur les Français et le travail. Vous acceptez de répondre à mes questions ?
– Oui, mais moi, le travail…
– Bon, d'abord, vous vous appelez comment, madame ?
– Guilaine. Guilaine Letourneur.
– Très bien. Et vous avez quel âge ?
– Quel âge ! 69 ans, monsieur !
– Très bien.
– Vous habitez où ? À Paris ?
– Non, à Neuilly…
– Merci. Alors, première question : le travail, pour vous, c'est quoi ?
– Oh…

● **Activité D : p. 25**

1. six	5. salut
2. Lille	6. portugais
3. tu	7. dix-sept
4. merci	8. numéro

● **Activité 15 : p. 26**

1. Le Portugal	7. l'Inde
2. La Chine	8. le Liban
3. l'Irlande	9. la Slovénie
4. le Brésil	10. la Norvège
5. la Grèce	11. le Japon
6. la Hongrie	12. le Mali

Unité 3

100 % questions

● **Activité 9 : p. 31**

Préfecture de Nancy, bonjour ! Nos bureaux sont ouverts de 9 heures à 13 heures et de 14 heures à 18 heures. Pour les passeports, rendez-vous au bureau 321 avec deux photos et un timbre fiscal à 60 euros. Merci.

● **Activité 11 : p. 32**

Animateur : Emma, Pierre, voici les questions en pagaille : la télévision ?
Emma : Beuh… Non. Je déteste ça !
Pierre : Moi, je regarde beaucoup la télévision : les nouvelles et le sport.
Animateur : Les voyages ?
Pierre : Moi, je voyage beaucoup en Europe et en Asie. J'adore voyager !
Emma : Moi, j'aime bien la France et j'aime être à la maison avec ma famille. Non, je ne voyage pas.

● **Activité 12 : p. 32**

1. Le base-ball ? Ah ! Non, je n'aime pas du tout.
2. Super ! J'adore le théâtre !
3. Ah ! Oui, j'aime beaucoup le cinéma italien.
4. Beurk… Je déteste l'école !
5. Moi, j'aime bien Shakira. Et toi ?
6. Ah ! Non, alors ! J'ai horreur du jazz !

● **Activité D : p. 33**

1. beaucoup	5. pour
2. littérature	6. une
3. joueur	7. écoutez
4. musique	8. université

● **Activité 21 : p. 36**

– *Questions en pagaille*, ah ! oui, j'adore ! C'est intéressant. On apprend beaucoup de choses. Je regarde tous les jours *France 3* à 19 h 40 !
– Je n'aime pas du tout le magazine *Reportage* à 20 h 50 sur M6. C'est ennuyeux et toujours pareil !
– *C'est la vie*, c'est à 22 h 05 sur France 2. C'est une émission de variétés et moi, j'aime chanter ! Ah ! Ouais, j'aime bien *C'est la vie*...
– Ah ! non, j'ai horreur des films d'épouvante. Moi, je ne regarde pas *l'Exorciste* sur Canal + à 22 h 25 !

Unité 4

Enquête

● **Oui ? Non ? C'est ça ? : p. 43**

Bonjour Inspecteur Labille… Vous voulez trouver votre coupable ? Alors, écoutez bien… Vous allez poser une seule question à trois personnes : une à la serveuse du café Jade, une à la boulangère de la rue Racine et une au marchand de journaux de la rue Lobineau. Ensuite, allez place Saint-Michel… Là, vous allez comprendre… Oui, comprendre tout ! D'accord Monsieur Labille ? Bonne chance !

● **Activité 1 : p. 43**

1. – Mais où sont Paul et Philippe ?
   – Là ! Ils arrivent !
2. Pierre et Anna ? Ils habitent dans ma rue !
3. Nous allons au restaurant avec ma famille. Je suis content !
4. – C'est qui ?
   – Laura et Paola, des amies. Elles sont italiennes.

● **Activité 4 : p. 44**

1. Toi, t'aimes bien aller au restaurant ?
2. Vous allez lire les questions et répondre.
3. Je voudrais trois billets pour le concert de Marc Lavoine, s'il vous plaît.

4. On va au restaurant ce soir. D'accord ?
5. Vous pourriez répéter la question, s'il vous plaît ?
6. C'est vrai ? Vous avez horreur du sport ?
7. Est-ce que tu viens au cinéma avec nous ?
8. Vous voulez bien parler français ? Travaillez !

- **Activité 10 b) : p. 46**

1. Ouh… J'ai sommeil… Je vais dormir un peu !
2. Oh là là, j'ai chaud…
3. Ah ! J'ai soif, je voudrais de l'eau…
4. 1 000 euros ? !! vous avez de la chance !
5. Hum… J'ai envie de gâteau au chocolat, c'est fou !
6. Mm... ! Un bon sandwich ! J'ai faim !
7. Bouh… J'ai froid. Je n'aime pas le mois de février…
8. S'il vous plaît, j'ai besoin d'argent …

- **Activité D : p. 47**

1. question	5. message
2. désolé	6. difficile
3. télévision	7. saluer
4. propose	8. bise

- **Activité 21 : p. 50**

1. Bonne année ! Et bonne santé !
2. Nous sommes sur les Champs-Élysées pour le défilé …
3. Oh ! Maman, regarde ! Des… Des cadeaux partout !
4. Deux euros le muguet ! deux euros…
5. Un œuf au chocolat noir… Voilà ! Alors, 7,90 euros, s'il vous plaît.
6. Hum… elle est super bonne, cette galette !

Unité 5

Invitations

- **Activité 1 : p. 53**

Bonjour Ali. C'est Élodie.
Bon, évidemment, je tombe sur ton répondeur.
Euh… Et moi, mon portable ne marche pas et je sais pas pourquoi.
Alors. Pour vendredi, euh… J'aime bien Frandol mais j'aime pas beaucoup le Trois-mâts : les gens fument dans la salle, c'est insupportable !
Bon, sinon, d'accord pour le film de Polanski. On dîne avant ? On peut aller à Ta Taverne pour manger une flammekueche, non ? C'est juste à côté du cinéma. Ça te dirait ? Euh… si tu veux, je vais chez toi à huit heures, on mange et on va au cinéma à 10 heures 30. D'accord ? Ça marche ? Je te rappelle. Salut. À plus.

- **Activité 5 : p. 54**

1. huit heures quarante
2. dix heures et quart
3. dix heures et demie
4. onze heures moins le quart
5. midi moins le quart
6. midi
7. midi et quart
8. minuit

- **Activité 7 : p. 54**

sept heures trente
onze heures moins dix
quatorze heures quarante
midi et demie
minuit moins le quart
dix-sept heures quinze
quatre heures moins vingt
huit heures et quart

- **Activité 10 : p. 55**

Tristan : Allo, Camille.
Camille : Oui.
Tristan : Bonjour. C'est Tristan.
Camille : Bonjour, ça va ?
Tristan : Ça va. Dis, je voudrais passer chez toi, demain.
Camille : Oh là là, demain ! Quand ?
Tristan : Le matin ?
Camille : Je suis à l'école de 8 heures à 11 heures.
Tristan : Et je ne suis pas libre à 11 heures. Tu es libre à midi ?
Camille : Non, je mange chez Caro. À 14 heures, je vois Julien, c'est important. À 4 heures, j'ai une réunion pour le sport. Après 6 heures ?
Tristan : Bah, je travaille jusqu'à 7 heures.
Camille : Est-ce que tu veux venir dîner à la maison ?
Tristan : Ah, bah, d'accord ! À quelle heure ?
Camille : 20 heures, ça va ?
Tristan : D'accord.

- **Activité C : p. 59**

1. ça marche	5. juin
2. manger	6. chance
3. chez toi	7. fâché
4. jeudi	8. agenda

Unité 6

À table

- **Activité 9 : p. 65**

1. – Bonjour. Je voudrais ce grand parapluie, s'il vous plaît.
   – Oui.
   – Il fait combien ?
   – Seize euros cinquante.
2. – S'il vous plaît madame, ça fait combien, trois cafés et un thé ?
   – Trois cafés, un thé… Alors, ça fait… sept euros.
3. – Ah ! oui, elle est belle cette voiture, mais elle coûte combien ?
   – Ah ! ça, je ne sais pas !
4. – S'il vous plaît, c'est combien, ça ?
   – C'est 12,20 euros.
   – Merci !
5. – Je vais prendre trois baguettes. Ça fait combien ?
   – 2,40 euros, s'il vous plaît.

- **Activité 17 b) : p. 67**

1. – Des enfants ? Non, je n'en ai pas.
2. – Tu as un euro ?
   – Non, j'en ai dix !
3. – Il y a des restaurants dans le quartier ?
   – Non, il n'y en a pas.
4. – Vous n'avez pas de travail ?
   – Si, j'en ai beaucoup !
5. – Du pain ? Oui, j'en ai.

- **Activité C : p. 69**

1. belge	5. beaucoup
2. poisson	6. bouteille
3. par	7. sympa
4. boisson	8. belle

- **Activité 24 : p. 70**

Antoine : Tu vas bien Laurie ?
Laurie : Ouais, toi aussi ?
Antoine : Ça va. Bon, je n'ai pas beaucoup de temps ; on choisit vite ce qu'on va manger.
Laurie : D'accord. Mm… Alors, moi je vais prendre l'entrée du jour et une omelette au jambon avec salade. Après, je pense que je vais prendre la mousse au chocolat. Elle est délicieuse ici…
Antoine : Pas de café ?
Laurie : Euh… non, je vais prendre un thé nature. Et toi, qu'est-ce que tu manges ?
Antoine : Ben moi, je vais prendre une salade de tomates et une truite aux amandes. Après, un petit café, et au travail !
Laurie : C'est tout ? Tu ne prends pas de dessert ?
Antoine : Non, je n'aime pas bien les desserts. Et puis, je n'ai pas très faim. Mais dis-moi, quoi de nouveau ?

Unité 7

Rallye

- **Activité 16 : p. 81**

– Bon, quand tu sors de la gare, prends la rue à droite.
– D'accord.
– Après, tu tournes, à gauche, dans la rue de Bordeaux.
– Rue de Bordeaux.
– Au bout de la rue, il y a le jardin des Plantes. Traverse le jardin.
– Oui…
– Tu arrives, en face, rue du Canal.
– De l'autre côté du jardin.
– Oui, juste après le jardin. Continue tout droit. Tourne à droite dans la deuxième rue, la rue St Jean.
– Rue St Jean.
– C'est là, au numéro 9.
– D'accord. Ah, et le code pour la porte ?
– C'est 354B.
– 354B. Très bien. À demain.

- **Activité C : p. 83**

1. découvrir
2. rivière
3. bus
4. voiture
5. librairie
6. problème
7. venir
8. boulangerie

Unité 8

Chez moi

- **Activité 4 b) : p. 87**

1. Je n'ai plus d'argent ; je dois en retirer.
2. (sirène de pompiers) Oh là là, il y a le feu près d'ici…
3. J'ai mal à la tête ; je vais acheter de l'aspirine.
4. J'ai écrit six lettres hier après-midi !
5. Paul a beaucoup de chance : il a gagné 200 000 euros la semaine dernière.
6. Il faut encore payer 89 euros pour deux mois. C'est cher, l'électricité !

- **Activité 13 : p. 90**

1. Présentez une pièce d'identité, s'il vous plaît.
2. Réservez par téléphone 08 47 800 800 ou sur www.mesvacances.com.
3. Attachez votre ceinture de sécurité.
4. Appuyer sur le bouton pour traverser.
5. École, ralentissez…
6. Péage ! Préparez 12 €.
7. Ne gênez pas la fermeture des portes.
8. Éteignez votre cigarette.

- **Activité A : p. 93**

1. demande - le - regarde - venir - me - dangereux - de - repas - ne
2. numéro - allé - téléphone - café - écouter - écrire - thé - entrée - né
3. même - très - fête - bière - chèque - être - chère - boulangère - préfère

- **Activité E : p. 93**

1. hôpital
2. bureau
3. meuble
4. seulement
5. studio
6. jaune
7. répondeur
8. leur ami

- **Activité 24 : p. 94**

Franck : Ce n'est pas notre travail, ça ! Pourquoi est-ce qu'on doit trier les déchets ?
Karine : Ben, c'est pour notre environnement, c'est bien normal de faire ça ! Il y a trop de déchets dans notre société de consommation. Bientôt, on ne va pas savoir quoi en faire !
Franck : D'accord, mais trois poubelles, tu ne trouves pas que c'est beaucoup ?
Karine : Non, je ne trouve pas. Ce n'est pas difficile : les objets en métal, en plastique et en papier dans la jaune et le reste dans la bleue. C'est simple ! Est-ce que tu sais qu'avec des bouteilles en plastique, on peut fabriquer des vêtements et qu'avec le verre on peut refabriquer du verre ?
Franck : Oui, oui… Mais pourquoi trier les déchets à la maison ?
Karine : T'es drôle, toi. T'as une autre idée ?
Franck : Oui. Chaque ville trie les déchets de ses habitants. C'est bien, ça peut donner du travail à beaucoup de personnes.
Karine : Mais qu'est-ce que tu dis ? Tu imagines combien ça peut coûter, ça ?
Franck : Non, je n'imagine pas. Je n'aime pas trier les déchets, c'est tout !
Karine : Oui merci, ça, j'ai compris !

Unité 9

Les vacances

- **Activité 2 : p. 97**

Olivia : Salut, petite famille ! Voilà, je vous présente Alexandre. Alors, Alex, voici Paul, mon père et ma petite maman, c'est Florence. Carla, ma tante et François, mon oncle. Leurs enfants : Philippe et Alice, ma jolie cousine. Là, voici Lise et mon petit frère Thomas. Viens ! On va voir mes grands-parents ; voilà mes deux grands-mères Jeanne et Louise et là, mon grand-père Alphonse. Mais où est papy Jacques ?
Le grand-père : Je suis là, ma chérie !
Olivia : Ah ! mon deuxième grand-père, Jacques. Papy, voici Alexandre !
Le grand-père : Bonjour, jeune homme.
Alexandre : Bonjour, Monsieur.
Florence : Bienvenue, Alexandre. Bon, maintenant, passons à table !

- **Activité 10 : p. 100**

– Tu vas où en vacances, cette année ?
– Je pars dans l'Aveyron, dans un petit village qui s'appelle Najac.
– L'Aveyron ? C'est où, ça ?
– C'est un département de la région Midi-Pyrénées. C'est au nord de Toulouse.
– Je vois… Et c'est bien ?
– J'espère. C'est un des plus beaux villages de France ; il y a un château et une église du XIIIe siècle, une magnifique fontaine…
– Mais, c'est très petit, non ?
– Oui, c'est petit. Il y a environ 800 habitants mais c'est très animé : beaucoup de fêtes, des concerts, un marché le dimanche matin.
– Bon, c'est bien. Et pour le sport ?
– On peut faire de l'équitation, de la randonnée… Ah ! Et tu sais quoi ?
– Non…
– On peut visiter un élevage d'autruches et déguster le foie gras que les éleveurs fabriquent.
– Mais, tu es déjà allée là-bas ?
– Non, mais mes amis Jean-Luc et Anne y sont allés l'été dernier et ils ont beaucoup aimé.

- **Activité 15 : p. 101**

1. – C'est vrai, tu pars au Népal ?
   – Non, j'arrive du Népal et je repars mardi en Afrique. Je vais en Tanzanie.
   – C'est pas mal, ton travail !
2. – Tu es français, Alban ?
   – Oui, je suis né en France mais mes parents viennent d'Algérie. Ils ont habité 30 ans en Algérie. Et toi ?
   – Tunisien. Mes parents sont arrivés de Tunisie en 1980 ; je suis né en 1979 à Tunis. Mon petit frère est né à Paris.
3. – Yann ? Il est en vacances. Il est aux États-Unis.
   – C'est drôle, j'arrive des États-Unis, j'ai passé une semaine de vacances à Chicago. Il est où, Yann ?
   – En Californie, je crois.

- **Activité 20 : p. 102**

– Tu as une grande famille, toi, Jean ?
– Ma famille ? Ah ! oui, elle est grande, trop grande ! J'ai des cousins à Lille, d'autres à Marseille, un frère en Auvergne, mais j'ai peu de famille ici, à Paris. Alors, tu vois, on n'est pas souvent tous ensemble. Mais, euh… je téléphone quand même beaucoup à mes parents, ils habitent en Bretagne mais eux, ils m'appellent peu. Ma sœur aussi est assez loin : elle habite à Orléans. Pour mes 30 ans, je prépare une fête et je vais inviter toute ma famille ; j'espère beaucoup que tout le monde va venir !

- **Activité A : p. 103**

1. père - 2. thé - 3. fête - 4. déjeune - 5. épeler - 6. boulangère - 7. février

Unité 10

Au jour le jour

- **Activité 19 : p. 117**

1. Je mange toujours dans un petit restaurant au bord de la route, près de Tours.
2. Lucas se lève toujours entre 6 et 7 heures.
3. Moi, je mets toujours deux heures pour me préparer le matin !
4. Natacha est à Dublin pour un mois.
5. Oh ! Mais ferme la porte ! C'est pas possible ! J'ai froid, moi !
6. Ma mère est très fatiguée ; j'espère qu'elle n'est pas malade.
7. Prends cette chaise, c'est la place de Pierre quand on mange tous ensemble.
8. Samedi et dimanche, je dois aller au bureau, j'ai trop de travail !

- **Activité A : p. 117**

1. Voilà une invitation !
2. Ils sont très fatigués.
3. Tu as faim ?
4. Il est anglais.

5. Oh ! Le beau chien !
6. Tu as un nouveau copain ?
7. Mais non, ce n'est pas vrai !

Unité 11

Roman

- **Activité 3 : p. 121**

François : Allo !
Julie : Bonjour, François.
François : Julie ! Tu es où, là ?
François : Pourquoi tu ne réponds pas au téléphone ?
François : Qu'est-ce que j'ai fait ?
François : Je voudrais te voir. Est-ce qu'on peut dîner ensemble ce soir ?
François : Quand est-ce qu'on peut se voir, alors ?
François : Chez Isabelle ? Bon, d'accord. À dimanche alors.

- **Activité 12 : p. 124**

Julie : Non, vraiment, il ne pense qu'à lui.
Isabelle : Non, c'est pas vrai. Il t'aime beaucoup, tu sais…
Julie : Tu te trompes ! Il ne m'aime plus.
Isabelle : Tu ne veux pas essayer de lui parler une fois encore ?
Julie : Non, j'en ai marre ! Je ne veux plus lui parler ! Et puis, je n'ai pas envie de rester à Paris, j'ai envie de partir.
Isabelle : Si François c'est fini, oui, c'est une bonne idée. Tu sais, Jérôme est à Marseille. Sa boîte cherche quelqu'un en ce moment.
Julie : Ah, oui ? Tu pourrais me donner son numéro de téléphone ?
Isabelle : Oui, oui, pas de problème ! Ne t'inquiète pas, on va trouver une solution.
Julie : Oui, enfin, je ne sais pas. Marseille… Je dois réfléchir…
Isabelle : Oui, voilà ! Tu réfléchis. Et tu dois te reposer un peu aussi.
Julie : Oui, tu as raison. Tu sais, je crois que, demain, je vais pas aller travailler.
Isabelle : Excuse-moi, je vais répondre…

- **Activité 13 : p. 124**

Julie : Non, là franchement, c'est insupportable !
François : Oh, hé, fais un petit effort.
Julie : Non, je ne suis pas d'accord. En plus, tu ne préviens jamais quand tu es en retard, on n'a plus le temps de sortir le soir, tu es toujours de mauvaise humeur… J'en ai marre !
François : Écoute, tu sais bien que c'est le travail. Là, il n'y a personne pour s'occuper du service des relations internationales… mais on va trouver quelqu'un, et bientôt ça va aller mieux.
Julie : C'est pas vrai. Tu as déjà dit ça, il y a trois mois et rien n'a changé !
François : Et puis, je suis bientôt en vacances… Là, on va avoir du temps pour nous.
Julie : Tu plaisantes ? Je ne veux pas avoir du temps seulement une fois par an pendant les vacances. C'est nul !
François : Enfin, essaie de comprendre…
Julie : Non, je ne veux plus essayer ! J'ai été très patiente, très gentille, je t'ai fait confiance, mais toi, tu n'as rien fait pour améliorer la situation ! Tu préfères ton travail. Moi, ça ne me plaît pas. Alors, c'est terminé, fini !

- **Activité 17 : p. 125**

1. – Euh, tu peux me prêter 50 euros ?
   – 50 euros, désolé, je n'ai plus d'argent.
2. – Ça vous dirait d'aller au Maroc, au mois de juillet ?
   – Au Maroc, hum, pourquoi pas, c'est une bonne idée !
3. – Alors vendredi, vous avez quitté le bureau à 3 heures, c'est ça ?
   – Absolument pas ! Je suis parti à 5 heures, comme d'habitude.
4. – Bon, Antoine, tu vas faire la vaisselle ?
   – Encore ! J'en ai marre ! C'est toujours moi !
5. – Bon, alors, est-ce que lundi, 14 heures, ça va ?
   – C'est parfait ! Je suis libre lundi !
6. – Non, je ne veux pas lui parler.
   – Tu as tort. Il faut essayer de comprendre où est le problème.

Unité 12

Je te retrouverai

- **Activité 8 : p. 132**

1. Tu es allé chez Louise à Marseille ?
2. On va au ciné, demain soir ?
3. Je suis fatiguée. Je vais au lit ; bonne nuit.
4. C'est génial, on va aller au musée d'art moderne !
5. C'est toi qui choisiras les prochaines vacances, d'accord ?
6. Tu as bien écouté, toi ? Moi, je n'ai rien compris !
7. Viens vite, on est en retard !
8. Je t'attends dimanche, ou je pars sans toi ?

- **Activité 12 : p. 134**

Il fera froid sur tout le pays avec de la neige dans l'est et sur les Alpes. Il neigera aussi dans la région de Clermont-Ferrand et il pleuvra dans le nord, à Lyon et dans la région de Bordeaux, où le vent soufflera très fort. Il y aura des nuages sur le centre et la région parisienne. Sur la Côte d'Azur, le soleil brillera mais les températures resteront fraîches pour la saison : 10 degrés à Marseille. En Corse, il fera beau, la mer sera calme et le soleil brillera.

- **Activité C : p. 135**

1. C'est mon pantalon.
2. Jean-Claude est en voyage en Mauritanie.
3. Pose les journaux sur le bureau.
4. Répondons aux questions…
5. Tu le trouves beau, ce tableau ?
6. Manon aime bien cette chanson.
7. Ton ami n'aime pas le poisson ?
8. Il y a de beaux châteaux près de Beauvais ?

- **Activité 17 : p. 136**

1. Elle est jeune. C'est une petite blonde, mince et très jolie. Elle porte une robe noire et un petit chapeau.
2. Il est petit, assez vieux et fort. Il a une moustache et des petites lunettes. Il a l'air drôle !
3. C'est un garçon châtain avec un pantalon bleu et des baskets. Il porte une casquette.
4. C'est Martine. Elle est petite, brune et a de longs cheveux frisés. Elle a de grosses lunettes.
5. Elle est blonde et mince. Elle a une jupe et un pull noirs. Elle a l'air timide.
6. C'est un jeune homme brun avec de grands yeux verts. Il a un pantalon bleu et une chemise grise.
7. Elle est petite et brune aux cheveux longs et raides. Elle porte un pantalon noir et une veste orange. Elle a des petites lunettes.
8. Il est châtain et il porte un pantalon noir et des baskets. Il a l'air sportif.

- **Activité 24 : p. 138**

Aujourd'hui, notre micro-trottoir porte sur deux questions très simples : quelle invention sera une réalité dans la vie quotidienne en 2050 et quelle invention souhaitez-vous voir en 2050 ? Madame ?

– Marlène Davani, 45 ans. Moi, je pense que nous aurons des voitures écologiques et qu'on pourra enfin respirer ! Mes souhaits ? Euh… Qu'on puisse remplacer un organe malade par un organe sain.
– Christophe Saint-Marc, 31 ans. Moi, j'aimerais qu'on respire un air pur dans le métro ! Ce que nous aurons dans 50 ans, ce sont des vêtements faciles qui seront chauds ou légers selon les saisons et qui pourront changer de couleur.
– Je m'appelle Ana Martinez et j'ai 22 ans. Moi, je pense qu'on pourra remplacer des yeux qui ne voient plus par de très bons yeux ou alors un foie malade par un autre foie. Il y aura moins de personnes malades dans le monde. J'aimerais… Qu'est-ce que j'aimerais… ? Ah ! oui, j'aimerais qu'on puisse découvrir la planète très vite, qu'on aille partout dans le monde en quelques heures… Ah ! ouais, génial, non ?

Corrigés des autoévaluations

Autoévaluation 1 • page 38

1 1. s'il vous plaît - 2. et toi - 3. vous allez bien - 4. désolée ; excusez-moi

2 phrases 2, 4, 5, 6.

3 1. Tu t'appelles comment ? - 2. Quelle est ton adresse électronique ? - 3. Tu as quel âge ? - 4. Tu habites où ? - 5. Quelle est ta nationalité ? - 6. Quel est ton numéro de téléphone ?

4 J'ai horreur de < **je déteste** < je n'aime pas du tout < **j'aime bien** < j'aime beaucoup < **j'adore**

5 zéro, cinq, dix, **quinze**, **vingt**.
soixante-dix, **soixante**, cinquante, **quarante**, trente.
soixante-neuf, **soixante et onze**, soixante-treize, soixante-quinze.

6 (~~ta~~ - ton - ~~vos~~) - (mon - ~~ma~~ - ~~ta~~) - (~~ta~~ - ~~vos~~ - votre) - (ses - ~~vos~~ - ~~son~~)

7 a) 1. tu - 2. il - 3. tu - 4. vous - 5. j'
b) Elle **s'appelle** Cristina et elle est panaméenne. Elle **a** 30 ans et elle **apprend** le français à Lyon. Elle **est** mariée avec un professeur de français. Ils **habitent** à Valence.

8 (~~australien~~ - belge - italienne) - (espagnole - ~~grec~~ - mexicaine) - (allemand - suisse - ~~grecque~~)

Autoévaluation 2 • page 72

1 1. Je te propose d'aller au cinéma. / Est-ce que tu veux aller au cinéma ? / Tu aimerais aller au cinéma ? / Un cinéma, ça te dirait (ça te dit) ? / Ça te dirait d'aller au cinéma ? etc.
2. (C'est) D'accord. / Ça marche. / Avec plaisir. / Ça ne te dérange pas ? / Merci de ton invitation. / Je te remercie de ton invitation. etc.
3. Ça ne me dit rien. / Je dois travailler. / Je n'ai pas envie. / C'est impossible. / Je ne peux pas. etc.

2 ~~– Oui, c'est noté.~~ / – Oui, quel jour ? / ~~– Ce n'est pas possible, je travaille le lundi.~~ – Ça marche ! / ~~– Vous voulez un rendez-vous ?~~ / ~~– Vous êtes libre à 10 heures ?~~

3 1. Est-ce que - 2. combien - 3. Qu'est ce que 4. coûte - 5. Est-ce que

4 1. (~~trop de~~ - un verre de - ~~un morceau de~~) - 2. (pas - ~~peu~~ - ~~un peu~~) 3. - (trop - ~~assez~~ - ~~un kilo~~). 4. - (~~du~~ - ~~de la~~ - de l')

5 1. des ; un ; des - 2. les ; le

6 1. peux - 2. prenez - 3. ont - 4. bois - 5. venez

7 1. vais boire - 2. vont prendre - 3. vas aller - 4. n'allons pas parler

8 1. lui - 2. l' - 3. nous - 4. eux - 5. la

9 1d - 2a - 3e - 4c - 5b

Autoévaluation 3 • page 106

1 demander une direction : n° 2, 4 - indiquer une direction : n° 1, 6 - décrire un lieu : n° 3, 5

2 a) **Faites** attention, la première rue est réservée aux bus.
Prenez la deuxième rue à gauche, **continuez** tout droit puis **tournez** à droite après l'église.
b) **Viens** me chercher à 17 h 30. **Attends-moi** devant l'entrée principale. Et **ne sois pas** en retard !

3 1. Je vais à l'hôtel pour dormir. - 2. Je vais à la poste pour acheter des timbres. - 3. On va au cinéma pour voir un film. - 4. On peut demander de l'argent à la banque. - 5. On peut déjeuner au restaurant.

4 1. de ; à - 2. à ; au - 3. aux - 4. en ; au

5 1. ponts - 2. boulangerie - 3. épicerie - 4. feu - 5. librairie

6 Sophie connaît le professeur qui habite près de chez toi. - Sophie connaît le professeur que tu as rencontré dans le train. - J'adore la petite île où j'ai passé mes dernières vacances. - Voici le bureau où je travaille tous les jours.

7 1. leur - 2. y - 3. m' ; t' - 4. y - 5. lui

Autoévaluation 4 • page 140

1 1. ne s'est pas réveillée - 2. asseyez-vous - 3. se couchent - 4. Ne t'en fais pas - ne vous êtes pas inquiété(e)(s)

2 1. Où habite-t-il ? - 2. Pourquoi n'as-tu pas voulu venir ? - 3. Quand partent-ils au Mexique ? - 4. À quelle heure va-t-il arriver à Paris ? - 5. Lui avez-vous parlé ?

3 1. [~~partir~~ / quitter] - 2. [~~retourner~~ / revenir] - 3. [~~entre~~ / rentre] - 4. [rentrer / ~~revenir~~] - 5. [~~vais~~ / pars]

4 1. se ressemblent. - 2. la même - 3. plus - 4. Comme

5 1e - 2c - 3a - 4f - 5d - 6b

6 1. en - 2. il y a - 3. depuis - 4. depuis - 5. dans - 6. pendant

7 1. aurez - 2. fera - 3. viendras - 4. ira - 5. sera

8 1. viennes - 2. écriviez - 3. aille - 4. dise

Son / écriture

On entend	On écrit	Exemples
[a]	a - à - e - â	bagages - à - femme - théâtre
[ə]	e - ai - on	chemise - faisais - monsieur
[e]	é - ai - ei	étudiant - mairie - peiner
[ɛ]	è - ê - ai - ei	mère - fenêtre - maison - reine
[œ]	eu - œu - œ	heure - sœur - œil
[ø]	eu - œu	deux - vœux
[i]	i - î - y - ï	lire - dîner - recycler - Saïd
[ɔ]	o - oo - u	école - alcool - maximum
[o]	o - ô - au - eau	dos - drôle - restaurant - chapeau
[y]	u - û	nul - sûr
[u]	ou - où - aoû	rouge - où - août
[ɛ̃] se confond maintenant avec le son [œ̃]	in - im - ain - aim - ein - yn - ym - un - um en - (i)en	fin - simple - copain - faim - peinture - syntaxe - sympa - brun - parfum - examen - bien
[ɑ̃]	an - am - en - em	orange - lampe - enfant - temps
[ɔ̃]	on - om	bon - nom
[j]	i - y i + l *ou* i + ll	hier - yeux travail - travaille
[w]	ou - oi - w	oui - moi - week-end
[ɥ]	u (+ i)	lui
[b]	b	bonjour
[d]	d	date
[f]	f - ph	finir - photo
[g]	g - gu	gare - dialogue
[k]	c - k - qu - ch	café - kilo - qui - chorale
[l]	l	lire
[m]	m	madame
[n]	n	nord
[ɲ]	gn	gagner
[p]	p - b (+ s)	page - absent
[ʀ]	r	rire
[s]	s - ss - c - ç - t (+ ion)	salut - adresse - centre - garçon - natation
[z]	z - s - x	magazine - rose - sixième
[ʃ]	ch - sh - sch	chocolat - shampoing - schéma
[t]	t - th	terre - thé
[v]	v - w	vite - wagon
[ks]	cc - xc - x	accepter - excellent - expliquer
[gz]	x	exemple

Prononciation : les voyelles

Son	Langue	Bouche
[i] ex : jol**i**	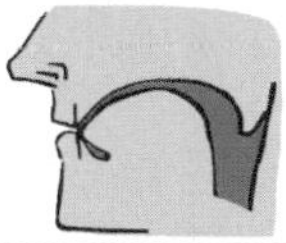 langue très en avant	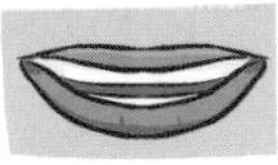 bouche souriante, presque fermée
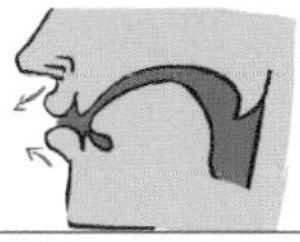 [y] ex : sal**u**t	langue très en avant	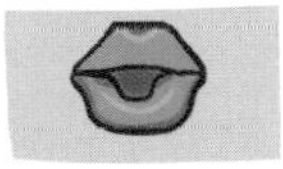 bouche presque fermée, arrondie
[e] ex : **é**tude	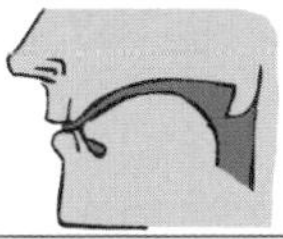 langue en avant	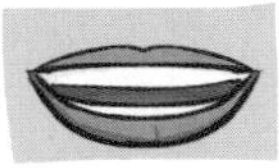 bouche peu ouverte
[ɛ] ex : f**ai**re	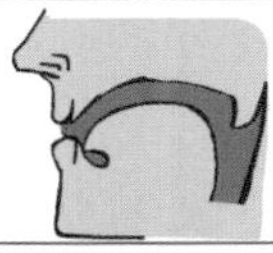 langue en avant	 bouche ouverte
[a] ex : l**a**	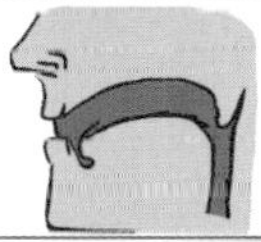 langue en avant	 bouche très ouverte
[ə] ex : l**e**	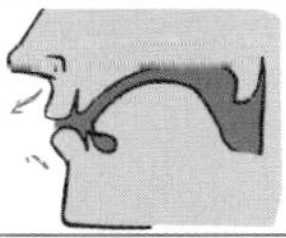 langue en avant	 bouche peu ouverte
[œ] ex : n**eu**f	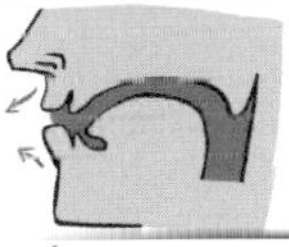 langue en avant	 bouche ouverte, arrondie
[ø] ex : bl**eu**	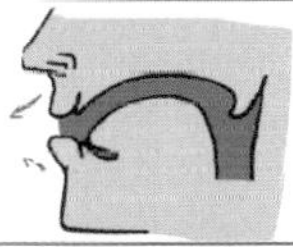 langue très en avant	 bouche un peu ouverte, arrondie
[ɔ] ex : p**o**mme	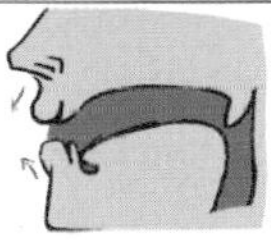 langue un peu en arrière	 bouche ouverte, arrondie
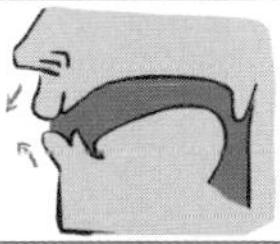 [o] ex : m**o**l	langue en arrière	 bouche ouverte, très arrondie
[u] ex : j**ou**r	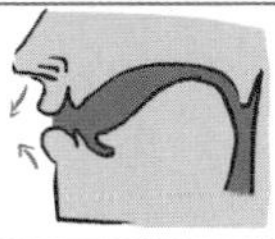 langue très en arrière	 bouche peu ouverte, très arrondie
[ɛ̃] ex : v**in**	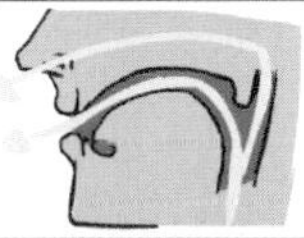 langue en avant	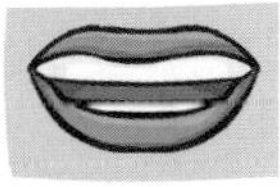 bouche ouverte, souriante
[ɑ̃] ex : d**an**s	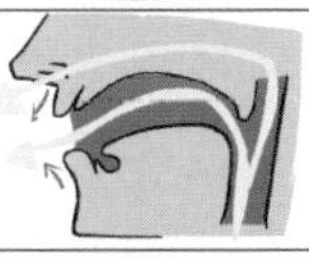 langue un peu en arrière	 bouche très ouverte, arrondie
[ɔ̃] ex : p**on**t	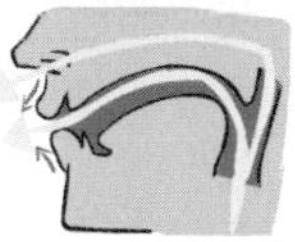 langue en arrière	 bouche peu ouverte, très arrondie

Précis de grammaire

Les déterminants

Ils s'accordent en genre (masculin ou féminin) et en nombre (singulier ou pluriel) avec le nom qu'ils déterminent.

1 L'article

→ *défini : pages 23, 48, 49, 66*
→ *indéfini : pages 48, 49, 96*
→ *contracté : pages 78, 101*
→ *partitif : pages 29, 66*

	Singulier		Pluriel	
	masculin	**féminin**	**masculin**	**féminin**
article défini	**le** père **l'**ami	**la** mère **l'**amie	**les** garçons **les** amis	**les** filles **les** amies
article indéfini*	**un** copain **un** ami	**une** copine **une** amie	**des** garçons **des** amis	**des** filles **des** amies
(à + article) **article défini contracté** (de + article)	**au** cinéma **à l'**aéroport **du** cinéma **de l'**aéroport	**à la** piscine **à l'**école **de la** piscine **de l'**école	**aux** Jeux Olympiques	**aux** toilettes
article partitif*	**du** pain **de l'**argent	**de la** salade **de l'**énergie		

* Attention à la forme négative : pas… de (d')
– Tu as des enfants ?
– Non, je n'ai pas d'enfants.
– Tu veux de l'eau ?
– Non merci, pas d'eau.

2 Le démonstratif

→ *page 96*

Singulier		Pluriel
masculin	**féminin**	
ce livre **cet** homme	**cette** cassette **cette** amie	**ces** livres - **ces** cassettes **ces** hommes - **ces** amies

❸ Le possessif

→ pages 30, 31, 88, 89

	Singulier			Pluriel	
	masculin (un livre)	**féminin (une cassette, une amie)**		**masculin (un copain)**	**féminin (une copine)**
Je	**mon** livre	**ma** cassette	**mon** amie	**mes** copains	**mes** copines
Tu	**ton** livre	**ta** cassette	**ton** amie	**tes** copains	**tes** copines
Il/elle	**son** livre	**sa** cassette	**son** amie	**ses** copains	**ses** copines
Nous	**notre** livre	**notre** cassette		**nos** copains	**nos** copines
Vous	**votre** livre	**votre** cassette		**vos** copains	**vos** copines
Ils/elles	**leur** livre	**leur** cassette		**leurs** copains	**leurs** copines

❹ L'interrogatif *quel*

→ pages 24, 25, 116, 117

	Singulier	Pluriel
Masculin	Quel est ton nom ?	Quels sont tes loisirs préférés ?
Féminin	Quelle est ton adresse ?	Quelles sont tes activités préférées ?

❺ Les nombres

→ pages 12, 20, 21, 30, 31

1	un	14	quatorze	60	soixante
2	deux	15	quinze	70	soixante-dix
3	trois	16	seize	71	soixante et onze
4	quatre	17	dix-sept	80	quatre-vingts
5	cinq	18	dix-huit	82	quatre-vingt-deux
6	six	19	dix-neuf	90	quatre-vingt-dix
7	sept	20	vingt	92	quatre-vingt-douze
8	huit	21	vingt et un	100	cent
9	neuf	22	vingt-deux	101	cent un
10	dix	23	vingt-trois	113	cent treize
11	onze	30	trente	1 000	mille
12	douze	40	quarante	1 018	mille dix-huit
13	treize	50	cinquante	1 571	mille cinq cent soixante et onze
				1 000 000	un million

Précis de grammaire

Les noms

1 Le genre (masculin ou féminin)

	Masculin	Féminin
On ajoute ***e*** au masculin	un ami	une ami**e**
-eur / -euse	un serv**eur**	une serv**euse**
-eur / -rice	un présentat**eur**	une présentat**rice**
-er / -ère	un boulang**er**	une boulang**ère**
Même nom	un enfant	une enfant
Nom différent	un homme	une femme

2 Le nombre (singulier ou pluriel)

→ *pages 48, 49*

	Masculin	Féminin
On ajoute ***s***	un livre	des livre**s**
-eau → -eaux	un cad**eau**	des cadeau**x**
-al → -aux	un journ**al**	des journ**aux**
-eu → -eux	un chev**eu**	des cheveu**x**
mots terminés par ***s*** ou ***x***	un pay**s**	des pay**s**
→ pas de changement	un choi**x**	des choi**x**

3 Les noms de pays, de régions et de villes

→ *page 101*

Noms de villes : pas d'article	Flora Tylon habite à Nice.
Paris est la capitale de la France.	Marco vient de Rome.
Noms de pays / de régions : article défini	
Le Portugal	Il est né **au** Portugal. / Tu viens **du** Portugal ?
La Pologne	J'habite **en** Pologne. / Il vient **de** Pologne.
L'Italie	Tu travailles **en** Italie ? / Je reviens **d'**Italie.
Les États-Unis	Vous partez **aux** États-Unis ? / Paul arrive **des** États-Unis.
Le Languedoc, **la** Provence, **l'**Alsace	

Les adjectifs

→ *pages 20, 21, 26, 127, 136, 137*

❶ Le genre (masculin ou féminin)

	Masculin	Féminin
On ajoute **e**	grand - espagnol - cubain	grand**e** - espagnol**e** - cubain**e**
Adjectifs terminés par e → pas de changement.	drôle - moderne - sympathique	drôle - moderne - sympathique
-er / -ère	premi**er** - ch**er**	premi**ère** - ch**ère**
-ien / -ienne	informatic**ien** - ital**ien**	informatic**ienne** - ital**ienne**
-eux / -euse	amour**eux** - heur**eux**	amour**euse** - heur**euse**
-on / -onne	b**on** - mign**on**	b**onne** - mign**onne**
-if / -ive	sport**if**	sport**ive**
Adjectif différent	beau - vieux	belle - vieille

❷ Le nombre (singulier ou pluriel)

Le fonctionnement est le même que pour les noms :

Il est gentil → Ils sont gentil**s**

Elle est libanais**e**. → Elles sont libanais**es**.

Il est géni**al**. → Ils sont géni**aux**.

Il est amour**eux**. → Ils sont amour**eux**.

Les pronoms

❶ Sujets

→ *pages 18, 19, 20, 22, 34, 35, 43*

Emmanuel parle.
Il parle.

Je parle.
Tu parles.
Il/elle/on parle.
Nous parlons.
Vous parlez.
Ils/elles parlent.

❷ Forme tonique

→ *pages 8, 9, 10, 11, 12, 13, 53*

moi	toi	lui	elle
nous	vous	eux	elles

On utilise ces pronoms pour :

- renforcer le pronom sujet

Mon frère a 20 ans et ma sœur en a 18.
→ **Lui**, il a 20 ans et **elle**, elle en a 18.

- après une préposition

Tu viens chez **moi** ?
Moi, je vais avec **eux**.

❸ Réfléchis

→ *pages 22, 112, 113*

Je **me** lave.
Tu **te** laves. Lave-**toi** !
Il/elle/on **se** lave.
Nous **nous** lavons.
Vous **vous** lavez.
Ils/elles **se** lavent.

❹ Compléments directs

→ *pages 68, 69, 92, 93*

Il regarde **Anne**, il aime **Anne**. → Il **la** regarde, il **l'**aime.
(regarder quelqu'un, aimer quelqu'un, etc.)

Il **me** regarde, il **m'**aime. Regarde-**moi** !
Il **te** regarde, il **t'**aime.
Il **le** regarde, il **l'**aime. (Paul / le gâteau)
Il **la** regarde, il **l'**aime. (Anne / la tarte)
Il **nous** regarde, il **nous** aime.
Il **vous** regarde, il **vous** aime.
Il **les** regarde, il **les** aime. (ses fils / les gâteaux)
Il **les** regarde, il **les** aime. (ses filles / les tartes)

❺ Compléments d'objet indirect

→ *pages 92, 93*

Elle parle **à Pierre** et elle offre un cadeau **à Pierre**. → Elle **lui** parle et elle **lui** offre un cadeau. (sourire **à** quelqu'un, offrir quelque chose **à** quelqu'un, etc.)

Elle **me** parle et elle **m'**offre un cadeau. Parle-**moi** !
Elle **te** parle et elle **t'**offre un cadeau.
Elle **lui** parle et elle **lui** offre un cadeau. (à Paul)
Elle **lui** parle et elle **lui** offre un cadeau. (à Marie)
Elle **nous** parle et elle **nous** offre un cadeau.
Elle **vous** parle et elle **vous** offre un cadeau.
Elle **leur** parle et elle **leur** offre un cadeau. (à ses fils)
Elle **leur** parle et elle **leur** offre un cadeau. (à ses filles)

❻ En

→ *page 67*

Remplace un nom précédé d'une expression de quantité :

– Vous voulez **du** café ?
– Non merci, je n'**en** bois pas.

– Tu as **assez d'**argent pour le mois ?
– Non, je n'**en** ai jamais assez !

– Tu as **combien de** frères ?
– Je n'**en** ai pas. Et toi ?
– Moi, j'**en** ai deux.

7 Y

→ pages 98, 99

a) remplace un nom d'objet (ou un groupe de noms) précédé de **à** :

– Dis, tu as pensé **à** mes CD ?
– Oui, j'**y** ai pensé. Ils sont là.

b) pour exprimer le lieu :

– Il habite **à** Paris ?
– Non, ses parents et sa sœur **y** habitent encore. Lui, il est à Angers.

8 La place des pronoms compléments

→ 68, 69, 80, 81, 92, 93, 98, 99

avec un verbe au présent :
– Tu téléphones à Paul ce soir ?
– D'accord, je **lui** téléphone.
– Non, je ne **lui** téléphone pas.

avec un verbe à l'impératif :
– Je peux regarder tes photos ?
– Oui, regarde-**les** !
– Non, ne **les** regarde pas !

avec un verbe au passé composé :
– Vous êtes allés au Portugal ?
– Oui, j'**y** suis allée en mai dernier.
– Non, je n'**y** suis jamais allée.

avec plusieurs verbes :
– Il a pu parler du problème ?
– Oui, il a pu **en** parler.
– Non, il n'a pas pu **en** parler.

9 Relatifs

→ page 91

QUI	Sujet	Tu connais la fille **qui** parle avec Mathieu ?
QUE	Complément d'objet direct	Le film **que** j'ai vu hier est très beau.
OÙ	Complément de lieu	Je n'aime pas beaucoup le quartier **où** elle habite.

La quantité

→ pages 66, 67

peu de un peu de assez de beaucoup de trop de	+ nom	Il a **peu de** choses à raconter. Vous avez **un peu d'**eau, s'il vous plaît ? Je n'ai pas **assez d'**argent. J'ai **beaucoup d'**amis en Amérique. J'ai **trop de** travail, je suis fatigué.
un paquet de une bouteille de un kilo de	+ nom	Je voudrais **un paquet de** café. **Une bouteille d'**eau, s'il vous plaît ! Donnez-moi **un kilo de** tomates.
verbe	+ peu un peu assez (etc.)	Je dors très **peu** en ce moment. J'aime **beaucoup** Maria-Cristina.
peu un peu assez très si/tellement trop	+ adjectif + adverbe	Je suis **un peu** triste. Il est **tellement** sympa ! C'est **très** bien.

La phrase

1 La phrase négative

→ *pages 28, 67, 114 (ne que)*

ne… pas	Elle ne peut pas venir avec nous.
ne… plus	Je n'ai plus faim, merci.
ne… jamais	Elle n'a jamais visité notre pays.
ne… rien	Je n'ai rien à dire. / Rien ne va.
ne… personne	Je n'ai vu personne dans le magasin. / Personne ne veut venir.
ne… que	Tu n'as que deux euros ?

2 La phrase interrogative

→ *pages 24, 25, 56, 63, 111, 116, 117*

langue standard (surtout à l'oral) langue standard langue soutenue	– Tu viens ? – **Est-ce que** tu viens ? – Viens-tu ?	– Oui. / – Non.
langue standard (surtout à l'oral) langue standard langue soutenue	– Tu veux **quoi** ? – **Qu'**est-ce que tu veux ? – **Que** veux-tu ?	– Je voudrais un coca, s'il te plaît.
langue standard (surtout à l'oral) langue standard langue soutenue	– Tu as vu **qui** ? – **Qui** est-ce que tu as vu ? – **Qui** as-tu vu ?	– Caroline.

langue standard (surtout à l'oral)	1. – Tu pars quand ? 2. – Elle s'appelle comment ? 3. – Il va où ? 4. – Pourquoi tu pleures ? 5. – Vous avez combien d'euros ?	
langue standard	1. – Quand est-ce que tu pars ? 2. – Comment est-ce qu'elle s'appelle ? 3. – Où est-ce qu'il va ? 4. – Pourquoi est-ce que tu pleures ? 5. – Combien d'euros est-ce que vous avez ?	1. – Je pars dimanche. 2. – Laure. 3. – À Lyon pour voir sa mère. 4. – Parce que j'ai des problèmes. 5. – Euh… 250 euros.
langue soutenue	1. – Quand pars-tu ? 2. – Comment s'appelle-t-elle ? 3. – Où va-t-il ? 4. – Pourquoi pleures-tu ? 5. – Combien d'euros avez-vous ?	

3 Construction impersonnelle

→ *page 48*

Il y a est toujours à la 3e personne du singulier.

– Il y a du monde dans ce métro !

– Il n'y a pas de problème !

– Est-ce qu'il y a des toilettes ici, s'il vous plaît ?

Les temps

1 Le présent

→ ***pages 18, 22, 53, 57…***

On l'utilise :
- le plus souvent pour parler d'un événement ou d'une action qui se déroule maintenant.
  – Je suis français et j'habite à Marseille.
- pour parler d'une action ou d'un événement à venir.
  – Il arrive demain.

Formation : voir les tableaux de conjugaisons pages 162 à 167.

2 L'impératif

→ ***pages 12, 80, 81***

On l'utilise pour :
- donner un ordre ou un conseil.
  – Tourne à droite et continue tout droit.
- exprimer l'obligation.
  – Taisez-vous, travaillez !
- interdire.
  – Ne faites pas trop de bruit, s'il vous plaît.

Formation : voir les tableaux de conjugaisons pages 162 à 167.

3 Le futur proche

→ ***pages 44, 45, 133***

On l'utilise pour parler d'une action ou d'un événement qui va se dérouler dans le futur.
Formation : verbe *aller* au présent + verbe à l'infinitif.
– Ce soir, je vais aller au restaurant avec Mia. – Nous allons bientôt partir en vacances.

4 Le futur simple

→ ***pages 132, 133***

On l'utilise pour parler d'une action ou d'un événement qui va se dérouler dans le futur.
Formation : verbe à l'infinitif + terminaisons du futur : *ai, as, a, ons, ez, ont*
– Je partirai demain matin.
Verbes à construction particulière : être : je serai… ; avoir : j'aurai… ; aller : j'irai ; pouvoir : je pourrai… ; vouloir : je voudrai… ; devoir : je devrai… ; savoir : je saurai… ; faire : je ferai… ; venir : je viendrai… ; tenir : je tiendrai… ; envoyer : j'enverrai… ; voir : je verrai… ; etc.

5 Le passé composé

→ ***pages 49, 68, 69, 88, 89, 92, 93, 98, 99, 122, 123***

On l'utilise pour parler d'une action passée ou d'un événement passé.
Formation : verbe *avoir* ou *être** + participe passé du verbe.
– Ils ont eu peur – Ils sont allés chez Antoine. – Ils se sont levés tard ce matin.

* verbes qui se conjuguent **avec être** au passé composé : *aller, venir, retourner, entrer, sortir, arriver, partir, naître, mourir, monter, descendre, passer, tomber, rester, apparaître,* ainsi que les verbes de la même famille *(devenir, remonter…)* et tous les verbes pronominaux *(se laver, se lever, etc.).*

Attention : si le verbe au passé composé est conjugué avec être, le participe passé s'accorde en genre et en nombre avec le sujet :
– Pierre est part**i** au Caire.
– Sylvie est part**ie** avec son amie.
– Elles sont part**ies** à 9 heures.
– Les enfants sont part**is** à la piscine.

Conjugaisons

*Tous les verbes suivis d'un astérisque (*) utilisent l'auxiliaire **être** au passé composé.*

ÊTRE

Présent	Impératif	Passé composé	Futur
Je suis		J'ai été	Je serai
Tu es	Sois	Tu as été	Tu seras
Il/elle/on est		Il/elle/on a été	Il/elle/on sera
Nous sommes	Soyons	Nous avons été	Nous serons
Vous êtes	Soyez	Vous avez été	Vous serez
Ils/elles sont		Ils/elles ont été	Ils/elles seront

AVOIR

Présent	Impératif	Passé composé	Futur
J'ai		J'ai eu	J'aurai
Tu as	Aie	Tu as eu	Tu auras
Il/elle/on a		Il/elle/on a eu	Il/elle/on aura
Nous avons	Ayons	Nous avons eu	Nous aurons
Vous avez	Ayez	Vous avez eu	Vous aurez
Ils/elles ont		Ils/elles ont eu	Ils/elles auront

Verbes en -er

Verbes réguliers en -er : PARLER… [aimer, regarder, écouter, etc.]

Présent	Impératif	Passé composé	Futur
Je parle		J'ai parlé	Je parlerai
Tu parles	Parle	Tu as parlé	Tu parleras
Il/elle/on parle		Il/elle/on a parlé	Il/elle/on parlera
Nous parlons	Parlons	Nous avons parlé	Nous parlerons
Vous parlez	Parlez	Vous avez parlé	Vous parlerez
Ils/elles parlent		Ils/elles ont parlé	Ils/elles parleront

Verbe irrégulier en -er : ALLER*

Présent	Impératif	Passé composé	Futur
Je vais		Je suis allé(e)	J'irai
Tu vas	Va	Tu es allé(e)	Tu iras
Il/elle/on va		Il/elle/on est allé(e)	Il/elle/on ira
Nous allons	Allons	Nous sommes allé(e)s	Nous irons
Vous allez	Allez	Vous êtes allé(e)(s)	Vous irez
Ils/elles vont		Ils/elles sont allé(e)s	Ils/elles iront

Verbes irréguliers en -er : ACHETER… (e → è) [amener, emmener, lever]

Présent	Impératif	Passé composé	Futur
J'achète		J'ai acheté	J'achèterai
Tu achètes	Achète	Tu as acheté	Tu achèteras
Il/elle/on achète		Il/elle/on a acheté	Il/elle/on achètera
Nous achetons	Achetons	Nous avons acheté	Nous achèterons
Vous achetez	Achetez	Vous avez acheté	Vous achèterez
Ils/elles achètent		Ils/elles ont acheté	Ils/elles achèteront

Verbes irréguliers en -er : PRÉFÉRER... (é → è)

Présent	Impératif	Passé composé	Futur
Je préfère		J'ai préféré	Je préférerai
Tu préfères	*Peu utilisé*	Tu as préféré	Tu préféreras
Il/elle/on préfère		Il/elle/on a préféré	Il/elle/on préférera
Nous préférons	*Peu utilisé*	Nous avons préféré	Nous préférerons
Vous préférez	*Peu utilisé*	Vous avez préféré	Vous préférerez
Ils/elles préfèrent		Ils/elles ont préféré	Ils/elles préféreront

Verbes irréguliers en -er : COMMENCER... (c → ç)

Présent	Impératif	Passé composé	Futur
Je commence		J'ai commencé	Je commencerai
Tu commences	Commence	Tu as commencé	Tu commenceras
Il/elle/on commence		Il/elle/on a commencé	Il/elle/on commencera
Nous commençons	Commençons	Nous avons commencé	Nous commencerons
Vous commencez	Commencez	Vous avez commencé	Vous commencerez
Ils/elles commencent		Ils/elles ont commencé	Ils/elles commenceront

Verbes irréguliers en -er : MANGER... (g → ge) [bouger, changer, mélanger, voyager]

Présent	Impératif	Passé composé	Futur
Je mange		J'ai mangé	Je mangerai
Tu manges	Mange	Tu as mangé	Tu mangeras
Il/elle/on mange		Il/elle/on a mangé	Il/elle/on mangera
Nous mangeons	Mangeons	Nous avons mangé	Nous mangerons
Vous mangez	Mangez	Vous avez mangé	Vous mangerez
Ils/elles mangent		Ils/elles ont mangé	Ils/elles mangeront

Verbes irréguliers en -er : APPELER... (j'appelle, nous appelons) [épeler, rappeler]

Présent	Impératif	Passé composé	Futur
J'appelle		J'ai appelé	J'appellerai
Tu appelles	Appelle	Tu as appelé	Tu appelleras
Il/elle/on appelle		Il/elle/on a appelé	Il/elle/on appellera
Nous appelons	Appelons	Nous avons appelé	Nous appellerons
Vous appelez	Appelez	Vous avez appelé	Vous appellerez
Ils/elles appellent		Ils/elles ont appelé	Ils/elles appelleront

Verbes irréguliers en -er : PAYER [essayer]

Présent	Impératif	Passé composé	Futur
Je paie / paye		J'ai payé	Je paierai / payerai
Tu paies / payes	Paie / paye	Tu as payé	Tu paieras / payeras
Il/elle/on paie / paye		Il/elle/on a payé	Il/elle/on paiera / payera
Nous payons	Payons	Nous avons payé	Nous paierons / payerons
Vous payez	Payez	Vous avez payé	Vous paierez / payerez
Ils/elles paient / payent		Ils/elles ont payé	Ils/elles paieront / payeront

Verbes irréguliers en -er : APPUYER [employer]

Présent	Impératif	Passé composé	Futur
J'appuie		J'ai appuyé	J'appuierai
Tu appuies	Appuie	Tu as appuyé	Tu appuieras
Il/elle/on appuie		Il/elle/on a appuyé	Il/elle/on appuiera
Nous appuyons	Appuyons	Nous avons appuyé	Nous appuierons
Vous appuyez	Appuyez	Vous avez appuyé	Vous appuierez
Ils/elles appuient		Ils/elles ont appuyé	Ils/elles appuieront

Verbes en -ir

Verbes réguliers en -IR : FINIR [choisir, obéir, réfléchir, remplir, réussir]

Présent	Impératif	Passé composé	Futur
Je finis		J'ai fini	Je finirai
Tu finis	Finis	Tu as fini	Tu finiras
Il/elle/on finit		Il/elle/on a fini	Il/elle/on finira
Nous finissons	Finissons	Nous avons fini	Nous finirons
Vous finissez	Finissez	Vous avez fini	Vous finirez
Ils/elles finissent		Ils/elles ont fini	Ils/elles finiront

Autres verbes en -ir

OFFRIR [couvrir, découvrir, ouvrir]

Présent	Impératif	Passé composé	Futur
J'offre		J'ai offert	J'offrirai
Tu offres	Offre	Tu as offert	Tu offriras
Il/elle/on offre		Il/elle/on a offert	Il/elle/on offrira
Nous offrons	Offrons	Nous avons offert	Nous offrirons
Vous offrez	Offrez	Vous avez offert	Vous offrirez
Ils/elles offrent		Ils/elles ont offert	Ils/elles offriront

PARTIR* [dormir, repartir*, sentir, sortir*]

Présent	Impératif	Passé composé	Futur
Je pars		Je suis parti(e)	Je partirai
Tu pars	Pars	Tu es parti(e)	Tu partiras
Il/elle/on part		Il/elle/on est parti(e)	Il/elle/on partira
Nous partons	Partons	Nous sommes parti(e)s	Nous partirons
Vous partez	Partez	Vous êtes parti(e)(s)	Vous partirez
Ils/elles partent		Ils/elles sont parti(e)s	Ils/elles partiront

VENIR* [devenir*, revenir*, tenir]

Présent	Impératif	Passé composé	Futur
Je viens		Je suis venu(e)	Je viendrai
Tu viens	Viens	Tu es venu(e)	Tu viendras
Il/elle/on vient		Il/elle/on est venu(e)	Il/elle/on viendra
Nous venons	Venons	Nous sommes venu(e)s	Nous viendrons
Vous venez	Venez	Vous êtes venu(e)(s)	Vous viendrez
Ils/elles viennent		Ils/elles sont venu(e)s	Ils/elles viendront

Verbes en -ire

DIRE

Présent	Impératif	Passé composé	Futur
Je dis		J'ai dit	Je dirai
Tu dis	Dis	Tu as dit	Tu diras
Il/elle/on dit		Il/elle/on a dit	Il/elle/on dira
Nous disons	Disons	Nous avons dit	Nous dirons
Vous dites	Dites	Vous avez dit	Vous direz
Ils/elles disent		Ils/elles ont dit	Ils/elles diront

ÉCRIRE [décrire, s'inscrire*]

Présent	Impératif	Passé composé	Futur
J'écris		J'ai écrit	J'écrirai
Tu écris	Écris	Tu as écrit	Tu écriras
Il/elle/on écrit		Il/elle/on a écrit	Il/elle/on écrira
Nous écrivons	Écrivons	Nous avons écrit	Nous écrirons
Vous écrivez	Écrivez	Vous avez écrit	Vous écrirez
Ils/elles écrivent		Ils/elles ont écrit	Ils/elles écriront

LIRE

Présent	Impératif	Passé composé	Futur
Je lis		J'ai lu	Je lirai
Tu lis	Lis	Tu as lu	Tu liras
Il/elle/on lit		Il/elle/on a lu	Il/elle/on lira
Nous lisons	Lisons	Nous avons lu	Nous lirons
Vous lisez	Lisez	Vous avez lu	Vous lirez
Ils/elles lisent		Ils/elles ont lu	Ils/elles liront

Verbes en -oir

DEVOIR

Présent	Impératif	Passé composé	Futur
Je dois		J'ai dû	Je devrai
Tu dois		Tu as dû	Tu devras
Il/elle/on doit	*n'existe pas*	Il/elle/on a dû	Il/elle/on devra
Nous devons		Nous avons dû	Nous devrons
Vous devez		Vous avez dû	Vous devrez
Ils/elles doivent		Ils/elles ont dû	Ils/elles devront

POUVOIR

Présent	Impératif	Passé composé	Futur
Je peux		J'ai pu	Je pourrai
Tu peux		Tu as pu	Tu pourras
Il/elle/on peut	*n'existe pas*	Il/elle/on a pu	Il/elle/on pourra
Nous pouvons		Nous avons pu	Nous pourrons
Vous pouvez		Vous avez pu	Vous pourrez
Ils/elles peuvent		Ils/elles ont pu	Ils/elles pourront

SAVOIR

Présent	Impératif	Passé composé	Futur
Je sais		J'ai su	Je saurai
Tu sais	Sache	Tu as su	Tu sauras
Il/elle/on sait		Il/elle/on a su	Il/elle/on saura
Nous savons	Sachons	Nous avons su	Nous saurons
Vous savez	Sachez	Vous avez su	Vous saurez
Ils/elles savent		Ils/elles ont su	Ils/elles sauront

VOIR

Présent	Impératif	Passé composé	Futur
Je vois		J'ai vu	Je verrai
Tu vois	Vois	Tu as vu	Tu verras
Il/elle/on voit		Il/elle/on a vu	Il/elle/on verra
Nous voyons	Voyons	Nous avons vu	Nous verrons
Vous voyez	Voyez	Vous avez vu	Vous verrez
Ils/elles voient		Ils/elles ont vu	Ils/elles verront

VOULOIR

Présent	Impératif	Passé composé	Futur
Je veux		J'ai voulu	Je voudrai
Tu veux	*Pas utilisé*	Tu as voulu	Tu voudras
Il/elle/on veut		Il/elle/on a voulu	Il/elle/on voudra
Nous voulons	*Pas utilisé*	Nous avons voulu	Nous voudrons
Vous voulez	Veuillez	Vous avez voulu	Vous voudrez
Ils/elles veulent		Ils/elles ont voulu	Ils/elles voudront

Verbes en -oire

BOIRE

Présent	Impératif	Passé composé	Futur
Je bois		J'ai bu	Je boirai
Tu bois	Bois	Tu as bu	Tu boiras
Il/elle/on boit		Il/elle/on a bu	Il/elle/on boira
Nous buvons	Buvons	Nous avons bu	Nous boirons
Vous buvez	Buvez	Vous avez bu	Vous boirez
Ils/elles boivent		Ils/elles ont bu	Ils/elles boiront

Verbes en -endre

PRENDRE [apprendre, comprendre]

Présent	Impératif	Passé composé	Futur
Je prends		J'ai pris	Je prendrai
Tu prends	Prends	Tu as pris	Tu prendras
Il/elle/on prend		Il/elle/on a pris	Il/elle/on prendra
Nous prenons	Prenons	Nous avons pris	Nous prendrons
Vous prenez	Prenez	Vous avez pris	Vous prendrez
Ils/elles prennent		Ils/elles ont pris	Ils/elles prendront

Verbes en -tre

CONNAÎTRE [reconnaître]

Présent	Impératif	Passé composé	Futur
Je connais		J'ai connu	Je connaîtrai
Tu connais	*Peu utilisé*	Tu as connu	Tu connaîtras
Il/elle/on connaît		Il/elle/on a connu	Il/elle/on connaîtra
Nous connaissons	*Peu utilisé*	Nous avons connu	Nous connaîtrons
Vous connaissez	*Peu utilisé*	Vous avez connu	Vous connaîtrez
Ils/elles connaissent		Ils/elles ont connu	Ils/elles connaîtront

METTRE [permettre, promettre]

Présent	Impératif	Passé composé	Futur
Je mets		J'ai mis	Je mettrai
Tu mets	Mets	Tu as mis	Tu mettras
Il/elle/on met		Il/elle/on a mis	Il/elle/on mettra
Nous mettons	Mettons	Nous avons mis	Nous mettrons
Vous mettez	Mettez	Vous avez mis	Vous mettrez
Ils/elles mettent		Ils/elles ont mis	Ils/elles mettront

Autre verbe en -re

FAIRE [refaire]

Présent	Impératif	Passé composé	Futur
Je fais		J'ai fait	Je ferai
Tu fais	Fais	Tu as fait	Tu feras
Il/elle/on fait		Il/elle/on a fait	Il/elle/on fera
Nous faisons	Faisons	Nous avons fait	Nous ferons
Vous faites	Faites	Vous avez fait	Vous ferez
Ils/elles font		Ils/elles ont fait	Ils/elles feront

Verbes pronominaux*

SE LAVER*

Présent	Impératif	Passé composé	Futur
Je me lave		Je me suis lavé(e)	Je me laverai
Tu te laves	Lave-toi	Tu t'es lavé(e)	Tu te laveras
Il/elle/on se lave		Il/elle/on s'est lavé(e)	Il/elle/on se lavera
Nous nous lavons	Lavons-nous	Nous nous sommes lavé(e)s	Nous nous laverons
Vous vous lavez	Lavez-vous	Vous vous êtes lavé(e)(s)	Vous vous laverez
Ils/elles se lavent		Ils/elles se sont lavé(e)s	Ils/elles se laveront

unité 1 Test

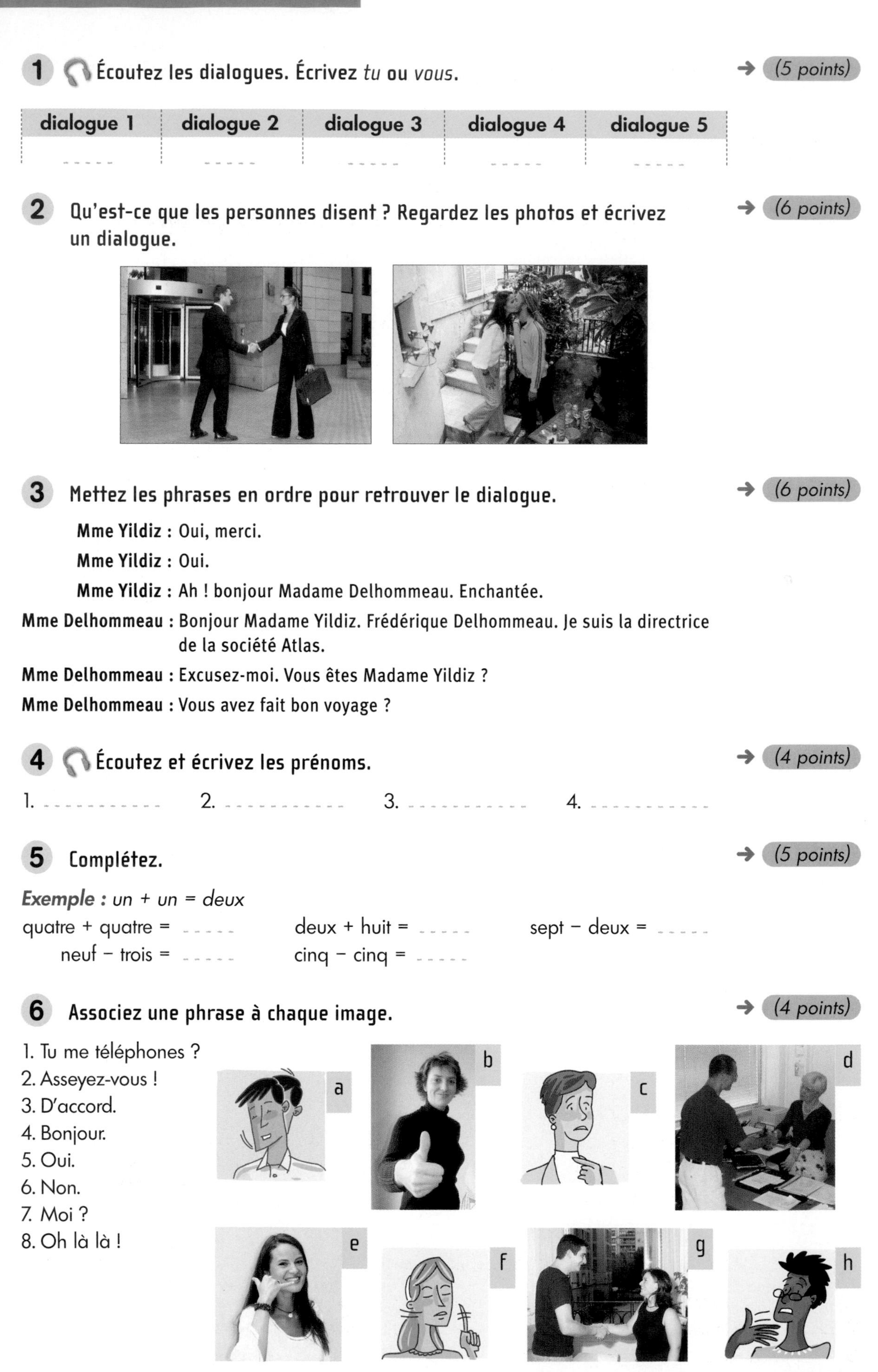

1 Écoutez les dialogues. Écrivez *tu* ou *vous*. → (5 points)

dialogue 1	dialogue 2	dialogue 3	dialogue 4	dialogue 5
-----	-----	-----	-----	-----

2 Qu'est-ce que les personnes disent ? Regardez les photos et écrivez un dialogue. → (6 points)

3 Mettez les phrases en ordre pour retrouver le dialogue. → (6 points)

Mme Yildiz : Oui, merci.

Mme Yildiz : Oui.

Mme Yildiz : Ah ! bonjour Madame Delhommeau. Enchantée.

Mme Delhommeau : Bonjour Madame Yildiz. Frédérique Delhommeau. Je suis la directrice de la société Atlas.

Mme Delhommeau : Excusez-moi. Vous êtes Madame Yildiz ?

Mme Delhommeau : Vous avez fait bon voyage ?

4 Écoutez et écrivez les prénoms. → (4 points)

1. .... 2. .... 3. .... 4. ....

5 Complétez. → (5 points)

***Exemple :** un + un = deux*

quatre + quatre = ... deux + huit = ... sept – deux = ...

neuf – trois = ... cinq – cinq = ...

6 Associez une phrase à chaque image. → (4 points)

1. Tu me téléphones ?
2. Asseyez-vous !
3. D'accord.
4. Bonjour.
5. Oui.
6. Non.
7. Moi ?
8. Oh là là !

a b c d e f g h

Test unité 2

1 Écoutez et complétez les fiches de Johanna et de Mario. → (4 points)

NOM : Larsson
PRÉNOM : Johanna
NATIONALITÉ : .....
ÂGE : .....
ADRESSE : ....., rue Dupin 75006 .....

NOM : Piccioni
PRÉNOM : .....
NATIONALITÉ : .....
ÂGE : .....
ADRESSE : ....., rue Monge 75005 PARIS

2 Dans la liste, choisissez les mots qui conviennent pour complétez le texte. → (4 points)

travaille - marocain - suis - m'appelle - né - rue - ans - aime - habite - trente-six - ai

Je ..... François Grand et je ..... français. J'..... à Cannes, ... Voltaire.
J'..... 36 ans, je suis ..... en 1968. Je ..... à l'université de Nice.
J'..... Nice et Cannes.

3 Vous dialoguez avec quelqu'un. Complétez. → (4 points)

– Tu t'appelles comment ?
– .... ?
– Adam Palmer.
– .... ?
– Je suis américain.
– .... ?
– 26 ans, et toi ?
– .... ?
– J'habite à Paris.

4 Retrouvez les mots. → (4 points)

1. q_a_o__e 2. ap__en_r_ 3. a__b__e 4. pa__e_or_
5. Eu__p_ 6. A_l_m_g__ 7. Fr___e 8. E__a_ne

5 Complétez avec *le*, *la* ou *l'*. → (4 points)

1. ... âge 2. ... fiche 3. ... université 4. ... nom
5. ... adresse 6. ... nationalité 7. ... prénom 8. ... numéro de téléphone

6 Complétez les phrases. → (5 points)

Exemple : *Jacques Chirac est français.*
1. (l'Australie) Kylie Minogue est ....
2. (l'Espagne) Carlos Saura est ....
3. (la France) Audrey Tautou est ....
4. (les États-Unis) Marion Jones est ....
5. (le Portugal) Luis Figo est ....

7 Complétez avec le verbe à la forme qui convient. → (5 points)

1. Vous ..... le français ?
2. Elle ..... Heike.
3. J'..... à Paris.
4. Tu ..... quel âge ?
5. Il ..... belge.

Test

1 Écoutez et choisissez la phrase qui convient. → (5 points)

1. ☐ Elle aime sa famille et les voyages.
   ☐ Elle déteste les voyages.
   ☐ Elle aime les voyages en France.

2. ☐ Il aime beaucoup le soleil.
   ☐ Il aime bien la pluie.
   ☐ Il déteste la pluie.

3. ☐ Elle aime bien la littérature.
   ☐ Elle adore le cinéma.
   ☐ Elle n'aime pas le cinéma et elle adore lire.

4. ☐ Il n'aime pas beaucoup le jazz.
   ☐ Il n'aime pas du tout le jazz.
   ☐ Il aime bien le jazz.

5. ☐ Elle a horreur des livres.
   ☐ Elle n'aime pas du tout la télévision.
   ☐ Elle déteste le cinéma.

2 Remettez le dialogue entre Franck et Lisa dans l'ordre. → (4 points)

a. Si, je suis mariée. Et toi ?
b. Non, à Paris.
c. 30 ans.
d. Lisa, et toi ?
e. Tu habites ici ?
f. Oui, je suis marié. Euh… Non, pardon. Tu as quel âge ?
g. Moi, je m'appelle Franck. Euh… excuse-moi, tu n'es pas mariée, Lisa ?
h. Tu t'appelles comment ?
i. 24 ans, et toi ?

h, ...

3 Vous êtes en vacances à la campagne. Vous écrivez à un(e) ami(e) et vous racontez ce que vous aimez et ce que vous n'aimez pas. → (7 points)

4 Rayez (~~rayez~~) le mot qui ne convient pas. → (5 points)

1. J'aime la (littérature / cinéma) et je déteste le (sport / télévision).
2. Tu fais du (athlétisme / ski) ?
3. J'adore la (danse / basket-ball) et le (musique / théâtre).

5 Complétez les phrases. → (7 points)

1. C'est Laura. ..... a 22 ans et ..... est mariée.
2. Ce soir, on ..... au restaurant avec Marie et Paul.
3. J'..... horreur de la pluie, j'..... le soleil et les vacances.
4. ..... habite où, Vincent ? Et ..... travaille à Berlin ?

6 Complétez avec *mon*, *ton*, *son*, *votre*, *tes*, *ses*, etc. → (2 points)

1. Bonjour Marie, bonjour Paul ! Oh, c'est ..... chien ? Il est mignon !
2. Tu es seul ! Mais, où sont ..... enfants ?
3. Je ne connais pas François mais il y a ..... photo dans la chambre de Louise.
4. Viens ici, toi ! Dis-moi, quel est ..... nom ?

Test unité 4

1 Écoutez et associez une réplique à chaque phrase ci-dessous. → (5 points)

- Je voudrais te poser une question, s'il te plaît.
- réplique n° .....
- Vous allez faire les exercices 12, 13 et 14 pour demain.
- réplique n° .....
- Vous voulez bien répondre à quelques questions ?
- réplique n° .....
- Tu veux bien m'aider, s'il te plaît ?
- réplique n° .....
- Allez maintenant place Saint-Michel.
- réplique n° .....

2 Lisez cet article et cochez les réponses qui conviennent. → (8 points)

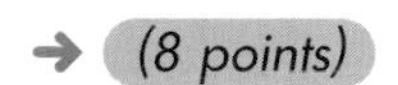

MYSTÉRIEUX RENDEZ-VOUS

Quelle histoire, hier, dans cette petite ville de Bretagne ! Yves Doucet, 46 ans, se présente au bureau de police : il reçoit tous les jours 3 ou 4 appels téléphoniques. La personne, toujours un homme, demande à Monsieur Doucet de chercher différentes informations dans la ville, de poser des questions à la boulangère et au vendeur de journaux, d'aller boire un café à 10 heures au café de la poste et d'aller à un rendez-vous, place du Grand Marché. Monsieur Doucet n'écoute pas et il raccroche toujours son téléphone. Mais hier, la personne a dit à Monsieur Doucet : « Vous allez trouver les informations et aller au rendez-vous ou vous allez avoir de gros problèmes, cher Monsieur »... Un policier est allé au mystérieux rendez-vous, habillé et coiffé comme Monsieur Doucet. Arrivé place du grand marché, il a rencontré... le frère jumeau de Monsieur Doucet ! Il vit en Afrique et il est trois semaines en France pour son travail. Alors, il a pensé faire une belle surprise à son frère...

	Vrai	Faux	?
1. L'homme qui téléphone chaque jour s'appelle Yves Doucet.			
2. Monsieur Doucet cherche les informations dans la ville.			
3. Monsieur Doucet ne pose pas les questions à la boulangère, etc.			
4. Le café de la poste est place du Grand Marché.			
5. Le mystérieux rendez-vous est au café de la poste.			
6. Monsieur Doucet va voir la police.			
7. Monsieur Doucet a peur.			
8. Monsieur Doucet va au mystérieux rendez-vous.			

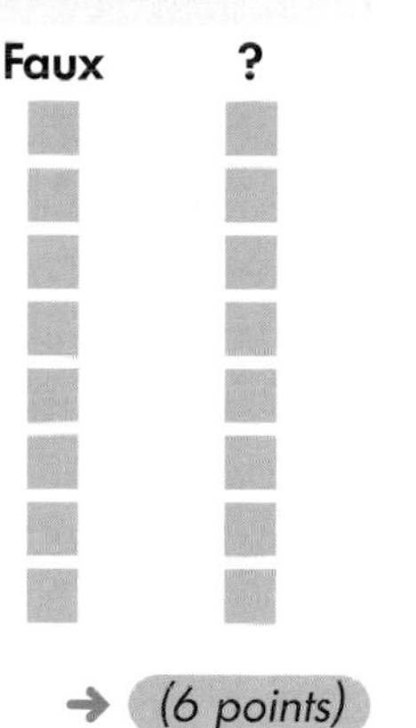

3 Associez une réplique de la colonne de gauche à une réplique de la colonne de droite. → (6 points)

1. Tu veux boire un café ?
2. Il y a des cartes postales dans ce magasin.
3. Tu aimes le café ?
4. Vous avez l'adresse d'Élise ?
5. Où sont les cartes postales ?
6. Tu as une bonne adresse de restaurant ?

a. Oui, voilà une adresse.
b. Le café, oui.
c. Des cartes… ah ! oui ! J'achète une carte pour Marco !
d. Ah ! oui, un café, d'accord.
e. Oui, voilà l'adresse.
f. J'ai envoyé les cartes postales à mes amis.

1 ... 2 ... 3 ... 4 ... 5 ... 6 ...

4 Complétez avec les verbes indiqués au futur proche. → (11 points)

1. – Zut ! Notre train est parti ! Qu'est-ce qu'on (faire) ..... ?
   – Écoute, on (prendre) ..... un café, on (choisir) ..... des journaux, on (lire) ..... et on (manger) ..... dans ce joli restaurant. D'accord ?
   – Mais… Et le train ?
   – On (prendre) ..... le prochain. Il est à 15 h 38.

2. – Elle (faire) ..... quoi, Ingrid, l'année prochaine ?
   – Elle (apprendre) ..... l'espagnol à l'Institut Cervantes de Madrid.

3. – Qu'est-ce que vous (faire) ..... à Paris ?
   – Moi, je (voir) ..... les expositions du Centre Pompidou et mes parents (visiter) ..... le Musée du Louvre.

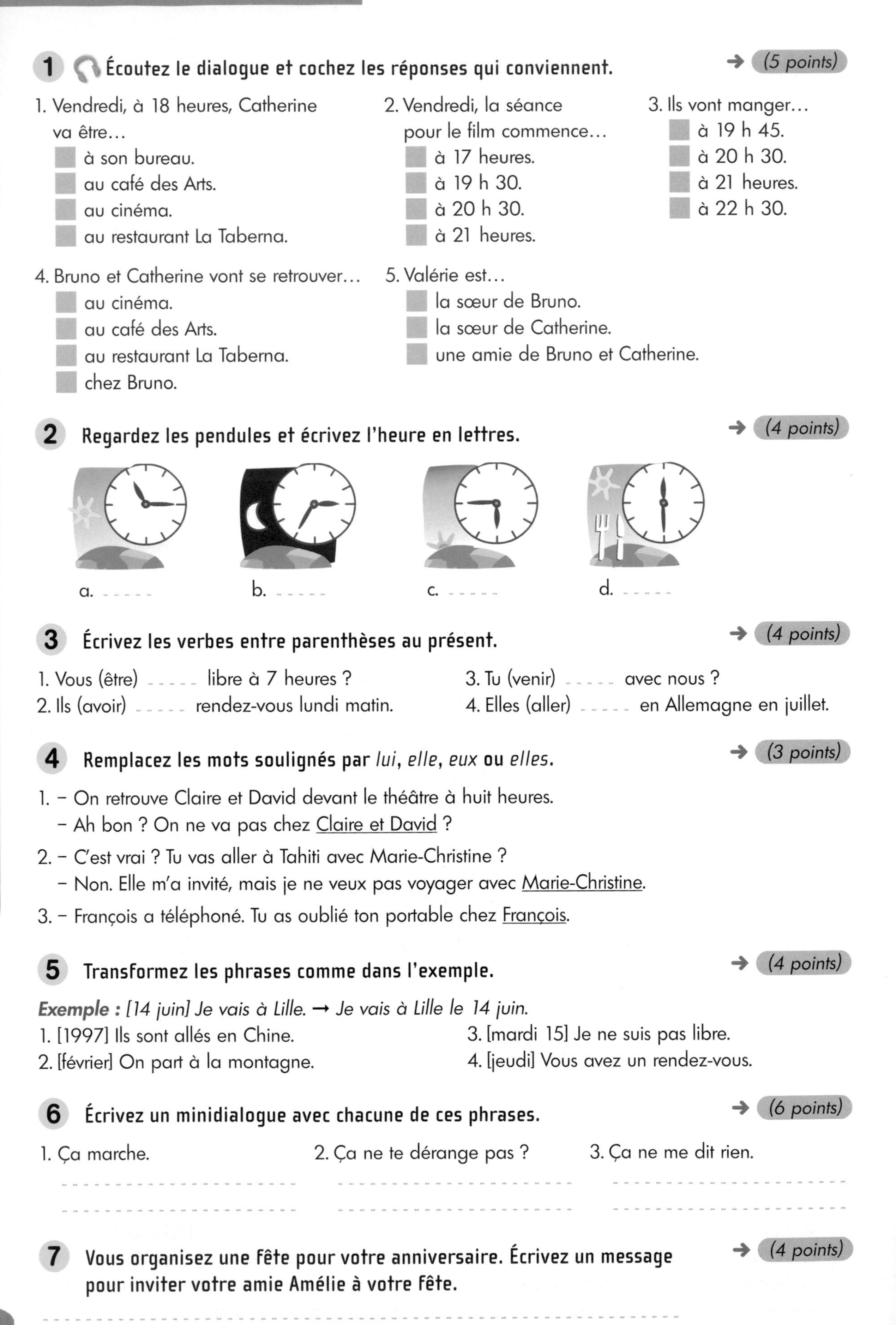

1 Écoutez le dialogue et cochez les réponses qui conviennent. → (5 points)

1. Vendredi, à 18 heures, Catherine va être…
   - à son bureau.
   - au café des Arts.
   - au cinéma.
   - au restaurant La Taberna.

2. Vendredi, la séance pour le film commence…
   - à 17 heures.
   - à 19 h 30.
   - à 20 h 30.
   - à 21 heures.

3. Ils vont manger…
   - à 19 h 45.
   - à 20 h 30.
   - à 21 heures.
   - à 22 h 30.

4. Bruno et Catherine vont se retrouver…
   - au cinéma.
   - au café des Arts.
   - au restaurant La Taberna.
   - chez Bruno.

5. Valérie est…
   - la sœur de Bruno.
   - la sœur de Catherine.
   - une amie de Bruno et Catherine.

2 Regardez les pendules et écrivez l'heure en lettres. → (4 points)

a. ----- b. ----- c. ----- d. -----

3 Écrivez les verbes entre parenthèses au présent. → (4 points)

1. Vous (être) ----- libre à 7 heures ?
2. Ils (avoir) ----- rendez-vous lundi matin.
3. Tu (venir) ----- avec nous ?
4. Elles (aller) ----- en Allemagne en juillet.

4 Remplacez les mots soulignés par *lui*, *elle*, *eux* ou *elles*. → (3 points)

1. – On retrouve Claire et David devant le théâtre à huit heures.
   – Ah bon ? On ne va pas chez Claire et David ?
2. – C'est vrai ? Tu vas aller à Tahiti avec Marie-Christine ?
   – Non. Elle m'a invité, mais je ne veux pas voyager avec Marie-Christine.
3. – François a téléphoné. Tu as oublié ton portable chez François.

5 Transformez les phrases comme dans l'exemple. → (4 points)

Exemple : *[14 juin] Je vais à Lille. → Je vais à Lille le 14 juin.*

1. [1997] Ils sont allés en Chine.
2. [février] On part à la montagne.
3. [mardi 15] Je ne suis pas libre.
4. [jeudi] Vous avez un rendez-vous.

6 Écrivez un minidialogue avec chacune de ces phrases. → (6 points)

1. Ça marche.
2. Ça ne te dérange pas ?
3. Ça ne me dit rien.

7 Vous organisez une fête pour votre anniversaire. Écrivez un message pour inviter votre amie Amélie à votre fête. → (4 points)

Test unité 6

1 Écoutez et dites si les personnes expriment un avis positif ou négatif. → (6 points)

	1	2	3	4	5	6
avis positif						
avis négatif						

2 Rayez la proposition qui ne convient pas. → (7 points)

1. C'est (combien / le prix), ce CD s'il vous plaît ?
2. Moi, je n'ai pas (la / de) chance !
3. Je voudrais sept roses rouges, s'il vous plaît. Ça (est / fait) combien ?
4. Ma mère n'aime pas (les / de) fleurs, elle préfère les livres.
5. Bonjour. Quel est le (combien / prix) des places pour le concert ?
6. Non merci, je ne prends pas (un / de) café.
7. (Est-ce que / Qu'est-ce que) tu veux venir avec moi ?

3 Regardez l'affiche de film ; imaginez et racontez l'histoire puis faites une critique positive ou négative du film. → (8 points)

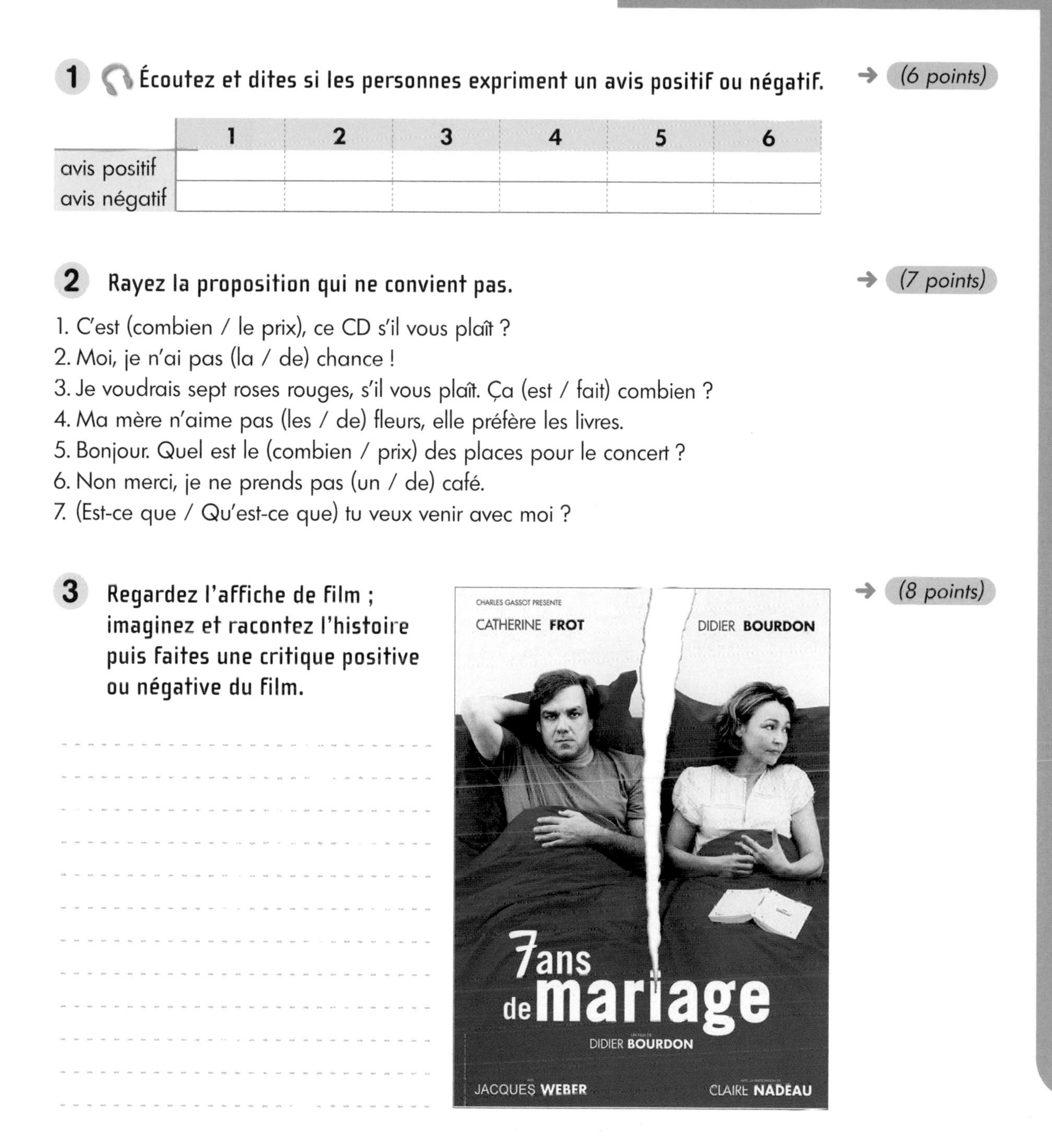

- - - - - - - - - - - - - - - -
- - - - - - - - - - - - - - - -
- - - - - - - - - - - - - - - -
- - - - - - - - - - - - - - - -
- - - - - - - - - - - - - - - -
- - - - - - - - - - - - - - - -
- - - - - - - - - - - - - - - -
- - - - - - - - - - - - - - - -
- - - - - - - - - - - - - - - -
- - - - - - - - - - - - - - - -
- - - - - - - - - - - - - - - -
- - - - - - - - - - - - - - - -

4 Trouvez le mot correspondant à chaque définition. → (4 points)

1. Un très petit repas qu'on peut manger à table ou dans la rue : un - - - - - - - - -
2. Les Italiens adorent en manger : des - - - - - - - - -
3. Les Portugais en sont les plus gros mangeurs : le - - - - - - - - -
4. En France, on le boit souvent avant le repas : - - - - - - - - -

5 Complétez les phrases avec *le*, *la*, *l'*, *les*, *du*, *de la* ou *de l'*. → (5 points)

1. – Tu as acheté - - - - - pain ?
   – Zut ! J'ai oublié… Mais je vais préparer un bon repas. J'ai - - - - - bon poisson de Méditerranée. Tu vas adorer ça !

2. – Tu fais toujours - - - - - athlétisme ?
   – Moi, je n'aime pas - - - - - athlétisme. C'est mon frère qui en fait. Moi, mon sport favori, c'est - - - - - natation.

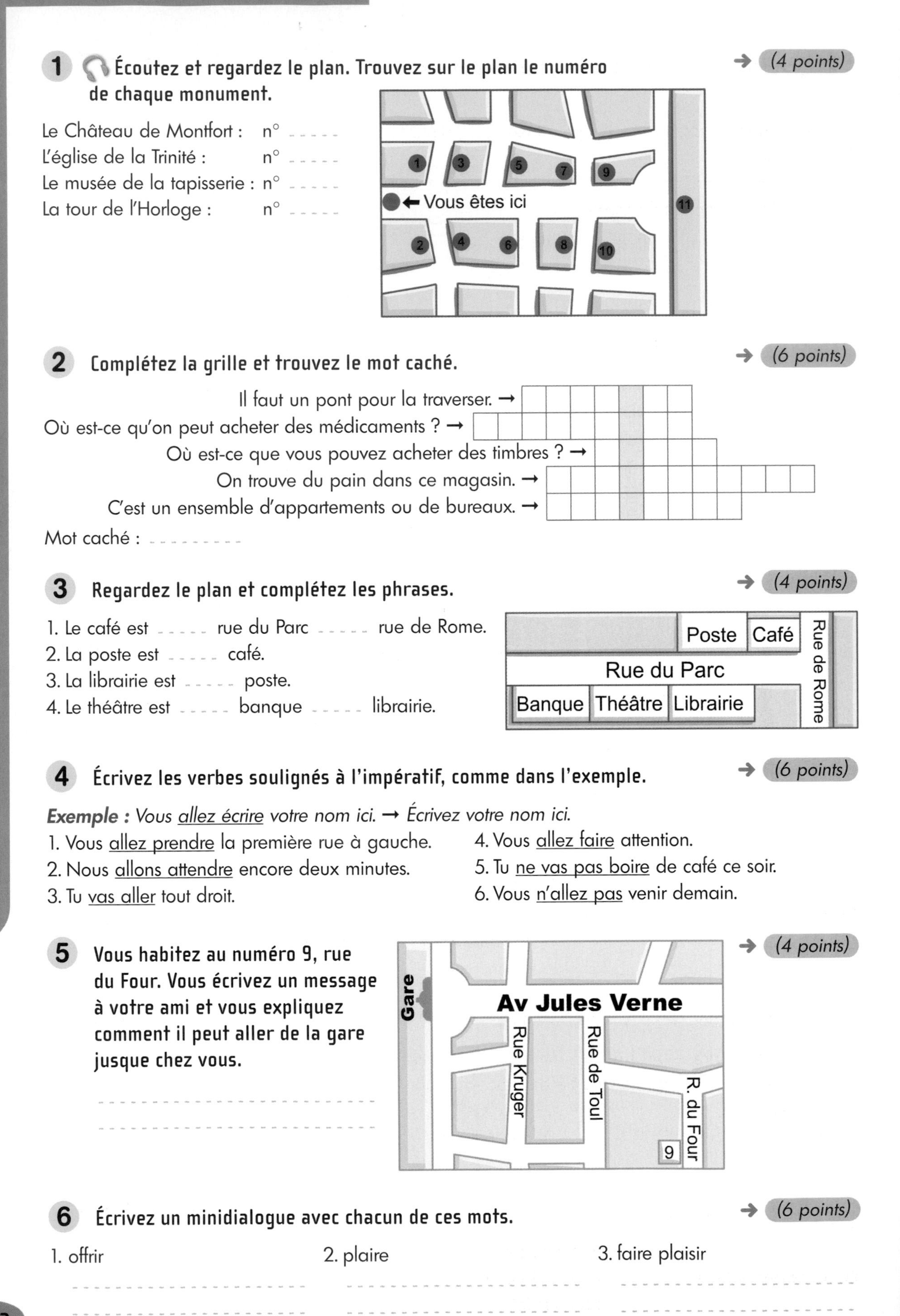

1 Écoutez et regardez le plan. Trouvez sur le plan le numéro de chaque monument. → (4 points)

Le Château de Montfort : n° .....
L'église de la Trinité : n° .....
Le musée de la tapisserie : n° .....
La tour de l'Horloge : n° .....

2 Complétez la grille et trouvez le mot caché. → (6 points)

Il faut un pont pour la traverser. →
Où est-ce qu'on peut acheter des médicaments ? →
Où est-ce que vous pouvez acheter des timbres ? →
On trouve du pain dans ce magasin. →
C'est un ensemble d'appartements ou de bureaux. →

Mot caché : ....

3 Regardez le plan et complétez les phrases. → (4 points)

1. Le café est ..... rue du Parc ..... rue de Rome.
2. La poste est ..... café.
3. La librairie est ..... poste.
4. Le théâtre est ..... banque ..... librairie.

4 Écrivez les verbes soulignés à l'impératif, comme dans l'exemple. → (6 points)

Exemple : *Vous allez écrire votre nom ici. → Écrivez votre nom ici.*

1. Vous allez prendre la première rue à gauche.
2. Nous allons attendre encore deux minutes.
3. Tu vas aller tout droit.
4. Vous allez faire attention.
5. Tu ne vas pas boire de café ce soir.
6. Vous n'allez pas venir demain.

5 Vous habitez au numéro 9, rue du Four. Vous écrivez un message à votre ami et vous expliquez comment il peut aller de la gare jusque chez vous. → (4 points)

6 Écrivez un minidialogue avec chacun de ces mots. → (6 points)

1. offrir
2. plaire
3. faire plaisir

Test unité 8

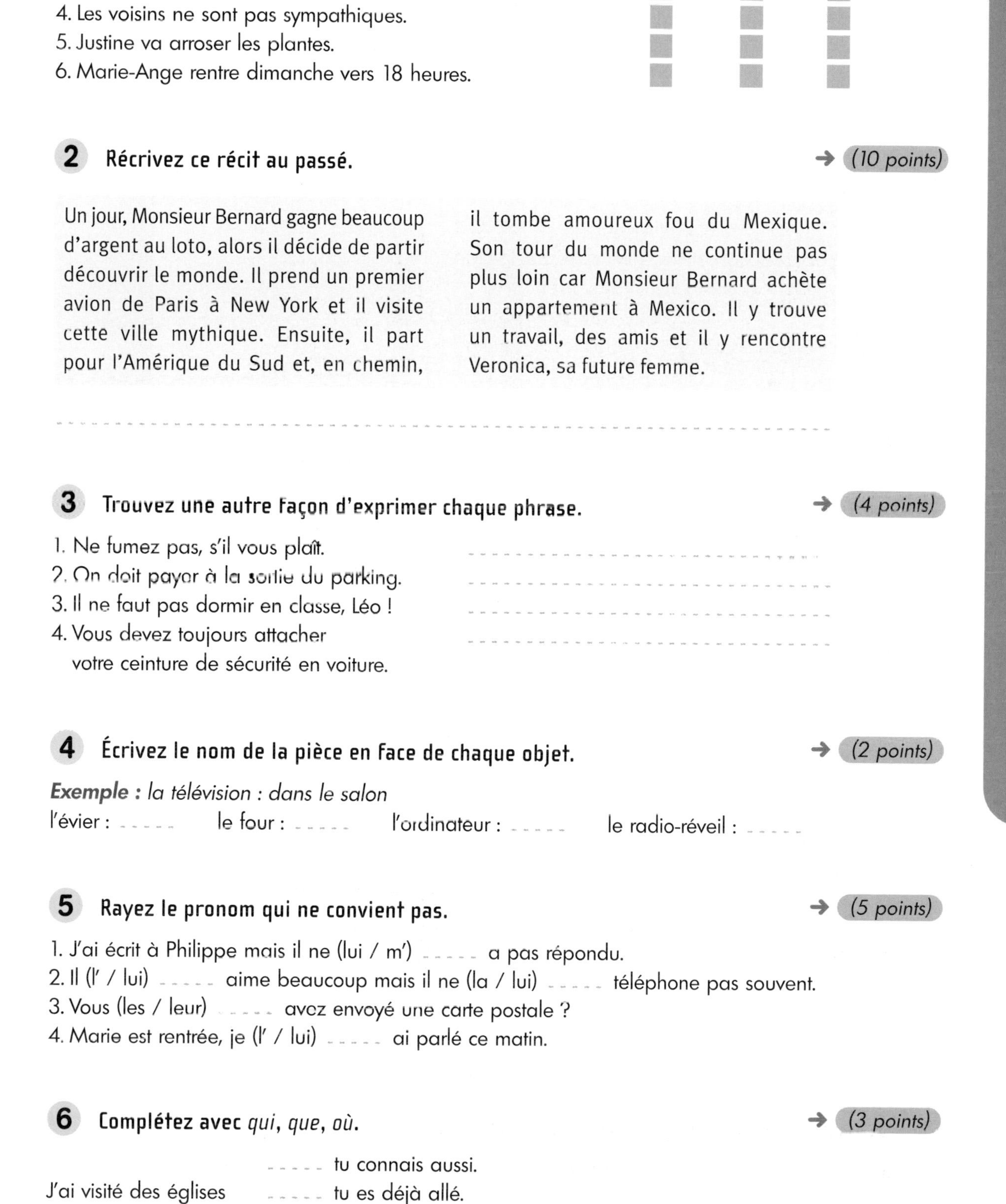

1 Écoutez puis cochez la réponse qui convient. → (6 points)

	Vrai	Faux	?
1. Marie-Ange va rester dans l'appartement de Justine.			
2. La voisine est portugaise.			
3. La télé marche très bien.			
4. Les voisins ne sont pas sympathiques.			
5. Justine va arroser les plantes.			
6. Marie-Ange rentre dimanche vers 18 heures.			

2 Récrivez ce récit au passé. → (10 points)

Un jour, Monsieur Bernard gagne beaucoup d'argent au loto, alors il décide de partir découvrir le monde. Il prend un premier avion de Paris à New York et il visite cette ville mythique. Ensuite, il part pour l'Amérique du Sud et, en chemin, il tombe amoureux fou du Mexique. Son tour du monde ne continue pas plus loin car Monsieur Bernard achète un appartement à Mexico. Il y trouve un travail, des amis et il y rencontre Veronica, sa future femme.

---

3 Trouvez une autre façon d'exprimer chaque phrase. → (4 points)

1. Ne fumez pas, s'il vous plaît. ....
2. On doit payer à la sortie du parking. ....
3. Il ne faut pas dormir en classe, Léo ! ....
4. Vous devez toujours attacher votre ceinture de sécurité en voiture. ....

4 Écrivez le nom de la pièce en face de chaque objet. → (2 points)

Exemple : *la télévision : dans le salon*

l'évier : ..... le four : ..... l'ordinateur : ..... le radio-réveil : .....

5 Rayez le pronom qui ne convient pas. → (5 points)

1. J'ai écrit à Philippe mais il ne (lui / m') ..... a pas répondu.
2. Il (l' / lui) ..... aime beaucoup mais il ne (la / lui) ..... téléphone pas souvent.
3. Vous (les / leur) ..... avez envoyé une carte postale ?
4. Marie est rentrée, je (l' / lui) ..... ai parlé ce matin.

6 Complétez avec *qui*, *que*, *où*. → (3 points)

J'ai visité des églises
..... tu connais aussi.
..... tu es déjà allé.
..... sont très jolies.

1 Écoutez Sylvie et cochez les réponses qui conviennent. → (5 points)

1. Sylvie ▢ adore la montagne. ▢ adore la mer. ▢ déteste la montagne.
2. Sylvie et ses amis ▢ partent toujours sur la côte atlantique. ▢ vont toujours au Pays basque. ▢ vont toujours au bord de la mer Méditerranée.
3. Ils aiment ▢ la plage et les bars. ▢ la plage et le volley. ▢ la plage et la natation.
4. Quand il ne fait pas beau, Sylvie ▢ va à la plage et ne fait rien. ▢ va danser et s'amuser. ▢ visite la région avec ses amis.
5. Sylvie ▢ aime la plage et le tourisme. ▢ n'aime pas faire du tourisme. ▢ fait du tourisme quand il fait beau.

2 Lisez ce message puis répondez aux questions. → (4 points)

De : ‹ dominique.goussin@laposte.fr ›
À : ‹ camille.derec@A2points.fr ›
Date : 15 août 2006
Objet : oh ! bah... juste un petit message comme ça pour savoir comment tu vas !

Bonjour Camille,
Comment ça va ? C'est bien les vacances ? J'espère que tu aimes l'appartement et l'endroit où vous êtes. Il y a beaucoup d'habitants dans cette ville ? Mais, c'est où, exactement ? Et, est-ce qu'il y a des choses intéressantes à visiter ?
Pour moi, tout va bien : grand soleil à Paris, et pour rentrer à la maison le soir, personne dans le bus ou le métro. Les Parisiens sont tous partis en vacances ! Ah ! c'est agréable.
Ce week-end, je suis allé à Deauville : pluie, beaucoup de monde dans les restaurants et dans les rues, tout le monde énervé, impatient...
Au bureau, tout le monde est calme, c'est vraiment super ! Alors, pourquoi partir en vacances ? ;-)
Donne-moi de tes nouvelles. Je t'embrasse
Dominique

1. Pourquoi est-ce que Dominique écrit à Camille ?
2. Où est-ce que Dominique travaille ?
3. Où est-ce que Dominique habite ?
4. Pourquoi est-ce que tout le monde est calme au bureau ?

3 Vous êtes Camille et vous répondez au message de Dominique. → (10 points)

- - - - - - - - - - - - - - - - - - - -

4 Remplacez l'élément souligné par un pronom et écrivez votre phrase. → (5 points)

1. – Je peux prendre un petit chocolat ?
   – Oui, bien sûr, prends <u>un petit chocolat</u>.
   – - - - - - - - - - - - - - - -
2. – Est-ce que vous allez retourner sur l'île de Berder ?
   – Oui on va retourner <u>sur l'île de Berder</u> l'été prochain.
   – - - - - - - - - - - - - - - -
3. – Pourquoi tu ne téléphones pas à Louis ?
   – Ah, non ! Je ne veux pas parler <u>à Louis</u> !
   – - - - - - - - - - - - - - - -
4. – Quand est-ce qu'on va manger au resto des Arts ?
   – Viens avec nous, on va <u>au resto des Arts</u> ce soir.
   – - - - - - - - - - - - - - - -
5. – Est-ce que tu veux du gâteau au citron ?
   – Oui, je vais prendre un peu <u>de gâteau au citron</u>.
   – - - - - - - - - - - - - - - -

5 Deux personnes discutent. L'une propose quelque chose à son ami(e) qui accepte ou refuse. Écrivez le minidialogue en utilisant ces éléments : *la randonnée, c'est très agréable, c'est trop loin.* → (6 points)

- - - - - - - - - - - - - - - - - - - -

Test unité 10

1 **Écoutez cet homme et complétez avec les actions qui manquent.** → *(8 points)*

1. Il se lève
2. ……
3. ……
4. Il prend le petit déjeuner
5. ……
6. Il prend le métro
7. ……
8. Il travaille
9. ……
10. ……
11. ……
12. Il lit le journal
13. Il prend une douche
14. ……

2 **Rétablissez ces phrases familières en français standard.** → *(6 points)*

1. Vous avez que quatre euros ?
2. Y a pas de pain ?
3. T'as pas soif ?
4. I t'a parlé, Monsieur Proust ?
5. J'sais pas quoi faire…
6. Y a que toi qui veux y aller !

3 **Écrivez un court récit en utilisant** ***d'abord*****,** ***ensuite*****,** ***enfin*****.** → *(3 points)*

4 **Rayez les mots qui ne conviennent pas.** → *(4 points)*

1. Il a de beaux (pieds / yeux / bras) bleus.
2. Je compte sur les dix (doigts / bras / joues) de la main.
3. Arrête de courir, tu as les (bouches / joues / dents) toutes rouges !
4. J'ai beaucoup marché. J'ai mal aux (bras / cheveux / pieds).

5 **Mettez ces phrases à l'impératif.** → *(4 points)*

1. Vous vous asseyez.
2. Tu te lèves.
3. Tu ne t'arrêtes pas.
4. Vous vous amusez bien.

6 **Associez.** → *(2 points)*

1. Quel — a. villes d'Italie connaissez-vous ?
2. Quelle — b. heure est-il ?
3. Quels — c. est ton auteur préféré ?
4. Quelles — d. jours est-ce que tu ne travailles pas ?

1 …	2 …	3 …	4 …

7 **Transformez les questions comme dans l'exemple.** → *(3 points)*

Exemple : *Est-ce que tu connais Luigi ? → Connais-tu Luigi ?*

1. Est-ce qu'il va repartir en Australie ?
2. Est-ce qu'elle se lève tard ?
3. Est-ce que vous lui avez expliqué ?

Test

1 Écoutez les six situations et dites si les personnes sont d'accord ou si elles sont en désaccord. Cochez les cases qui conviennent. → (6 points)

	1	2	3	4	5	6
accord						
désaccord						

2 Complétez les phrases avec *être* ou *avoir*. → (3 points)

1. Chéri, est-ce que tu ..... sorti la poubelle ?
2. Le directeur ..... monté sur la table et il s'est mis à chanter !
3. On ..... passé toute la nuit au bureau mais on n'a pas trouvé de solution.

3 Rayez le mot qui ne convient pas. → (3 points)

1. Ahmed va en vacances au Maroc cet été. Il part le 8 juillet et il [revient / retourne] en France le 4 août.
2. Tout est prêt ? On va se coucher tôt ce soir parce qu'on [part / quitte] à cinq heures demain matin.
3. Au revoir, ma chérie, bonne journée. Euh, tu [entres / rentres] à quelle heure ce soir ?

4 Écrivez une phrase avec chacun de ces mots. → (4 points)

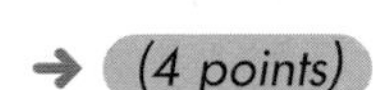

1. depuis : ....
2. il y a une semaine : ....
3. pendant : ....
4. jusqu'à lundi : ....

5 Écrivez les verbes entre parenthèses au passé composé. → (4 points)

1. Valérie (revenir) ..... le 17 mai.
2. Elle (s'asseoir) ..... sur ses lunettes.
3. Anne et Lisa (s'ennuyer) ..... pendant leurs vacances à Biarritz.
4. Nos voisins (partir) ..... aux Philippines.

6 Comparez ces deux personnes. → (6 points)

....

....

....

7 Écrivez un minidialogue avec chacune de ces phrases (2 ou 3 lignes). → (4 points)

1. C'est insupportable !

....

....

....

2. J'en ai marre !

....

....

....

Test unité 12

1 Écoutez le bulletin météo et complétez. → (5 points)

	vrai	faux	?
1. Le temps sera gris à l'est.			
2. Il pleuvra au centre.			
3. Il pleuvra et le vent soufflera à l'est.			
4. Il fera assez beau au nord.			
5. Il fera beau sur la Côte d'Azur et la Corse.			

2 Anne va chez une voyante. Écoutez la situation et cochez la réponse qui convient. → (5 points)

1. La voyante travaille avec :
   - des cartes.
   - un ordinateur.
   - une boule de cristal.
2. Anne a :
   - trois enfants.
   - pas d'enfant.
   - deux enfants.
3. La voyante dit que Anne va partir en vacances avec :
   - un homme blond.
   - sa copine Muriel.
   - sa mère.
4. Anne travaille :
   - sur une plage au bord de la mer.
   - dans un hôpital.
   - dans une banque.
5. Anne paie :
   - 20 €.
   - moins de 20 €.
   - plus de 20 €.

3 Écrivez un petit texte : imaginez ce que vous serez et ce que vous ferez dans 20 ans. → (4 points)

Exemple : *Moi, dans 20 ans, je serai professeur d'université. J'habiterai à .....*

4 Remplacez les mots soulignés par leur contraire. → (5 points)

Exemple : *Elle est très petite* → *Elle est très grande.*

1. Pierre est jeune et mince. → ....
2. Laura a les cheveux courts et raides. → ....
3. Cet homme a l'air triste. → ....

5 Mettez les verbes entre parenthèses au futur simple. → (8 points)

1. – Qu'est-ce qu'on (faire) ..... chez Bruno ?
   – On (jouer) ..... au tennis, puis on (manger) ..... tous ensemble.
2. Quand tu (être) ..... grand, tu (devoir) ..... travailler, comme papa !
3. Vous (corriger) ..... votre test, vous (finir) ..... vos exercices, puis vous (aller) ..... en salle multimédia.

6 Complétez ces phrases avec l'un des verbes proposés à la forme qui convient. → (3 points)

1. (venir - écouter - partir) Moi, j'aimerais bien que vous ....
2. (comprendre - dire - écrire) Il faut que tu ....
3. (travailler - apprendre - parler) Le professeur de français voudrait que nous ....

Lexique plurilingue

FRANÇAIS	ANGLAIS	ESPAGNOL	ALLEMAND	CHINOIS	ARABE
À bientôt !	See you soon!	¡Hasta pronto !	Bis bald	下次见	إلى اللقاء !
à côté (de)	next (to)	al lado (de)	neben	(在...)旁边	بجانب
À demain !	See you tomorrow!	¡Hasta mañana !	Bis morgen	明天见	إلى الغد !
à droite (de)	right	a la derecha (de)	rechts	(在...)右边	يميناً
à gauche (de)	left	a la izquierda (de)	links	(在...)左边	يساراً
accent *m.*	accent	acento	Akzent	重音	حركة
accepter	to accept	aceptar	einverstanden sein	接受	قبل
accueil *m.*	welcome	acogida	Empfang	接待	استقبال
accueillant	welcoming	acogedor	freundlich, gastlich	热情	مضياف
accueillir	to welcome	acoger	empfangen	招待	استقبل
acheter	to buy	comprar	kaufen	买	اشترى
acteur *m.*	actor	actor	Schauspieler	演员	ممثل
activité *f.*	activity	actividad	Tätigkeit	活动	نشاط
actualité *f.*	current events	actualidad	Zeitgeschehen	新闻	الأحداث الراهنة
actuel	present/current	actual	gegenwärtig	现代	الحالي
admirer	to admire	admirar	bewundern	佩服	أعجب بـ
adorable	adorable	adorable	reizend, süß	可爱	رائع
adorer	to love	adorar	sehr gern mögen	热爱	عبد
adresse *f.*	address	dirección	Anschrift	地址	عنوان
adresse électronique *f.*	email address	dirección de correo electrónico	elektronische Adresse	网址	عنوان إلكتروني
adulte *m.*	adult	adulto	Erwachsene(r)	成年人	بالغ
aéroport *m.*	airport	aeropuerto	Flughafen	机场	مطار
affichage *m.*	posting	fijación	Aushang	布告	لصق الإعلانات
âge *m.*	age	edad	Alter	年龄	عمر
agréable	pleasant	agradable	angenehm	舒服	ممتع
aider	to help	ayudar	helfen	帮助	ساعد
ailleurs	somewhere else	en otra parte	anderswo	其他地方	في مكان آخر
aimer	to like/to love	amar	lieben	喜欢	أحبّ
alimentation *f.*	diet	alimentación	Ernährung	饮食	تغذية
aller (à)	to go (to)	ir (a)	gehen	去	ذهب (إلى)
s'en aller	to leave	irse	weggehen	离开	رحل
allumer	to turn on	encender	einschalten	点燃	أشعل
alors	so	entonces	na	就	إذاً
ambulance *f.*	ambulance	ambulancia	Krankenwagen	救护车	سيّارة إسعاف
ami *m.*	friend	amigo	Freund	朋友	صديق
amour *m.*	love	amor	Liebe	爱情	حبّ
amoureux	in love (with)	enamorado	verliebt	情人	عاشق
ampoule *f.*	(light) bulb	bombilla	Glühbirne	灯泡	لمبة
s'amuser	to have fun	divertirse	sich amüsieren	玩耍	تسلى
an *m.*	year	año	Jahr	年	عام
ancien	old	antiguo	alt, ehemalig	古代的	قديم
angoisse *f.*	anxiety	angustia	Angst	焦虑	حصر، غمّ
animateur *m.*	presenter	animador	Moderator	主持人	مقدّم برامج
année *f.*	year	año	Jahr	年	سنة
anniversaire *m.*	birthday	cumpleaños	Geburtstag	生日	عيد ميلاد
août	August	agosto	August	八月	آب، أغسطس
apéritif *m.*	aperitif	aperitivo	Aperitif	开胃酒	مشروب لفتح الشهيّة
apparaître	to appear	aparecer	erscheinen	出现	ظهر
appartement *m.*	flat	piso	Wohnung	套房	شقة
appeler	to phone	llamar	(an)rufen	打电话	هتف، تلفَنَ
s'appeler	to be called	llamarse	heißen	叫	دُعيَ
apporter	to bring	traer	(mit)bringen	带	جلب
apprendre	to learn	aprender	lernen	学习	تعلّم
appuyer	to press	apretar/apoyar	drücken	按	ضغط
après	after	después	nach, hinter	后	بعد
après-midi *m.* / *f.*	afternoon	tarde	Nachmittag	下午	بعد الظهر
architecture *f.*	architecture	arquitectura	Architektur	建筑学	هندسة معمارية
argent *m.*	money	dinero	Geld	金钱	مال
s'arrêter	to stop	pararse	stehen bleiben	停下	توقف
arrivée *f.*	arrival	llegada	Ankunft	到来	وصول
arriver	to arrive	llegar	ankommen	到达	وصل
arroser	to water	regar	gießen	浇水	سقى
ascenseur *m.*	lift	ascensor	Aufzug	电梯	مِصعَد
s'asseoir	to sit	sentarse	sich setzen	坐下	جلس

FRANÇAIS	ANGLAIS	ESPAGNOL	ALLEMAND	CHINOIS	ARABE
attendre	to wait	esperar	warten	等待	انتظر
au bout de	at the end of	al final de	am Ende	过了...	في نهاية... بعد
au centre de	at the centre of	en el centro de	in der Mitte	(在...)中间	في وسط...
au coin de	at the corner of	en la esquina de	an der Ecke	(在...)转角处	عند زاوية...
aujourd'hui	today	hoy	heute	今天	اليوم
aussi	also	también	auch	也	كذلك
auteur *m.*	author	autor	Autor	作者	مؤلف
autoroute *f.*	motorway	autopista	Autobahn	高速公路	طريق سريع، أوتوستراد
autour	around	alrededor	um	在周围	حول
autre	other	otro	andere(r, –s)	其他	غير
avenue *f.*	avenue	avenida	Avenue	大街	جادة
avion *m.*	airplane	avión	Flugzeug	飞机	طائرة
avis *m.*	opinion	opinión	Meinung	意见	رأي
avoir	to have	tener/haber	haben	有	امتلك
avoir l'air (de)	to look like	parecer	so aussehen, als ob	好象	ظهر بمظهر...
avoir besoin de	to need	necesitar	brauchen	需要	احتاج
avoir envie de	to want	tener ganas de	Lust haben	想要	رغب في
avoir de la chance	to be lucky	tener suerte	Glück haben	运气好	حالفه الحظ
avoir faim	to be hungry	tener hambre	Hunger haben	肚子饿	جاع
avoir horreur de	to hate	horrorizarse de	etw. verabscheuen	讨厌	كره، مقت
avoir mal (à)	to ache	doler (en)	wehtun	痛	تألم
avoir raison	to be right	tener razón	Recht haben	对	كان على حقّ
avoir soif	to be thirsty	tener sed	Durst haben	口渴	عطش
avoir sommeil	to feel sleepy	tener sueño	müde sein	想睡觉	نعس
avoir tort	to be wrong	tener la culpa	Unrecht haben	错	كان على خطأ
avril *m.*	April	abril	April	四月	نيسان، أبريل
Bagage *m.*	luggage	equipaje	Gepäck	行李	متاع
baignoire *f.*	bathtub	bañera	Badewanne	浴缸	مغطس، بانيو
banque *f.*	bank	banco	Bank	银行	بنك، مصرف
banquier *m.*	banker	banquero	Banker	银行家	مصرفي
bar *m.*	bar	bar	Bar	酒吧	بار، مقهى
barbe *f.*	beard	barba	Bart	胡子	لحية
bas	low	bajo	niedrig	矮	منخفض
baskets *f.*	trainers	zapatillas de deporte	Turnschuhe	运动鞋	حذاء باسكيت
beau	beautiful	bonito	schön	美	جميل
beau-frère *m.*	brother-in-law	cuñado	Schwager	姐夫 / 妹婿	صهر، سلف، عديل
beige	beige	beige	beige	米色	بيج
belle-sœur *f.*	sister-in-law	cuñada	Schwägerin	嫂嫂	سلفة، زوجة الأخ
beurre *m.*	butter	mantequilla	Butter	黄油	زبدة
bibliothèque *f.*	library	biblioteca	Bibliothek	图书馆	مكتبة
bien	good	bien	gut	好	جيّد
bien sûr	of course	por supuesto	sicher	当然	بالطبع، بالتأكيد
bientôt	soon	pronto	bald	很快	قريبا
bière *f.*	beer	cerveza	Bier	啤酒	بيرة
bijou *m.*	jewel	joya	Schmuckstück	首饰	حلية
bise *f.*	kiss	beso	Begrüßungskuss	吻	قبلة صغيرة
blague *f.*	joke	broma	Witz	笑话	نكتة
blanc	white	blanco	weiß	白色	أبيض
bleu	blue	azul	blau	蓝色	أزرق
blond	blond	rubio	blond	金黄色	أشقر
boire	to drink	beber	trinken	喝	شرب
boîte *f.*	box	caja	Schachtel	盒子	علبة
boîte *f.*	nightclub	discoteca	Disco	舞厅	مقهى، ناد ليلي
bon	good	bueno	gut/lecker	好吃	لذيذ
Bonne journée !	have a good day!	¡Buenos días !	einen schönen Tag	你好	طاب نهارك !
bouche *f.*	mouth	boca	Mund	嘴巴	فم
boucher *m.*	butcher	carnicero	Metzger	肉贩	لحّام، جزّار
boucherie *f.*	butchery	carnicería	Metzgerei	肉店	ملحمة، مجزرة، مقصبة
boulanger *m.*	baker	panadero	Bäcker	面包贩	خبّاز
boulangerie *f.*	bakery	panadería	Bäckerei	面包店	مخبز
boulevard *m.*	boulevard	bulevar	Boulevard	大道	بولفار
bousculer	to bump into	empujar (a)	schubsen	推	دفع
bouteille *f.*	bottle	botella	Flasche	瓶子	قنينة
boutique *f.*	shop	tienda	Laden	商店	محلّ، متجر
bouton *m.*	button	botón	Knopf	钮扣	زرّ
bracelet *m.*	bracelet	pulsera	Armband	手镯	سوار
branché	trendy	moderno	insider-	流行	على الموضة
brancher	to plug in	enchufar	verbinden	接	وصل
bras *m.*	arm	brazo	Arm	胳膊	ذراع

FRANÇAIS	ANGLAIS	ESPAGNOL	ALLEMAND	CHINOIS	ARABE
se brosser les dents	to brush one's teeth	cepillarse los dientes	Zähne putzen	刷牙	فرشى أسنانه
bruit *m.*	noise	ruido	Lärm	噪音	ضجيج
brun	brown	moreno	braun	褐色	بني، أسمر
bureau *m.*	study/office	despacho	Büro	办公室	مكتب
bureau *m.*	desk	mesa de despacho	Schreibtisch	办公桌	مكتب
bus *m.*	bus	autobús	Bus	公交车	حافلة، باص
Cadeau *m.*	present	regalo	Geschenk	礼物	هدية
café *m.*	café	cafetería	Café	咖啡厅	مقهى
calendrier *m.*	calendar	calendario	Kalender	月历	روزنامة
calme	calm/quiet	calma	ruhig	安静	هادئ
camarade *m.*	friend	compañero	Kamerad	伙伴	رفيق
candidat *m.*	contestant	candidato	Kandidat	玩家	مرشّح
canette *f.*	can	lata	Dose (Getränke)	听	عبوة، قارورة
capitale *f.*	capital	capital	Hauptstadt	首度	عاصمة
carte d'identité *f.*	identity card	doc. de identidad	Personalausweis	身分证	بطاقة هويّة
carte postale *f.*	postcard	tarjeta postal	Postkarte	名信片	بطاقة بريدية
carte bancaire *f.*	credit card	tarjeta bancaria	Kreditkarte	信用卡	بطاقة مصرفية
casquette *f.*	cap	gorra	(Schirm)mütze	鸭舌帽	كسكيت
cassette *f.*	tape	casete	Kassette	带子	كاسيت، شريط
cave *f.*	cellar	sótano	Keller	地窖	قبو
cédille *f.*	cedilla	cedilla	Cedille	下加符	سديلة
ceinture *f.*	belt	cinturón	Gürtel	皮带	حزام
célèbre	famous	célebre	berühmt	著名	شهير، شهيرة
célibataire	single	soltero	ledig	单身	عازب، عزباء
centime *m.*	eurocent	céntimo	Cent	分	سنتيم
centre ville *m.*	town centre	centro de la ciudad	Innenstadt	市中心	وسط المدينة
chacun	each (one)	cada uno	jede(r, -s)	每个人	كل واحد
chaleureux	friendly	caluroso	herzlich	热情	حارّ، ودّي
chambre *f.*	bedroom	habitación	Zimmer	卧室	غرفة
changer (de)	to change	cambiar (de)	wechseln	换	غيّر
chanteur *m.*	singer	cantante	Sänger	歌手	مغنّ
chapeau *m.*	hat	sombrero	Hut	帽子	قبّعة
chaque	each	cada	jede(r –s)	每	كلّ
charcuterie *f.*	cooked pork meats	charcutería	Wurstwaren	肉制品店	مقصبة لحم الخنزير
charmant	charming	encantador	reizend/charmant	吸引人的	ظريف، لطيف
châtain	brown (hair)	castaño	braun	淡褐色	كستنائي
château *m.*	castle	castillo	Schloss	城堡	قصر
chaud	warm	caliente	heiß	热	ساخن
chaussures *f.*	shoes	zapatos	Schuhe	鞋子	حذاء
chemise *f*	shirt	camisa	Hemd	衬衫	قميص
chèque *m.*	cheque	cheque	Scheck	支票	شيك
cher	expensive	caro	teuer	贵	غال، باهظ الثمن
chercher	to look for	buscar	suchen	寻找	بحث عن، فتّش
cheveu *m.*	hair	pelo	Haar	头发	شعرة
chez	at	en casa de	bei	(在..)的家	عند
chien *m.*	dog	perro	Hund	狗	كلب
chiffre *m.*	figure	cifra	Ziffer/Zahl	数字	رقم
chocolat *m.*	chocolate	chocolate	Schokolade	巧克力	شوكولا
choisir	to choose	elegir	wählen	选择	اختار
cinéma *m.*	cinema	cine	Kino	电影院	سينما
citron *m.*	lemon	limón	Zitrone	柠檬	ليمونة، ليمون حامض
clé *f.*	key	llave	Schlüssel	钥匙	مفتاح
climat *m.*	climate	clima	Klima	气候	طقس
cocher	to tick	marcar	ankreuzen	勾	وضع علامة
se coiffer	to do (one's) hair	peinarse	sich frisieren	梳头	رتّب شعره
collègue *m.*	colleague	compañero	Kollege	同事	زميل
comme	like/as	como	wie	如	مثل
commencer	to begin	comenzar	anfangen/beginnen	开始	بدأ
communication *f.*	communication	comunicación	Kommunikation	交通	اتصال
compléter	to complete	completar	vervollständigen	完成	أكمل
comprendre	to understand	comprender	verstehen	了解	فهم
compter	to count	contar	zählen	数	حسب، عدّ
concert *m.*	concert	concierto	Konzert	音乐会	حفلة موسيقية
connaître	to know	conocer	kennen	认识	عرف، علم
conseil *m.*	advice	consejo	Rat	建议	نصيحة
content	happy	contento	zufrieden	高兴	مسرور
continuer	to carry on	continuar	weitermachen	继续	استمرّ
coordonnées *f.*	details	dirección	Anschrift	聯絡方式	عنوان ورقم الهاتف
copain *m.*	friend/pal	amigo	Freund	伙伴	صاحب

FRANÇAIS	ANGLAIS	ESPAGNOL	ALLEMAND	CHINOIS	ARABE
costume *m.*	suit	traje	Anzug	西装	طقم، بزّة
cou *m.*	neck	cuello	Hals	脖子	عنق، رقبة
coucher	to go to bed	acostarse	schlafen gehen	睡觉	نام
couleur *f.*	colour	color	Farbe	颜色	لون
couloir *m.*	corridor	pasillo	Gang	走廊	ممرّ
coupable *m.*	guilty	culpable	schuldig	罪犯	مذنب
courage *m.*	courage	valor	Mut	勇气	شجاعة
courageux	brave	valiente	mutig	勇敢	شجاع
court	short	corto	kurz	短	قصير
cousin *m.*	cousin	primo	Cousin	堂兄弟 / 表兄弟	ابن عمّ، ابن خال
coûter	to cost	costar	kosten	值	كلّف
cravate *f.*	tie	corbata	Krawatte	领带	كرافات، ربطة عنق
crème *f.*	cream	nata	Creme	浆	قشدة، كريما
crêpe *f.*	crepe/pancake	crepe	Crêpe	薄饼	كريب، فطيرة
cuisine *f.*	cuisine	cocina	Küche	烹调	مطبخ، فنّ الطهي
cuisine *f.*	kitchen	cocina	Küche	厨房	مطبخ
cultivé	cultured	culto	gebildet	有文化	مثقف
culture *f.*	culture	cultura	Kultur	文化	ثقافة
cybercafé *m.*	cyber cafe	cibercafé	Internet-Café	网吧	مقهى أنترنيت، سيبركافي
D'abord	first	en primer lugar	zuerst	首先	اوّلاً، في البدء
d'accord	OK	de acuerdo	einverstanden	同意	موافق
dame *f.*	lady	dama	Dame/Frau	女士	سيّدة
dans	in	en	in	(在..)里面	في
danse *f.*	dance	baile	Tanz	舞蹈	رقصة
danser	to dance	bailar	tanzen	跳舞	رَقصَ
date *f.*	date	fecha	Datum	日期	تاريخ
début *m.*	beginning	inicio	Anfang	开头	بداية
décembre	December	diciembre	Dezember	十二月	كانون الأول، ديسمبر
déchets *m. pl.*	waste	residuos	Abfälle	废弃物	نفايات
décider de	to decide (on)	decidir	etwas entscheiden	决定	قرّر
décoller	to take off	despegar	starten (Flugzeug)	起飞	أقلع
décorer	to decorate	decorar	dekorieren	装饰	زيّن
déguisement *m.*	costume	disfraz	Verkleidung	化妆	تنكّر
se déguiser	to dress up (as)	disfrazarse	sich verkleiden	化妆	تنكّرَ
déjeuner	to have lunch	desayunar	frühstücken	午餐	تغدّى
délicieux	delicious	delicioso	köstlich	可口	شهيّ
demander (à)	to ask (sb)	pedir/preguntar (a)	fragen (jemanden)	问	طلب من
dent *f.*	tooth	diente	Zahn	牙齿	سنّ، ضرس
dentiste *m.*	dentist	dentista	Zahnarzt	牙医	طبيب أسنان
départ *m.*	departure	salida	Abfahrt	出发	انطلاق، رحيل
département *m.*	department	provincia	Departement	行政区	مقاطعة
se dépêcher	to hurry (up)	darse prisa	sich beeilen	赶快	أسرع
depuis	since	desde	seit	从	منذ
déranger	to disturb	molestar	stören	打扰	أزعج
dernier	last	último	letzte(r, -s)	最后	أخير
descendre	to go down	bajar	heruntergehen	下去	نزل
désespérer	to despair (of)	desesperar	Hoffnung verlieren	着急	يئس
désolé	sorry	lo siento mucho	tief betrübt	对不起	متأسّف
dessert *m.*	dessert	postre	Nachtisch	甜点	تحلية
dessin *m.*	drawing	dibujo	Zeichnung/Bild	图画	رسم
détestable	appalling	odioso	abscheulich	可恶	مقيت
détester	to hate	odiar	verabscheuen	憎恨	مقت
devant	in front of	delante	vor/vorne/voraus	(在...)前面	أمام
se développer	to develop	desarrollarse	sich entwickeln	发展	تطوّر
devoir	must/to have to	deber	müssen	必须	وجب
dialecte *m.*	dialect	dialecto	Dialekt	方言	لغة محلية، لهجة
difficile	difficult	difícil	schwierig	难	صعب
dîner	to have dinner	cenar	zu Abend essen	吃晚餐	عشاء
dire	to say	decir	sagen	说	قال
directeur *m.*	manager	director	Direktor	经理	مدير
discussion *f.*	discussion	discusión	Gespräch	讨论	مناقشة
discuter (de)	to talk (about)	discutir (sobre)	über etw. sprechen	讨论	ناقش، تناقش
disque *m.*	record	disco	Platte/CD	唱片	قرص، أسطوانة
document *m.*	document	documento	Unterlage	文件	مستند
documentaire *m.*	documentary	documental	Dokumentarfilm	科普电影	فيلم وثائقي
doigt *m.*	finger	dedo	Finger	手指头	إصبع
dormir	to sleep	dormir	schlafen	睡觉	نام
douche *f.*	shower	ducha	Dusche	淋浴	دوش، منضحة حمّام
doux	gentle	amable	sanft	温柔	لطيف

FRANÇAIS	ANGLAIS	ESPAGNOL	ALLEMAND	CHINOIS	ARABE
drap de bain *m.*	bath towel	toalla	Badetuch	浴巾	منشفة كبيرة، منشفة حمّام
drôle	funny	divertido	komisch/witzig	好笑	طريف
dynamique	dynamic	dinámico	dynamisch	有活力	نشط
Eau *f.*	water	agua	Wasser	水	ماء
école *f.*	school	escuela	Schule	学校	مدرسة
écouter	to listen (to)	escuchar	zuhören	听	أنصت
écrire (à)	to write (to)	escribir (a)	jdm. schreiben	写信	كتب (إلى)
écriture *f.*	writing	escritura	Schrift	文字	كتابة، خطّ
s'effondrer	to collapse	hundirse	zusammenbrechen	支持不住	انهار
effort *m.*	effort	esfuerzo	Anstrengung	努力	جهد
église *f.*	church	iglesia	Kirche	教堂	كنيسة
élégant	smart/elegant	elegante	elegant	优雅	أنيق
élève *m.*	pupil	alumno	Schüler	学生	تلميذ
embrasser	to kiss	besar	umarmen/küssen	亲	قبّل
émission *f.*	programme	programa	Sendung	节目	برنامج (تلفزيوني)
emmener	to take	llevar	mitbringen	带	قاد، أخذ
empoigner	to grab/to seize	empuñar	ergreifen	抓住	أمسك، قبض
emprunter	to borrow	prestar	(aus)leihen	借	اقترض، استعار
en avoir marre (de)	to be fed up with	estar harto (de)	es satt haben	受不了	ضجر
en bas (de)	at the bottom of	debajo (de)	unterhalb	(在...)下面	تحت
en ce moment	at the moment	en este momento	im Moment	现在	في هذه اللحظة
en face (de)	in front of	delante (de)	gegenüber	(在...)对面	بمواجهة، بمقابل
en général	in general	en general	im Allgemeinen	一般来说	بشكل عام
en retard	late	con retraso	zu spät/verspätet	迟	متأخّر
en-cas *m.*	snack	tentempié	Imbiss	零食	طعام، وجبة
enchanté	pleased to meet you	encantado	sehr erfreut	久仰	تشرفت
énervé	irritated	nervioso	aufgeregt/nervös	神经质	ثائر الأعصاب
s'énerver	to get worked up	ponerse nervioso	sich aufregen	变神经质	ثارت أعصابه
enfant *m.*	child	niño	Kind	孩子	طفل، ولد
enfin	finally	por fin	schließlich	终于	أخيراً
s'ennuyer	to be bored	aburrirse	sich langweilen	觉得无聊	ضجر
ennuyeux	boring	aburrido	langweilig	无聊	مُضجر
ensemble	together	juntos	gemeinsam	一起	معاً، سوية
ensuite	then	después	dann	然后	بعد ذلك
entendre	to hear	escuchar	hören	听	سمع
entre	between	entre	zwischen	(在...)之间	بين
entrée *f.*	starter	entrante	Vorspeise	前菜	طبق أوّل
entrée *f.*	entrance hall	entrada	Eingang	入口	مدخل
entrer	to enter	entrar	eintreten	进	دخَلَ
enveloppe *f.*	envelope	sobre	Umschlag	信封	ظرف
environ	about	aproximadamente	ungefähr	大约	حوالي
environnement *m.*	environment	ambiente	Umwelt	环境	بيئة
envoyer	to send	enviar	schicken	寄	أرسل
épaule *f.*	shoulder	hombro	Schulter	肩膀	كتف
épeler	to spell	deletrear	buchstabieren	拼音	هجّى
épicerie *f.*	grocer's (shop)	tienda de comestibles	Lebensmittelgeschäft	食品店	بقالة، محلّ بقالة
équivalent *m.*	equivalent	equivalente	gleichwertig	同等的	مساو
escalier *m.*	staircase	escalera	Treppe	楼梯	سلّم، درج
espérer	to hope	esperar	hoffen	希望	أمل
essayer	to try	intentar	versuchen	试	حاول
étage *m.*	floor	piso	Etage/Stockwerk	楼层	طابق
étranger	foreign	extranjero	ausländisch	外国的	غريب
être	to be	ser	sein	是	كان
étudiant *m.*	student	estudiante	Student/Schüler	学生	طالب
étudier	to study	estudiar	studieren	学习	درس
évidemment	of course	evidentemente	offensichtlich	当然	بالتأكيد
évier *m.*	sink	fregadero	Spülbecken	水池	مجلى
évolution *f.*	evolution	evolución	Entwicklung	发展	تطوّر
exactement	exactly	exactamente	genau	精确地	بالضبط
examen *m.*	exam	examen	Prüfung	考试	فحص
excellent	excellent	excelente	ausgezeichnet	优良	ممتاز
s'excuser	to apologize	disculparse	sich entschuldigen	道歉	اعتذر
expliquer (à)	to explain (to)	explicar (a)	erklären	解释	شرح
Fabriquer	to make	fabricar	herstellen	制造	صنع
(être) fâché (avec)	to be angry with	estar enfadado (con)	mit jm zerstritten sein	(对...)生气	غضبان، زعلان
facile	easy	fácil	einfach	容易	سهل
faim *f.*	hunger	hambre	Hunger	饿	جوع
faire	to do	hacer	machen/tun	做	عملَ، صنعَ
faire attention	to be careful	prestar atención	aufpassen	小心	انتبهَ

FRANÇAIS	ANGLAIS	ESPAGNOL	ALLEMAND	CHINOIS	ARABE
(faire) confiance (à)	to trust	confiar (en)	j-m vertrauen	信任	وثق بـ
famille *f.*	family	familia	Familie	家庭	عائلة، أسرة
farine *f.*	flour	harina	Mehl	面粉	دقيق، طحين
fatigué	tired	cansado	müde	累	متعب، تعبان
faux	wrong	falso	falsch	假	غلط، خاطئ
femme *f.*	woman	mujer	Frau	女人	امرأة
fermer	to close/to shut	cerrar	schließen	关	أقفل، سكر
fête *f.*	party	fiesta	Fest	节日	عيد، احتفال
fêter	to celebrate	celebrar	feiern	庆祝	احتفل
février *m.*	February	febrero	Februar	二月	شباط، فبراير
feu *m.*	fire	semáforo	Ampel	火	إشارة
fiche *f.*	form	ficha	Datenblatt	卡片	بطاقة
fichier *m.*	file	archivo	Datei	文件	ملف
fidèle	reliable	fiel	treu	忠诚	وفيّ
fille *f.*	girl	niña	Mädchen	女孩	فتاة
film *m.*	film	película	Film	电影	فيلم
fin *f.*	end	fin	Ende	结尾	نهاية
finir	to end	terminar	beenden	结束	انتهى
fort	strong	fuerte	stark	强	قويّ
fort	stout	gordo	stark	胖	سمين
fou	mad	loco	verrückt	疯	مجنون
four *m.*	oven	horno	Ofen	烤箱	فرن
frère *m.*	brother	hermano	Bruder	哥哥 / 弟弟	أخ
frigidaire *m.*	fridge	nevera	Kühlschrank	冰箱	برّاد
fringues *f.*	clothes	ropa	Klamotten	衣服	ثياب
frisés	curly	rizados	gelockt/kraus	卷	مجعّد
frite *f.*	chips	patata frita	Pommes frites	薯条	بطاطا مقلية
froid	cold	frío	kalt	冷	بارد
fromage *m.*	cheese	queso	Käse	奶酪	جبن
fruit *m.*	fruit	fruta	Frucht	水果	ثمرة
Gagner	to win	ganar	gewinnen	赢	ربح
garage *m.*	garage	garaje	Garage	停车库	كاراج، مرآب
garçon *m.*	boy	niño	Junge	男孩	صبيّ
gare *f.*	station	estación	Bahnhof	火车站	محطة
gâteau *m.*	cake	pastel	Kuchen	蛋糕	قالب حلوى
génération *f.*	generation	generación	Generation	代	جيل
génial	brilliant	genial	genial	棒	عظيم
gentil	kind/nice	amable	freundlich	和蔼可亲	لطيف
geste *m.*	movement	gesto	Geste	动作	حركة
glacial	frosty	glacial	eisig	冰冷	بارد
glisser	to slip	resbalar	gleiten	滑	انزلق
gondole *f.*	gondola	góndola	Gondel	贡多拉	جندول
gourmand	greedy	glotón	esslustig	馋嘴	شره
goût *m.*	taste	gusto	Geschmack	味道	نكهة
goûter	to taste	probar	probieren	品尝	ذاق
grand	tall	grande	groß	大	كبير
grand-mère *f.*	grandmother	abuela	Großmutter	外婆 / 祖母	جدّة
grand-père *m.*	grandfather	abuelo	Großvater	外公 / 祖父	جدّ
grenier *m.*	attic	desván	Dachboden	阁楼	عليّة
grignoter	to nibble	picar	knabbern	吃零食	قضم، لقمش
gris	grey	gris	grau	灰色	رمادي
groupe *m.*	group	grupo	Gruppe	团 / 组	مجموعة
Habillement *m.*	clothing	vestido	(Be)Kleidung	服装	ملابس
s'habiller	to get dressed	vestirse	sich anziehen	穿衣服	لبس، ارتدى
habitant *m.*	inhabitant	habitante	Bewohner	居民	ساكن
habiter	to live (in)	vivir	wohnen	居住	سكن
heure *f.*	time	hora	Uhr(zeit)	时间	ساعة
heureusement	fortunately	por suerte	glücklicherweise	所幸的是	لحسن الحظ
heureux	happy	feliz	glücklich	幸福	سعيد
histoire *f.*	story	historia	Geschichte	历史	قصّة
historique	historical	histórico	geschichtlich	历史性的	تاريخي
homme *m.*	man	hombre	Mann	男人	رجل
hôpital *m.*	hospital	hospital	Krankenhaus	医院	مستشفى
horrible	horrible	horrible	fürchterlich	不堪入目	مريع
hôtel *m.*	hotel	hotel	Hotel	旅馆	فندق
huile *f.*	oil	aceite	Öl	油	زيت
Ici	here	aquí	hier	这里	هنا
idée *f.*	idea	idea	Gedanke/Idee	主意	فكرة

FRANÇAIS	ANGLAIS	ESPAGNOL	ALLEMAND	CHINOIS	ARABE
identique	identical	idéntico	identisch/gleich	同样的	مماثل
île *f.*	island	isla	Insel	岛	جزيرة
imaginer	to imagine	imaginar	sich etw. vorstellen	想象	تخيّل
immense	huge	inmenso	unermesslich	庞大	شاسع، ضخم
immeuble *m.*	building	inmueble	Gebäude	大楼	مبنى
impatient	impatient	impaciente	ungeduldig	性急	متلهّف
incroyable	unbelievable	increíble	unglaublich	无法相信的	لا يُصدَّق
informaticien *m.*	computer scientist	informático	Informatiker	计算机专家	معلوماتيّ
information *f.*	information	información	Information	信息	معلومة، خبر
s'inquiéter	to worry	preocuparse	sich sorgen	担心	قلق
installer	to install/to set up	instalar	aufstellen	安装	ركّب
s'installer	to move in	instalarse	einziehen	落脚	أقام
insupportable	unbearable	insoportable	unerträglich	令人无法忍受的	لا يُحتمل
intelligent	intelligent	inteligente	intelligent	聪明	ذكي
intéressant	interesting	interesante	interessant	有意思的	مهم، مُلفت
interroger	to question	interrogar	befragen	询问	سأل
interview *f.*	interview	entrevista	Interview	采访	مقابلة
invitation *f.*	invitation	invitación	Einladung	邀请	دعوة
inviter	to invite	invitar	einladen	邀请	دعا
Jambe *f.*	leg	pierna	Bein	腿	ساق
janvier *m.*	January	enero	Januar	一月	كانون الثاني، يناير
jardin *m.*	garden	jardín	Garten	花园	حديقة
jaune	yellow	amarillo	gelb	黄色	أصفر
jeter	to throw	tirar	werfen	扔	رمى
jeu *m.*	game	juego	Spiel	游戏	لعبة
jeune	young	joven	jung	年轻	شاب
joue *f.*	cheek	mejilla	Wange	脸颊	خدّ
jouer	to play	jugar	spielen	玩耍	لعب
jour *m.*	day	día	Tag	天	نهار
journal *m.*	newspaper	periódico	Zeitung	报纸	صحيفة
journaliste *m.*	journalist	periodista	Journalist	记者	صحفيّ
juin *m.*	June	junio	Juni	六月	حزيران، يونيو
juillet	July	julio	Juli	七月	تموز، يوليو
jupe *f.*	skirt	falda	Rock	裙子	تنّورة
jus de fruit *m.*	fruit juice	zumo de fruta	Fruchtsaft	果汁	عصير فاكهة
juste	just	solo	nur	一下下	فقط
Kilogramme *m.*	kilogram	kilogramo	Kilogramm	公斤	كيلوغرام، كيلوجرام
kilomètre *m.*	kilometre	kilómetro	Kilometer	公里	كيلومتر
Là	there	allí	da/dort/dorthin	那里	هناك
là-bas	over there	allá lejos	da drüben	那里	هنالك
lait *m.*	milk	leche	Milch	牛奶	حليب
lampe *f.*	lamp	lámpara	Lampe	电灯	مصباح
se laver	to wash	lavarse	sich waschen	洗澡	اغتسل
lendemain *m.*	the following day	el día siguiente	der Tag darauf	第二天	غداة
légume *m.*	vegetable	verdura/legumbre	Gemüse	蔬菜	خضار، بقلة
lettre *f.*	letter	carta	Brief	信	رسالة
se lever	to get up	levantarse	aufstehen	起床	نهض
librairie *f.*	bookshop	librería	Bücherei	书店	مكتبة
libre	free	libre	frei	自由	حرّ
lieu *m.*	place	lugar	Ort	地方	مكان
lire	to read	leer	lesen	看书	قرأ، طالع
lit *m.*	bed	cama	Bett	床	سرير
litre *m.*	litre	litro	Liter	公升	لتر
littérature *f.*	literature	literatura	Literatur	文学	أدب
livre *m.*	book	libro	Buch	书	كتاب
logement *m.*	accommodation	vivienda	Wohnung	房子	مسكن
loin	far	lejos	weit	远	بعيد
loisirs *m. pl.*	leisure activity	ocio	Freizeitbeschäftigung	休闲活动	سبل التسلية
long	long	largo	lang	长	طويل
longtemps	(for) a long time	mucho tiempo	lange	长时间	لمدة طويلة
louer	to rent	alquilar	mieten	租	استأجر
lunettes *f. pl.*	glasses	gafas	Brille	眼镜	نظّارات
lycée *m.*	high school	instituto	Gymnasium	高中	ثانوية
Magasin *m.*	shop	tienda	Geschäft	商店	مخزن، محلّ
magazine *m.*	magazine	revista	Illustrierte	杂志	مجلة
magnifique	splendid	magnífico	herrlich/großartig	非常好看	رائع، بديع
mai *m.*	May	mayo	Mai	五月	أيار، مايو
main *f.*	hand	mano	Hand	手	يد

FRANÇAIS	ANGLAIS	ESPAGNOL	ALLEMAND	CHINOIS	ARABE
mais	but	pero	aber	但是	لكن
maison *f.*	house	casa	Haus	房子	بيت، منزل
malheureux	unhappy	desgraciado	unglücklich	不幸	تعيس
manger	to eat	comer	essen	吃	أكل
marché *m.*	market	mercado	Markt	市场	سوق
marcher	to walk	caminar	gehen	走路	مشى
mari *m.*	husband	marido	Ehemann	丈夫	زوج
marié	married	casado	verheiratet	已婚	متزوّج
se marier	to marry	casarse	heiraten	结婚	تروّج
marron	brown	marrón	kastanienbraun	咖啡色	كستنائي
mars	March	marzo	März	三月	آذار، مارس
match *m.*	match	partido	Match/Spiel	比赛	مباراة
matin *m.*	morning	mañana	Morgen	早上	صباح
même	same	mismo	der-, die- dasselbe	同样	ذاته
menu *m.*	menu	menú	Menü	菜单	قائمة
mer *f.*	sea	mar	Meer	海	بحر
merci	thank you	gracias	danke	谢谢	شكراً
mère *f.*	mother	madre	Mutter	母亲	أمّ
message *m.*	message	mensaje	Nachricht	信息	رسالة
métal *m.*	metal	metal	Metall	金属	معدن
mettre	to put	poner	setzen/stellen/legen	放	وضع
meuble *m.*	piece of furniture	mueble	Möbelstück	家具	قطعة أثاث
midi	noon	mediodía	Mittag	中午	ظهر
million *m.*	million	millón	Million	百万	مليون
mince	slim	delgado	dünn/schlank	瘦	ضعيف، نحيل
minuit	midnight	medianoche	Mitternacht	子夜	منتصف الليل
miroir *m.*	mirror	espejo	Spiegel	镜子	مرآة
moderne	modern	moderno	modern	现代	حديث، عصري
moins	less	menos	weniger	比...少	أقلّ
mois *m.*	month	mes	Monat	月	شهر
moitié *f.*	half	mitad	Hälfte	一半	نصف
montagne *f.*	mountain	montaña	Berg	山	جبل
monter	to go up	subir	hinaufsteigen	上去	صعد
montrer	to show	mostrar	zeigen	指	أظهر
monument *m.*	monument	monumento	Denkmal	古迹 / 建筑	صرح، بناء
morceau *m.*	piece/bit	trozo	Stück	块	قطعة
mot *m.*	word	palabra	Wort	词	كلمة
mourir	to die	morir	sterben	过世	مات، توفّي
moustache *f.*	moustache	bigote	Schnurrbart	小胡子	شارب
musée *m.*	museum	museo	Museum	博物馆	متحف
musicien *m.*	musician	músico	Musiker	音乐家	موسيقي
Naissance *f.*	birth	nacimiento	Geburt	诞生	ولادة
naître	to be born	nacer	zur Welt kommen	诞生	وُلِد
nationalité *f.*	nationality	nacionalidad	Staatsangehörigkeit	国籍	جنسيّة
nature *f.*	nature	naturaleza	Natur/Art	大自然	طبيعة
neiger	to snow	nevar	schneien	下雪	أثلج
nez *m.*	nose	nariz	Nase	鼻子	أنف، منخار
noir	black	negro	schwarz	黑色	أسود
nom *m.*	name	apellido/nombre	Name	名字	اسم
nombre *m.*	number	número	Anzahl	数字	عدد
nouveau	new	nuevo	neu	新	جديد
novembre *m.*	November	noviembre	November	十一月	تشرين الثاني، نوفمبر
nuit *f.*	night	noche	Nacht	夜	ليل
nul	crap	nulo	schlecht	零	تافه، سخيف
Obtenir	to get/to obtain	obtener	erhalten	获得	حصل على
octobre *m.*	October	octubre	Oktober	十月	تشرين الأول، أكتوبر
odeur *f.*	smell	olor	Geruch	味道	رائحة
odorat *m.*	(sense of) smell	olfato	Geruchssinn	嗅觉	حاسّة الشمّ
œil *m.*	eye	ojo	Auge	眼睛	عين
offrir	to offer	ofrecer	schenken	赠送	قدّم، أهدى
oncle *m.*	uncle	tío	Onkel	叔叔 / 伯伯 / 舅舅	أخ
orange	orange	naranja	orangefarben	橘黄色	برتقالة
ordinateur *m.*	computer	ordenador	Computer	计算机	حاسوب
ordures *f. pl.*	refuse	basura	Abfall	垃圾	قمامة، نفايات
oreille *f.*	ear	oreja	Ohr	耳朵	أذن
organiser	to organise	organizar	organisieren	组织	نظّم
oublier	to forget	olvidar	vergessen	忘却	نسي
ouïe *f.*	hearing	oído	Gehör	听觉	حاسة السمع
ouvert	open	abierto	offen/geöffnet	开放	مفتوح

FRANÇAIS	ANGLAIS	ESPAGNOL	ALLEMAND	CHINOIS	ARABE
Pain *m.*	bread	pan	Brot	面包	خبز
pantalon *m.*	trousers	pantalón	Hose	长裤	بنطلون، سروال
papier *m.*	paper	papel	Papier	纸	ورقة
parapluie *m.*	umbrella	paraguas	Regenschirm	雨伞	مظلّة، شمسية
parc *m.*	park	parque	Park	公园	منتزه
Pardon !	sorry!	¡Perdón !	Entschuldigung	对不起	عفواً ! عذراً !
pareil	similar to	mismo	gleich	一样	الشيء نفسه
parents *m. pl.*	parents	padres	Eltern	父母	والدان
paresseux	lazy	perezoso	faul	懒惰	كسول
parfait	perfect	perfecto	vollkommen/perfekt	完美	كامل
parfois	sometimes	a veces	manchmal	有时候	أحياناً
parler (à)	to speak (to)	hablar (con)	sprechen mit	(与...)说话	تحدّث (إلى)، كلّم...
particulièrement	particularly	particularmente	besonders	特别	بنوع خاص
partir	to leave	marcharse/irse	aufbrechen/abfahren	离开	ذهب
partout	everywhere	todas partes	überall	到处	أينما كان
passeport *m.*	passport	pasaporte	Pass	护照	جواز سفر
passer	to spend (time)	pasar	verbringen	经过	أمضى
passion *f.*	passion	pasión	Leidenschaft	爱好	ولع
passionné	passionate	apasionado	leidenschaftlich	酷爱	مولع
patate *f.*	potato	patata	Kartoffel	土豆	حبة بطاطس
pâtes *f. pl.*	pasta	pasta	Nudeln	面条	معكرونة
patient	patient	paciente	geduldig	有耐心	مريض
pâtisserie *f.*	pastry	pastelería	Konditorei	蛋糕店	محل حلويات
payer	to pay	pagar	bezahlen	支付	دفع
pays *m.*	country	país	Land	国家	بلد
paysage *m.*	landscape	paisaje	Landschaft	风景	مشهد طبيعي
peinture *f.*	painting	pintura	Gemälde	画	لوحة
penser (à)	to think (about)	pensar (en)	denken an	想	فكّر (بـ)
père *m.*	father	padre	Vater	父亲	أب
personne	nobody	nadie	niemand	没有人	لا أحد
personne *f.*	person	persona	Person	人	شخص
petit	small	pequeño	klein	小	صغير
petit ami *m.*	boyfriend	novio	Freund	男朋友	صديق
petite annonce *f.*	classified ad	anuncios breves	Kleinanzeige	小广告	إعلان مبوّب
petit-fils *m.*	grandson	nieto	Enkel	孙子	حفيد
pharmacie *f.*	chemist's	farmacia	Apotheke	药店	صيدلية
photo *f.*	photograph	foto	Foto	相片	صورة
phrase *f.*	sentence	frase	Satz	句子	جملة
pianiste *m.*	pianist	pianista	Pianist	钢琴家	عازف بيانو
pièce *f.*	room	habitación	Zimmer	房间	غرفة
pièce de théâtre *f.*	play	obra de teatro	Theaterstück	话剧	مسرحية
pied *m.*	foot	pie	Fuß	脚	رجل
pique-nique *m.*	picnic	picnic	Picknick	野餐	وجبة نزهة
piscine *f.*	swimming pool	piscina	Schwimmbad	游泳池	مسبح
pizza *f.*	pizza	pizza	Pizza	比萨饼	بيتزا
place *f.*	square	plaza	Platz	广场	ساحة
plage *f.*	beach	playa	Strand	海滩	شاطئ
plaire	to be liked	gustar	gefallen	喜欢	أعجب
plaisanter	to tease/to joke	bromear	scherzen	开玩笑	مزح
plaisir *m.*	pleasure	placer	Freude/Spaß	喜爱	لذة
plan *m.*	map	mapa	Plan	地图	خريطة
plante *f.*	plant	planta	Pflanze	植物	نبتة
plastique *m.*	plastic	plástico	Kunststoff	塑胶	بلاستيك
plat *m.*	course (in meals)	plato	Gericht	菜	طبق
pleurer	to cry	llorar	weinen	哭	بكى
pleuvoir	to rain	llover	regnen	下雨	أمطرت
pluie *f.*	rain	lluvia	Regen	雨	مطر
plus	more	más	mehr	更	أكثر
plus tard	later	más tarde	später	更晚	لاحقاً
poignet *m.*	wrist	muñeca	Handgelenk	手腕	معصم
point *m.*	full stop	punto	Punkt	点	نقطة
poisson *m.*	fish	pez/pescado	Fisch	鱼	سمكة
policier *m.*	policeman	policía	Polizeibeamter	警察	شرطي
pont *m.*	bridge	puente	Brücke	桥	جسر
port *m.*	harbour	puerto	Hafen	港口	ميناء
portable *m.*	mobile phone	móvil	Handy	行动电话	هاتف نقال، خليوي
poser	to put down	poner	hinstellen/-legen	放	وضع
possible	possible	posible	möglich	可能	ممكن
poste *f.*	post office	correo	Post	邮局	بريد

FRANÇAIS	ANGLAIS	ESPAGNOL	ALLEMAND	CHINOIS	ARABE
pot *m.*	jar	bote	Topf/Glas	罐	حق، مرطبان
poubelle *f.*	dustbin	cubo de basura	Abfalleimer	垃圾筒	سلة قمامة
pouvoir	to be able to	poder	können	能	تمكّن
préférer	to prefer	preferir	vorziehen	比较喜欢	فضّل
premier	first	primero	erste(r, –s)	第一	أوّل
prendre	to take	coger	nehmen	拿	أخذ
prénom *m.*	first name	nombre	Vorname	名字	اسم
préoccupation *f.*	concern	preocupación	Sorge/Besorgnis	忧虑	قلق، انشغال
près (de)	near	cerca (de)	nahe	近	قُرب
présenter	to introduce	presentar	vorstellen	介绍	قدّم
presque	nearly	casi	fast/beinahe	几乎	تقريباً
prêt	ready	preparado	fertig	准备好的	جاهز
prêter	to lend	prestar	borgen/verleihen	借	أقرضاً أعار
prix *m.*	price	precio	Preis	价格	سعر، ثمن
problème *m.*	problem	problema	Problem	问题	مشكلة
prochain	next	próximo	nächste(r, -s)	下一	قادم
profiter de	to make the most of	aprovechar	nutzen	享受	استفاد من
programme *m.*	programme	programa	Programm	计划	برنامج
promenade *f.*	walk/ride/drive	paseo	Spaziergang	散步	نزهة
promettre	to promise	prometer	versprechen	承诺	وعد
proposer	to suggest	proponer	vorschlagen	建议	اقترح
puis	then	después	dann	然后	ثمّ
pull (over) *m.*	jumper	jersey	Pullover	毛衣	كنزة، بلوفر
pyjama *m.*	pyjamas	pijama	Pyjama	睡衣	بيجاما، قميص نوم
Qualité *f.*	quality	cualidad	Qualität	质量	جودة
quand	when	cuando	wenn	...的时候	عندما
quartier *f.*	district	barrio	Viertel	市区	حيّ
quelque chose	something	algo	etwas	东西	شيء ما
quelqu'un	someone	alguien	jemand	人	أحد
question *f.*	question	pregunta	Frage	问题	سؤال
quitter	to leave	dejar	verlassen	离开	ترك، غادر
Raconter	to tell	contar	erzählen	讲述	أخبر، حكى
radio-réveil *m.*	clock radio	radio-despertador	Radiowecker	钟控台式收音机	راديو منبّه
raide	straight	liso	glatt	僵硬	أملس
rallye *m.*	rally	rally	Rallye	比赛	رالي
randonnée *f.*	hiking	excursión	Wanderung	远足	جولة
rappeler	to call back	volver a llamar	zurückrufen	重打	اتصل من جديد
raquette *f.*	racket	raqueta	Tennisschläger	拍子	مضرب
se raser	to shave	afeitarse	sich rasieren	刮胡子	حلق
recevoir	to receive	recibir	empfangen	接待	استقبل، استلم
recyclage *m.*	recycling	reciclaje	Recycling	回收	تدوير، إعادة تأهيل
recycler	to recycle	reciclar	recyceln	回收	دوّر، أعاد التأهيل
réfléchir	to think (about)	reflexionar	nachdenken	思考	فكّر
refuser	to refuse	rechazar	ablehnen	拒绝	رفض
regard *m.*	look	mirada	Blick	眼神	نظرة
regarder	to look (at)	mirar	ansehen	看	نظر
régime *m.*	diet	régimen	Schlankheitskur	减肥	ريجيم، نظام حمية
région *f.*	region	región	Gegend	地区	منطقة
relever	to note (down)	señalar/marcar	heraussuchen	记下	بيّن
religion *f.*	religion	religión	Religion	宗教	دين، ديانة
remarquer	to notice	destacar	bemerken	注意到	لاحظ
remercier	to thank	agradecer	danken	感谢	شكر
remplacer	to replace	reemplazar	ersetzen	取代	أبدل
rencontrer	to meet	encontrar	treffen	遇见	لاقى، لقي
rendez-vous *m.*	appointment	cita	Verabredung	约会	موعد
renseignement *m.*	information	información	Auskunft	信息	استعلام
rentrer	to go back	regresar	nach Hause gehen	回去	عاد
repas *m.*	meal	comida	Mahlzeit	餐	وجبة
répéter	to repeat	repetir	wiederholen	重复	كرّر
répondeur *m.*	answering machine	contestador	Anrufbeantworter	留言机	هاتف مسجّل
répondre	to answer	contestar	antworten	回答	ردّ، جاوب
se reposer	to rest	descansar	sich ausruhen	休息	ارتاح
réserver	to book	reservar	reservieren	预订	حجز
respecter	to respect	respetar	befolgen	尊重	تقيّد بـ
ressembler à	to look like	parecerse a	ähneln	像	أشبه
se ressembler	to look alike	parecerse	sich ähneln	像	شابه
restaurant *m.*	restaurant	restaurante	Restaurant	餐厅	مطعم
rester	to stay	quedarse	bleiben	留下	بقي
retourner	to return (to)	devolver	zurückkehren	回去	رجع

FRANÇAIS	ANGLAIS	ESPAGNOL	ALLEMAND	CHINOIS	ARABE
retrouver	to find (again)	encontrar	wieder finden	找回	وجد
réussir à	to succeed (in)	conseguir	gelingen	成功	نجح في
se réveiller	to wake up	despertarse	aufwachen	醒来	استيقظ
revenir	to come back	volver	zurückkommen	回来	عاد
rêver	to dream	soñar	träumen	作梦	حلم
rien	nothing	nada	nichts	没有	لا شيء
rire	to laugh	reír	lachen	笑	ضحك
rivière *f.*	river	río	Fluss	小河	جدول، ساقية
riz *m.*	rice	arroz	Reis	饭 / 米	أرزّ
robe *f.*	dress	vestido	Kleid	洋装	ثوب، فستان
romantique	romantic	romántico	romantisch	浪漫	رومانطيقي
rose	pink	rosa	rosa	粉红色	وردي
rouge	red	rojo	rot	红色	أحمر
rouler	to roll	circular	fahren	开车	ساق
route *f.*	road	carretera	Landstraße	道路	طريق
rue *f.*	street	calle	Straße	街道	شارع
Sable *m.*	sand	arena	Sand	沙	رمل
sac *m.*	bag	bolso	Tasche	袋子	كيس
salade *f.*	salad	ensalada	Salat	色拉	سلطة، خسّة
salle *f.*	room	sala	Raum	房间	صالة، قاعة
salle de bains *f.*	bathroom	cuarto de baño	Badezimmer	浴室	حمّام
salon *m.*	lounge	salón	Wohnzimmer	客厅	صالون، دار
saluer	to greet	saludar	begrüßen	打招呼	سلّم
sandwich *m.*	sandwich	bocadillo	Sandwich	三明治	ساندويتش
sans doute	probably	sin duda	zweifellos	无疑	بلا شك
santé *f.*	health	salud	Gesundheit	健康	صحّة
séance *f.*	show	sesión	Vorstellung	场	حفلة
secrétaire *m.*	secretary	secretario	Sekretär	秘书	سكرتير، أمين سرّ
sécurité *f.*	security/safety	seguridad	Sicherheit	安全	سلامة
séjour *m.*	living room	sala de estar	Wohnzimmer	客厅	قاعة معيشة، قاعة جلوس
séjour *m.*	stay	estancia	Aufenthalt	停留	إقامة
selon	according to	según	gemäß	按照	حسب
semaine *f.*	week	semana	Woche	星期	أسبوع
sentir	to smell	sentir	riechen	闻到	شمّ
septembre *m.*	September	septiembre	September	九月	أيلول، سبتمبر
sérieux	serious	serio	ernst	严肃	جادّ، جدّي
seul	alone	solo	allein	单独	وحيد
seulement	only	solamente	nur	只	فقط
siècle *m.*	century	siglo	Jahrhundert	世纪	قرن
sigle *m.*	acronym	sigla	Kurzzeichen	缩写	الأحرف الأولى
silencieux	silent	silencioso	schweigsam/still	沉默	كاتم صوت، كتوم
simple	simple	fácil	einfach	简单	بسيط
situation *f.*	situation	situación	Situation	情况	وضع
sœur *f.*	sister	hermana	Schwester	姊姊 / 妹妹	أخت
soif *f.*	thirst	sed	Durst	渴	عطش
soir *m.*	evening	noche	Abend	晚上	مساء
soirée *f.*	evening	noche	Abendstunden	晚间	سهرة
soleil *m.*	sun	sol	Sonne	太阳	شمس
sommeil *m.*	sleep	sueño	Schlaf	睡眠	نعاس
sommet *m.*	peak	cima	Gipfel	山顶	قمّة
sonner	to ring	llamar	schellen/läuten	按门铃	رنّ
sortir	to go out	salir	herausgehen	出去	خرج
souffler	to blow	soplar	pusten/wehen	吹	نفخ
souhait *m.*	wish	deseo	Wunsch	希望	أمنية
sourire *m.*	smile	sonrisa	Lächeln	微笑	ابتسامة
sous	under	bajo	unter	下面	تحت
souvent	often	a menudo	oft	常常	غالباً
spectateur *m.*	audience (member of)	espectador	Zuschauer	观众	مشاهد
sport *m.*	sport	deporte	Sport	运动	رياضة
sportif	athletic	deportivo	sportlich	运动员	رياضي
stade *m.*	stadium	estadio	Stadion	运动场	إستاد، ملعب
studio *m.*	studio flat	apartamento	Einzimmerwohnung	套房	شقة صغيرة
stupide	stupid	estúpido	dumm	愚蠢	غبي
succès *m.*	success	éxito	Erfolg	成功	نجاح
sucre *m.*	sugar	azúcar	Zucker	糖	سكّر
suivant	next	siguiente	nächste(r, -s)	下一	تال، لاحق
supprimer	to remove	suprimir	beseitigen	取消	ألغى
surprise *f.*	surprise	sorpresa	Überraschung	惊喜	مفاجأة
surtout	above all	sobre todo	vor allem	特别	خصوصاً

FRANÇAIS	ANGLAIS	ESPAGNOL	ALLEMAND	CHINOIS	ARABE
sympathique	nice/friendly	simpático	sympathisch	可亲	مؤنس، لطيف
Table *f.*	table	mesa	Tisch	桌子	طاولة
tante *f.*	aunt	tía	Tante	阿姨	عمّة، خالة
tard	late	tarde	spät	晚	في وقت متأخّر
tarte *f.*	tart	tarta	Kuchen/Torte	派	فطيرة
tasse *f.*	cup	taza	Tasse	杯子	فنجان
téléphoner à	to phone	telefonear a	anrufen	打电话	هتف، تلفن، اتصل
télévision *f.*	television	televisión	Fernseher	电视	تلفزيون
tellement	so (much)	tan	so/dermaßen	多得	لدرجة، حتى أن
température *f.*	temperature	temperatura	Temperatur	温度	حرارة
terre *f.*	earth	tierra	Erde	地球	أرض
thé *m.*	tea	té	Tee	茶	شاي
théâtre *m.*	theatre	teatro	Theater	剧场	مسرح
ticket *m.*	ticket	entrada/ticket	Karte/Zettel	票	بطاقة
timide	shy	tímido	schüchtern	害羞	خجول
toast *m.*	toast	tostada	Toast	敬酒	خبز محمّص
toilettes *f. pl.*	toilet	servicio(s)/lavabo	Toiletten	厕所	مرحاض
tomber	to fall	caer	fallen	掉	وقع
toucher	to touch	tocar	berühren	碰	لمس
toujours	always	siempre	immer	永远	دائماً
tour *f.*	tower	torre	Turm	塔	برج
touriste *m.*	tourist	turista	Tourist/Urlauber	观光客	سائح
touristique	tourist	turístico	touristisch	观光	سياحي
tourner	to turn	girar	einbiegen	转弯	برم، دار
tout à l'heure	in a moment	luego	gleich	等一下	بعد حين
tout d'abord	first	en primer lugar	zuerst einmal	首先	أوّلاً
tout de suite	now	enseguida	sofort	马上	فوراً
tout droit	straight	todo recto	geradeaus	一直	مباشرة
tout le monde	everybody	todo el mundo	alle	大家	الجميع
tranquille	quiet	tranquilo	ruhig	安静	هادئ
transports *m.*	transports	transportes	Verkehrsmittel	交通	وسائل النقل
travail *m.*	work	trabajo	Arbeit	工作	عمل
travailler	to work	trabajar	arbeiten	工作	عمِلَ
traverser	to cross	cruzar	überqueren	穿过	اجتاز
très	very	muy	sehr	很	جداً
trier	to sort (out)	escoger/seleccionar	Abfall trennen	分类	فرز
triste	sad	triste	traurig	难过	حزين
se tromper	to make a mistake	equivocarse	sich irren	错	أخطأ، غلط
trop	too much	demasiado	zu viel	太	أكثر من اللزوم
trouver	to find	encontrar	finden	找到	وجد
se trouver	to be	encontrarse	sich befinden	在	وجد نفسه
truc *m.*	thing	cosa/truco	Ding/Trick	技巧	شيء، فذلكة
Université *f.*	university	universidad	Universität	大学	جامعة
Vacances *f.*	holiday	vacaciones	Ferien	假期	عطلة
vélo *m.*	bike	bicicleta	Fahrrad	自行车	درّاجة
venir	to come	venir	kommen	来	جاء
ventre *m.*	belly	vientre	Bauch	肚子	بطن
verre *m.*	glass	vaso	Glas	玻璃	كأس
verre *m.*	glass (material)	cristal	Glas	杯子	زجاج
vert	green	verde	grün	绿色	أخضر
veste *f.*	jacket	chaqueta	Jacke	外套	سترة
vie *f.*	life	vida	Leben	生活	حياة
vieux	old	viejo	alt	老	هرم
vin *m.*	wine	vino	Wein	葡萄酒	نبيذ، خمر
violent	violent	violento	gewalttätig	有暴力倾向的	عنيف
violet	purple	violeta	violett	紫色	بنفسجي
vite	quickly	rápido	schnell	快	بسرعة
vivre	to live	vivir	leben	生活	عاش
voilà	here is...	ahí está	da ist/da sind	这样	هكذا
voir	to see	ver	sehen	看	رأى
voisin *m.*	neighbour	vecino	Nachbar	邻居	جار
voiture *f.*	car	coche	Auto	汽车	سيّارة
voix *f.*	voice	voz	Stimme	声音	صوت
vouloir	to want	querer	wollen	要	أراد
voyage *m.*	trip	viaje	Reise	旅行	رحلة، سفر
vrai	true	verdadero	wahr	真的	صحيح، حقيقي
vue *f.*	eyesight	vista	Sehen	视觉	نظر
Yeux *m.*	eyes	ojos	Augen	眼睛	عيون

Guide des contenus

U = **unité**
A = activité

Guide des contenus

U = unité
A = activité

Table des crédits

Couverture : © Max Dia/Getty Images - **p. 11** : 3 © P.-P. Marcou @ d © Gilles Rolle/Réa @ e © Ludovic/Réa @ f Alain Le Bot/Gamma ; **p. 16** : a © Serena/Hoaqui @ b © Scott Doug/Hoaqui @ c © Yann Arthus Bertrand/Altitudes @ d © Helen Hiscocks/Altitudes @ e © Simeone Huber/Getty Images ; **p. 21** : 1 © Christophe L @ 2 © Marc Gantier/Gamma @ 3 © Catuffe/Sipa @ 4 © Alain Benainous/Gamma @ 5 © Benainous-Dufour/Gamma @ 6 © Bruno Bébert/Sipa @ 7 © Christophe L ; **p. 26** : © Gavin Hellier/Getty Images ; **pp. 26-27** : © AGE/Photononstop ; **p. 27** : © Rick England/Getty Images ; **p. 29** : 1h © Lawrence Manning/Corbis @ 2 h © Raphael Junneau/Getty Images @ 3 h © V.C.L. /Getty Images @ 4h © Bob Thomas/Getty Images @ 1 b © Duomo/Corbis @ 2 b © Duomo/Corbis @ 3 b © Anne-Marie Weber/Getty Images @ 4 b © Duomo/Corbis @ 5 b © Mauritius/Photononstop @ 6 b © Ulli Seer/Getty Images ; **p. 31** : h Christophe L @ b © Société Générale ; **p. 32** : © Jean-Claude Thuillier/Réa ; **p. 34** : © D. Reperant/Hoaqui ; **p. 36** : a © Benaroch/Sipa @ France 2, DR @ France 3, DR @ M6 © Philippe Eranian/Corbis @ **p. 37** : a © Gamma @ b © Colocation (www.colocation.fr) @ c © Pierre Reimbold/Hoaqui @ d © Philippe Ledru/Gamma@ TF1 © Philippe Eranian/Corbis @ Canal + © Philippe Eranian/Corbis @ © Arte ; **p. 47** : © Le Monde ; **p. 48** : © J.P. Lescourret/Photononstop ; **p. 50** : e © Xavier Zimbardo/Hoaqui @ a © S. Cagnoni/Report Digital-Réa @ **p. 51** : b © Alain Nogue/Corbis @ c © P. Wang/Hoaqui @ d © P. Fagot/Urba Images @ f © Jarocinski/Urba Images @ fonds © Martine Mouchy/Getty Images ; **p. 52** : h © Davide Monteleone/Contrasto-Réa @ b © Tom Craig/Réa ; **p. 56** : h © David Barnes/Photononstop @ b © Rackam/WPA/Sipa ; **p. 58** : h © Dennis Gegnan/Corbis @ b © Anna Neumann/Laif-Réa ; **p. 60** : © L'Officiel des Spectacles ; **p. 61** : fonds © Nationale Géographic/StockImages ; **p. 62** : hg © Azambre/OptionPhoto @ bg © Frank Heuer/ Laif-Réa @ b © Ross Durant/Getty Images ; **p. 63** : © Ross Durant/Getty Images ; **p. 65** : g © Xavier Zimbardo/Hoaqui @ m © Felgeirolles/OptionPhoto @ d © Michael Crabtee/Reuters/Maxppp ; **pp. 70-71** : fonds © Lee Snider/Corbis ; **p. 71** : g © Azambre/OptionPhoto @ d © Francis Jalain/Hoaqui ; **p. 76** : Champagne de Lurçat : © Cliché Musées d'Angers/Photo Pierre David ; **p. 77** : Plan Angers, le polygraphe ; **p. 81** : Blay Foldex, Cartes @ Plans @ Guides, 40-48, rue des Meuniers 93108 Montreuil cedex (tél. 33 (0)1 49 88 92 10 @ fax: 33 (0)1 49 88 92 09 @ www.blayfoldex.com), Autorisation n°22330 ; **p. 82** : © Benoît Decout/Réa ; **p. 83** : © Christophe L ; **p. 84** : g © Faria Castro Haroldo et Flavia/Gamma @ d © Hervé Vincent/Avecc-Réa ; **p. 85** : hg © Richard T. Nowitz/Corbis @ bd © Bruno de Hogues/Gamma ; **p. 87** : 1 © Fayolles/Sipa @ 2 © F. Achdou/Urba Images @ 3 © La Française des Jeux @ 5 SAS Carte Bleue @ 6 © Jacques Loïc/Photononstop ; **p. 89** : © D. Schneider/Urba Images ; **p. 94** : © Eco-Emballage, DR ; **p. 95** : h © Eco-Emballage, DR @ fonds et bm © Jeff Mermelstein/Getty Images @ bd «Recycler, c'est naturel», DR ; **p. 96** : hd © Tyler Stableford/Getty Images @ fonds © Gilles Rigoulet/Hoaqui @ bg © Otto Lang/Corbis ; **p. 100** : g © SGM/Age/Hoaqui @ d © Francis Jalain/Hoaqui ; **pp. 104-105** : © Mark Jenkinson/Corbis ; **p. 108** : hd © Editions Ponchet Plan-Net, Autorisation 030803 @ bg © Jean Isenmann/Francedias.com ; **p. 113** : © Aslan/Rivière/Villard/Sipa ; **p. 118** : h © Laurent Seroussi/Glénat @ b © Glénat ; **p. 119** : bg © Glénat ; **p. 120** : © PictureNet/Corbis ; **p. 128** : Richard Guidry, DC - 4 © Claude Pavard/Hoaqui ; **p. 129** : Jacques Godbout et Cheik Hamidou Kane, DC @ 3 © David Ball/Photononstop - 6 © Didier Noirot/Hoaqui @ 5 © Christian Vaisse/Hoaqui @ 1 © Gary Cralle/Getty Images @ 2 © Philippe Crochet/Photononstop @ 7 © P. Métois/Altitudes ; **p. 130** : © Amélie Darnis/Claude Gassian ; **p. 131** : © Amélie Darnis/Claude Gassian ; **p. 138** : © Sipa ; **p. 139** : fonds© Firefly Productions/Corbis @ hg © Frédéric Reglain/Gamma @ hd © Christophe L ; **p. 171** : © Christophe L.

Illustrations

Cyrille Berger: pp. 9, 13, 24, 35, 37, 45, 50, 55, 63, 64, 66, 76, 78, 86, 87, 90, 91, 98, 99, 100, 109, 110, 111, 113, 114, 115, 117, 120, 124, 127, 130, 131, 132, 134, 136, 151, 166, 170, 172, 176; Jean-Louis Marti @ RetM Graphic: 7, 11, 12, 13, 14, 19, 28, 32, 41, 42, 46, 52, 65, 71, 75, 79, 87, 97, 104, 105, 125; Marie Nacht (haut) et Lisa Jourdan (bas): 115

Photos

Aurélia Galicher: pp. 50 g; Christophe Hurtrez: 7, 8, 10, 11, 13, 15, 18 (remerciements à l'école Accord), 22, 32, 67, 75, 76, 79, 85, 87, 119, 138, 139, 166; Emmanuel Lainé: 7, 13, 23, 26, 35, 41, 43, 44, 79, 85, 91, 92, 98, 101, 116; Yves Loiseau: 15, 20, 23, 24, 32, 68, 77, 80; Nicolas Marti: 11, 13, 15, 18, 23, 79, 166; Juan Mora: 133

Nous avons recherché en vain les auteurs ou les ayants droits de certains documents reproduits dans ce livre. Leurs droits sont réservés aux Éditions Didier.

Couverture et conception maquette : Chrystel Proupuech
Mise en pages : Isabelle Aubourg
Photogravure : Euronumérique

Les auteurs remercient très vivement les enseignants de France et de l'étranger qui ont gentiment accepté de se prêter à diverses consultations et les nombreux collègues et amis qui les ont chaleureusement soutenus.

ISBN 978-2-278-05411-4 Imprimé en France
Achevé d'imprimer en mars 2008 par Maury imprimeur - Dépôt légal : 5411/10